주옥의 經驗方 집대성

漢方 疾患別 經驗方 實際와 治療法

편저 박종갑

▶ 질환별 분류 수록

▶ 원인, 증상, 처방,
용량 등 치료법 공개

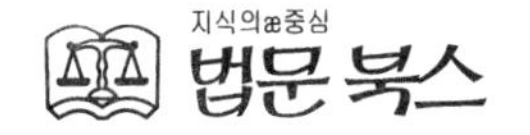

序 文

韓方醫學은 證候醫學이라고 하며 또 經驗醫學, 隨證治療라고도 하고 있다. 韓方에는 韓方獨自의 症狀의 보는 方法, 생각하는 方法 그리고 治方이 있다.

그 韓方治療의 中心點을 한마디로 하면 所謂「證」의 決定이라고 하는데 있는 것이다.「證」의 決定에 이르는 過程에서 韓方獨自의 診斷學이 있는 셈이다.

韓方의 診斷은 極히 素朴은 하나 臨床的으로는 實로 精細를 極하여 望, 聞, 問, 切의 四診에 依하여 脈, 腹, 舌症의 네가지를 總括的으로 관찰하여 그 韓方 特有의 생각하는 方法에 依하여 病像을 선별하고 그 病像에 적합한 特定의 處方을 선택적으로 決定하는 것이다.

이것은 곧「證」에 따라 治療한다고 하는 것이다. 韓方特有의 보는 方法中 가장 代表的인 것은 (陰, 陽, 虛, 實) 의 判斷方法이라 하겠다.

이러한 韓方醫學이 오랜 歷史를 가지고 人類疾病 退治에 공헌해 오는동안 수많은 學者들이 硏究 努力하여 오늘날에 와서 韓方醫學叢書들이 幾百幾千余種에 達하고 있으며 그 評價에도 감히 現代醫學을 능가 혹은 논란케 하는 경우가 없지 않다. 其中 現今까지 이醫學을 다루는 醫者에게 코사이스 役割을 하는 方藥合編도 代表的인 醫書이라 하겠으며 이 方藥合編의 原書는「醫方活套」로서 1869年 지금으로부터 110年 前에 惠庵 黃度淵 先生에 依하여 著述되었으며 그後 1885年 惠庵先生께서 作故하자 그의 아들인 黃泌秀가 그해에 先親의 醫方活套에다 醫宗損益의 本草論 즉「損益本草」를 合하고 다시 藥用綱領 救急方을 上中下 三統으로 나누어 上統은 補劑, 中統은 和劑 下統은 攻瀉劑의 三品三段으로 나누어 從來에 使用하여 오든 많은 處方을 實際臨床家들에게 一目暸然하게 보도록 하여 實用性에 便利하게 하여 크게 人氣를 받아왔으며 現今까지 醫家들의 當備方書로 有名하다.

編輯을 마치면서

그러나 이와같은 方藥合編도 世月이 흐르는 版이 거듭됨에 따라 處方에 增補가 必要하게 되었으며 이는바「辨正方藥正傳」等으로 本方의 二倍가 되는 九百余方에 이르러 책이 나왔으니 약간의 變遷과 進步의 기미가 싹트고 있다고 하겠다。우리의 韓方醫學은 經驗醫學이라고도 할수 있기에 많은 사람들이 自己가 직접 治療하여 完治한 方들이 바로 重要한 寶庫이라 아니할수 없다。그래서 이러한 寶庫를 널리 普及하고자 1975年 3月 25日 只今부터 12年前에 本人이 月刊 韓方春秋를 發刊當時에 城東區韓醫師 先生任들의 協助를 얻어 經驗方 選集을 내어 各界에 普及한 적이 있으며 이 책을 토대로 하여 其后 이러한 貴重한方들을 하나 하나 모아 두었다。이번에 實際大經驗方選集으로 命名하여 世上에 내어 놓게 앞서 當時 大韓韓醫師會 會長이신 韓春瑱 會長任 當時 서울特別市 韓醫師會 尹四源 會長任와 當時 城東區韓醫師會 徐冠錫 會長任의 깊은 뜻에 이번에 補完重刊을 내면서 다시한번 感謝드리오며 其外 貴重한 寶庫인 原稿를 提供해 주신 韓醫師任들에게도 다시한번 感謝를 드립니다。

아울러 이 책을 펴내기 爲하여 全國各地에서 原稿를 보내주신 先輩諸賢들의 고마운 뜻 깊이 새겨 두오며 特히 水原에 계시는 作故하신 李殷八先生任과 金昌謙先生任의 後進 育成의 고마운 業蹟이 길이 傳해질 것을 믿어 의심치 않으며 이 冊으로 하여금 人類疾病 退治에 크게 도움되었으면 하는 마음 간절하오며 감히 序文에 대하는 바입니다。

目 次

序 文 …… 1

內 科

1、呼吸器系疾患 …… 1

感氣症候 …… 1
氣管支炎 …… 1
急性氣管支炎 …… 2
急性氣管支喘息 …… 2
慢性氣管支炎 …… 2
慢性氣管支炎喘息 …… 2
急性氣管支喘息 …… 3
膿胸(濕性肋膜炎) …… 3
肋膜炎 …… 3
濕性肋膜炎 …… 4
肋膜炎 虫樣突起炎 …… 5
急慢性 肋膜炎 …… 5
肋膜炎(乾濕通治) …… 6
乾濕肋膜炎 …… 6
乾性肋膜炎 肋間神經痛 …… 6
TB …… 6
肺結核 及 肺洞空 …… 7
結 核 …… 7
脇 痛 …… 7
瘧 疾 …… 7
까스中毒 …… 8
肺 炎 …… 8
變性頓嗽 …… 8
肺結核 …… 8
蓄膿症 …… 9
衄 血 …… 9
鼻淵症 …… 10
鼻塞症 …… 10
鼻痔 및 鼻瘡 …… 11
氣管支炎 …… 11
氣管支喘息 …… 12
肺氣腫 …… 13
肺 炎 …… 14

肺디스토마(肺土質) …… 14
肺結核 …… 15
肋膜炎 …… 15
肺結核喀血 …… 16
肋膜炎 …… 17
肋膜炎實證通用方 …… 18
乾性肋膜炎 …… 18
濕性肋膜炎 …… 18
濕性肋膜炎後恢復劑 …… 19
化膿性肋膜炎 …… 19
漿液性肋膜炎 …… 19
結核性肋膜炎 …… 19
血　胸 …… 19
肺디스토마(土疾) …… 19
肺디스토마喀血 …… 20

外　科

外科 …… 21
冬季手足凍傷 …… 21
負傷瘀血痛 …… 21
打撲傷 其他 神經痛 一切 …… 21
打撲損傷瘀血 …… 21
落傷不仁鍼治法 …… 22
一切出血症(止血劑임) …… 22
水虫(무좀) …… 22
毒蛇에 물린데 …… 22
疣 …… 23
火　傷 …… 23
各種痰核痰腫 …… 23
狂犬咬傷 …… 23
淋巴腺炎 …… 24
肺　疽 …… 24
蛇頭瘡 …… 24
連珠瘡 …… 24
連珠瘡 …… 24
連珠瘡 …… 24
頸項淋巴腺結核 …… 25
連珠瘡 …… 25
連珠瘡 …… 25
毒腫薰藥方 …… 25

癰　疽 …… 25
打撲瘀血 …… 25
痔　疾 …… 26
外痔疾 …… 26
内痔疾 …… 26
痔疾貼付妙方 …… 26
脫肛症 …… 26
肛門周圍炎 …… 26
亀胸亀背 …… 26
癩　病 …… 26

小 兒 科 …… 28

小兒感氣兼消化不良症 …… 28
小兒消化不良症 …… 28
小兒急性氣管支炎 …… 28
百日咳 …… 29
小兒夜啼症 …… 29
小兒夜啼症 …… 29
夜啼症 …… 29
小兒夜熱 …… 30
小兒急慢驚風症 …… 30
小兒慢驚 및 泄瀉甚 …… 30
食傷慢驚 …… 31
小兒泄瀉兼慢驚 …… 31
小兒夜尿 及 遺尿症 …… 31
夜尿症 …… 31
白　濁 …… 32
小兒大便不通 …… 32
볼거리 …… 32
小兒耳下腺炎 …… 33
小兒胎毒症 …… 33
胎黃症 …… 33
小兒麻痺症 …… 33
百日核 …… 34
丹　毒 …… 34
小兒急癇 …… 34
急性脊髓性小兒麻痺 …… 35
小兒慢性腹加答兒 …… 35
디프테리아 …… 36
痲　疹 …… 36

痲疹後口疳瘡 …… 37
百日核 …… 37
小兒肺炎 …… 38
小兒急性肺炎 …… 38
夏季腦炎 …… 38
類似腦炎 …… 40
小兒痲痺 …… 40
小兒肝氣 …… 41
小兒泄瀉 …… 41
小兒吐瀉後遺症 …… 41
小兒身熱驚畜青便不消乳食方 …… 41
幼兒消化不良常習不痢 …… 42
小兒癎疾 …… 42
小兒夜啼症 …… 42
小兒黃疸 …… 42
遺尿症 …… 42
夜尿症 …… 42
小兒 마른버짐 …… 42
小兒濕疹 …… 42
小兒諸病解熱消毒劑 …… 42

婦人科 …… 43

1、月經門 …… 43

婦人經病(月經不順) …… 43
月經痛 …… 44
經中痛(腰腹痛)因虛困症 …… 44
月經遲卜腹痛 …… 44
月水不通 …… 44
處女月經不通症 …… 44
婦人月候不調結成癥瘕等諸病 …… 45
經血再來症 …… 45
經閉 …… 45
調經 …… 45

2、陰戶門 …… 46

婦人性不感症 …… 46
小兒家痛(交接則痛不忍) …… 46

3、姙娠門……47
婦人無子……47
不姙症……47
習慣性流產……47
落胎方……48
惡阻症……48
姙娠惡阻症……48
姙娠惡心嘔吐症……49
胎中虛弱(補藥)……49
姙中氣血俱虛……49
胎漏症……50
子腫症……50
子　癎……50
子癎症……50
難產(氣血虛者)……50
4、產後門……51
產後感冒風寒咳嗽痰盛……51
產後喘嗽……51
產後浮腫·喘咳……51
產後貧血頭痛……51
產後血虛頭痛 及 四肢節痛症……52
產後血虛症……52
產後頭眩痛症……52
產後頭痛眩氣症……52
產後發熱……53
產後惡寒發熱……53
產後風症……53
產後風……53
產後肢節痛……53
產後血燥症……54
乳腺炎……54
乳　腫……54
乳房腫痛……54
產後乳腫……55
乳腫(젖몸살)及乳房核……55
婦人急性乳腺炎……55
產後嘔吐症……55
兒枕痛……56

產後腹痛 …… 57
產後腹痛— 一切產後諸症 …… 57
產後腰痛 …… 57
包衣不下 …… 58
自然流產中 下胎不能 及腹痛者 …… 58
人工流產後 及 經中腰腹痛 …… 58

5、帶下·崩漏·子宮出血 …… 59

帶下(子宮內膜炎) …… 59
婦人帶下 …… 60
各種帶下症 …… 60
急慢性帶下症 …… 60
婦人帶下 및 淋疾、尿道炎 …… 61
子宮內膜炎 子宮附屬器炎 …… 61
子宮內膜炎 …… 61
婦人崩漏症 …… 62
崩漏(子宮出血) …… 62
子宮出血 及 崩漏 …… 62
崩漏症(不正子宮出血) …… 62
子宮出血 …… 63
子宮出血 及 炎症(虛症) …… 63
婦人下血症 …… 64
一切下血症 腸風下血 等 …… 64

6、子宮炎 및 卵巢炎 …… 65

左側子宮炎 及 卵巢炎과 正中子宮炎 …… 65
右側子宮炎 及 卵巢炎症 …… 65
子宮病一切 …… 65
子宮筋腫 …… 65
子宮不栓 …… 66
陰脫症 …… 66
調 經 …… 67
經 閉 …… 67
痛 經 …… 67
月經不順 …… 67
逆 經 …… 67
月經痛 …… 67
經前腹痛 …… 67
不姙症受孕方 …… 67
坤厚資生丸 …… 68

不姙症 …… 68
帶下症 …… 68
白濁・帶下 …… 69
帶 下 …… 69
赤帶下 …… 69
白帶下 …… 69
胎 前 …… 69
惡 阻 …… 69
子縣症 …… 69
姙婦盲腸炎 …… 69
流產常習 …… 69
臨 產 …… 70
產時玉門不開症 …… 70
產時催生方 …… 70
橫產逆產手足先出症 …… 70
陳痛微弱症 …… 70
難產方 …… 70
胎 後 …… 71
胞衣不下症 …… 71
產後腹痛 …… 71
產後玉門破裂痛 …… 72
產後子宮下垂症 …… 72
產後傷食 …… 72
產後衄血症 …… 72
產後血暈不語症 …… 72
產後氣脫症 …… 72
產後一切諸血虛症 …… 73
產後中風 …… 73
產後喘嗽 …… 73
產後頭痛 …… 73
產後發熱 …… 73
產後發痓 …… 73
產後雜症 …… 73
產後浮腫年久不差者 …… 74
產後乳少症 및 無乳症 …… 74
乳 腫 …… 74
乳腫初期 …… 74
乳房炎 …… 75
婦人雜病 …… 75
子宮出血 …… 75

慢性子宮出血 …… 75
血崩症 …… 75
血漏症 …… 76
子宮內膜炎 …… 76
嗽叺管炎 …… 76
卵巢 및 輸卵管炎 …… 76
子宮筋腫 …… 76
子宮癌 …… 76
子宮혹 …… 77
交腸症 및 小門放氣 …… 77
陰門大便出症 …… 77
子宮下垂 …… 77
婦人脫陰症 …… 77
婦人久年陰脫症 …… 77
陰戶痒痛 …… 78
葡萄狀鬼胎 …… 78
子宮外姙娠 …… 78
流產方 …… 78
婦人一切心火 …… 78
婦人諸虛 …… 78
婦人氣痛 …… 78
月經過少症 …… 79
月經過多症 …… 79
脫陰症 …… 80
帶下症 …… 80
神經系疾患 …… 82
類似腦炎 …… 82
頭　痛 …… 82
偏頭痛 …… 82
項強不仁(後頭痛) …… 82
中　風 …… 83
顏面神經麻痺 …… 83
口眠喎斜 …… 83
神經痛 及 神經炎 …… 84
神經痛 …… 84
肩胛神經痛 …… 85
肩臂痛 …… 85
助間神經痛 …… 85
肺氣(딸국질) …… 86
血　虛 …… 86

貧血性不眠症 …… 86
노이로제、不眠症、神經銳敏 …… 86
神經衰弱 不眠症 …… 87
虛煩不睡(不正脈)、怔冲症、神經衰弱 陰虛症等 …… 87
元氣不足(신경쇠약) …… 87
精神異常、神經衰弱 …… 88
狂症陰虛者(정신분열증) …… 88
癲 癎 …… 88
腎虛腰痛 …… 89
腰痛(因捻挫) …… 89
腰痛(一切) …… 89
坐骨神經痛 …… 90
手顫症 …… 90
委中引疼 …… 91
犯方傷寒 及 左股痛 …… 91
骨髓炎 …… 91
연탄까스 中毒 …… 91
神經痛(痰痛) …… 92
三叉神經痛 …… 92
肩胛 및 上肢神經痛 …… 92
助間神經痛 …… 93
腰神經痛 …… 93
坐骨神經痛 …… 94
精系神經痛 …… 95
顏面神經麻痺 …… 95
舌下神經麻痺 …… 96
橫隔膜痙攣 …… 97
腦膜炎 …… 97
腦貧血 …… 98
腦溢血(卒中風) …… 99
척추가리에스(亀背症) …… 101
癲 癎 …… 101
書痙(手顫症) …… 102
히스테리(女子火病) …… 103
神經衰弱 …… 104
流行性感冒 …… 104
神經痛및 神經麻痺類、百會附近 刺劇熱痛者 …… 105
原因不明頭痛 …… 105
飮酒後當傷風因頭頂不擧者 …… 105
頭 痛 …… 105

風虫齒痛……106
肋間神經痛……106
腰　痛……106
急性腰痛……106
腎虛腰痛……106
尾閭骨痛……106
坐骨神經痛……107
顔面神經麻痺……106
顔面神經痙攣……107
파킨슨氏病……107
中　風……107
精神神經病類……108
노이로제……108
腦神經衰弱……108
히스테리……108
精神病……108
癲　癎……110
癲　疾……110
腦膜炎……110

消化器系病

消化器系病……112
食欲不振……112
慢性胃腸病……112
急慢性食滯……112
胃炎(肉滯)……112
急慢性胃炎……113
慢性胃炎……113
食中毒……113
食　傷……113
消化不良症……114
消化不良 및 酸過多 便秘……114
胃酸過多、胃潰瘍、十二指腸潰瘍……114
胃酸過多……115
嘔吐、嘔逆氣一切……115
勞心吐血……115
酒　傷……116
酒毒乾嘔……116
胃潰瘍 及 胃酸過多……116
胃潰瘍……116

胃　痛 …… 117
腹　痛 …… 117
蛔腹痛 …… 118
蛔虫諸虫 …… 118
胃痙攣 …… 118
胃痙攣症(가슴앓이) …… 119
胃腸痙攣 …… 119
胃痙攣 及 膽石症 …… 121
署中滯 …… 121
暑月吐瀉藿亂 …… 121
구토、곽난、소화불량、복통、적백리、식상、위통、腹中諸疾 …… 122
藿　亂 …… 122
單腹脹、 鼓脹症 …… 122
肝經化 …… 122
肝經化症 및 膵臟炎 …… 123
肝臟膿瘍 …… 123
肝臟炎 …… 124
黃　疸 …… 124
肝臟炎 及 膽石症 …… 124
黃　疸 …… 124
膽囊炎 …… 125
急慢性 膽石症 …… 125
膵臟炎 …… 125
腹膜炎 …… 126
盲腸炎 …… 126
急慢性盲腸炎 …… 126
夏節流行性痢疾 …… 127
痢　疾 …… 127
赤白痢 …… 128
赤白痢疾 …… 128
白　痢 …… 129
赤　痢 …… 129
大腸炎(赤白痢) …… 129
急性大腸炎 …… 129
七情所致 大便不利 및 胸痞 …… 130
腸出血 …… 130
扁桃腺炎 …… 131
咽頭炎 …… 131
食道痙攣症 …… 131

胃酸過多症 …… 132
胃 炎 …… 132
胃潰瘍 …… 133
胃痙攣 …… 133
胃下垂症 …… 134
胃擴張症 …… 134
胃酸缺乏症 …… 135
腸 炎 …… 135
腸神經痛 …… 136
痢 疾 …… 136
盲腸炎 …… 137
常習便秘 …… 137
黃 疸 …… 138
肝臟炎 …… 138
腹 水 …… 139
急性胃炎 …… 139
急慢性胃炎 …… 139
慢性胃炎 …… 140
胃腸炎 …… 140
神經性胃炎 …… 140
胃下垂症 …… 140
胃攣(가슴앓이) …… 141
胃痙攣 …… 141
胃酸過多症 …… 141
胃潰瘍 …… 142
胃 癌 …… 142
牛肉滯 …… 143
牛乳滯 …… 143
猪肉滯 …… 143
猪 肉 …… 143
狗肉滯 …… 143
鷄肉滯 …… 143
諸肉滯 …… 143
酒 滯 …… 144
胃 痛 …… 144
胃心痛 …… 144
胃出血 …… 144
瀉霍乱轉筋 …… 144
暑 滯 …… 144
嘔吐症 …… 144

腸 病 …… 144
慢性腸炎 …… 144
腸 炎 …… 145
일레우스(絞腸症) …… 145
痢 疾 …… 145
赤白痢 …… 145
腸出血 …… 145
便 秘 …… 145
老人血燥便秘 …… 146

遁環器系疾患 …… 147

心臟 疾患에 對한 小考 …… 147
心臟辨膜病 …… 148
血虛喘息 …… 149
喘 息 …… 150
高血壓 …… 150
本態性高血壓 …… 150
症候性高血壓症 …… 150
神經性高血壓 …… 151
神經性 및 腎性高血壓腰痛 …… 151
低血壓 …… 151
心臟辨膜症 …… 152
高血壓虛證 …… 153
心臟病 …… 153

皮泌·精·性病科 …… 155

1、皮膚科 …… 155

皮膚疾患 …… 155
皮膚乾濕疹 …… 155
皮膚炎 …… 155
蕁麻疹 …… 156
赤白痢疹 …… 156
風 丹 …… 156

2、泌尿器科 …… 157

小便不利症 …… 157
老人小便難澁 …… 157
下腹痛 便秘症 …… 157
女子尿道炎 …… 157
腎結石 …… 157

腎結石症……158
寒疝症類……158
浮　腫……159
腎臟炎……159
腎臟炎 및 肪胱炎……159
腎臟炎腹水 慢性消化不良症……159
腎臟炎浮腫……160
急性腎臟炎……160
慢性腎臟炎……160
急慢性腎臟炎……161
𩋙丸浮腫……161
囊　腫……162
陰囊水腫……162
陰囊水腫……162

3、精力門……163

勃起不能早漏……163
性神經衰弱 勃走不能……163
精力減退 早漏 囊濕 早老等症……163
陽氣不足……163

4、性病科……164

慢性淋疾……164
梅　毒……165
皮膚搔痒症……165
濕　疹……165
白癜風……166
紅　斑……166
鵝掌風……166
水虫(무좀)……166
丹　毒……166
火　丹……167
脫毛症……167
漆　瘡……167
疹瘡外用藥……167
皮膚病外科藥……167
皮膚癌……167
腎臟炎……168
陰萎症……168
淋　疾……169

遺尿症 …… 169
泌尿器·生殖器病 …… 170
腎臟炎 …… 170
慢性腎臟炎 …… 170
四肢浮腫 …… 170
腎臟結石 …… 170
腎石症 …… 170
腎石疝痛 …… 171
血尿症 …… 171
淋疾速治方 …… 171
淋疾 …… 171
淋疾痛治方 …… 172
囊疝 …… 172
疝症 …… 172
男子陽痿 …… 172
陽痿 …… 172

肝胆病

肝胆病 …… 173
肝臟炎 …… 173
肝硬變 …… 174
肝臟性腹水 …… 174
胆囊炎 …… 174
黃疸 …… 174
膽石症 …… 174
膽石症 及 胆道炎 …… 175
寄生虫 및 其他 …… 175
蛔虫 …… 175
蛔積 …… 175
蟯虫 …… 175
寸白虫 …… 175
十二指腸虫 …… 176
十二指腸虫 및 蛔虫 …… 176
간디스토마 …… 176
腹膜炎 …… 176
콜레라 …… 176
독버섯中毒 …… 177
草烏毒 …… 177

新陳代謝疾患

新陳代謝疾患 …… 178
糖尿 및 婦人帶下 …… 178

甲狀腺炎 …… 178
糖尿病 …… 179
甲狀腺腫大 …… 179
脚氣水腫 …… 179
脚　氣 …… 179
結核性 膝關節炎 …… 180
류마치스性 관절염 …… 180
糖尿病 …… 181
바세도氏病 …… 181
關節炎類 …… 182
膝關節炎 …… 182
下脚關節炎 …… 182

耳鼻咽喉眼齒科

耳鼻咽喉眼齒科 …… 183
1、耳　科 …… 183
耳痛成膿耳 …… 183
2、鼻　科 …… 185
蓄膿症 …… 185
鼻中生瘡 …… 186
鼻出血 …… 186
一切止血 …… 186
3、咽喉科 …… 188
咽喉腫痛 …… 188
嚥下痲痺 …… 188
扁桃腺炎 …… 189
急性腺炎 …… 189
4、眼　科 …… 191
視力衰弱 …… 191
角膜炎 …… 191
麥粒腫 …… 191
視力減退症 …… 191
不能近視 …… 192
水泡性結膜炎 …… 192
眼生白翳 …… 192
淚囊炎 …… 192
流淚不 …… 192

5、齒科 …… 193
虫齒痛 …… 193
風齒痛 …… 193
齒痛 …… 193
雜病 …… 195
瘰癧 …… 195
帶下症 …… 195
痔疾 …… 196
諸疔疽 …… 197
霍亂 …… 197
關格 …… 197
耳聾症 …… 198
久嗽 …… 198
流淚症 …… 199
弱視症 …… 199
眼球充血症 …… 200
風齒痛 …… 200
膿耳 …… 201
偏頭痛 …… 201
面皮風 …… 202
腋臭症 …… 202
浮腫 …… 203
乳汁不足症 …… 203
脫肛症 …… 204
象皮症 …… 204
多汁症 및 偏身發汗症 …… 205
小便不通症 …… 205
小便不禁症 …… 206
大便不通症 …… 206
肝디스토마 …… 206
肺디스토마 …… 207
便血症 …… 207
尿血症 …… 208
不姙症 …… 208
多產症 …… 209
延經法 …… 209
產後腹痛 …… 210
難產症 …… 210

急 滯 …… 211
酒 滯 …… 212
尿崩症 …… 212
胎動下血症 …… 213
蛇咬毒 …… 213
狂犬毒 …… 214
打撲 및 捻挫 …… 214
面上紛刺(여드름) …… 216
面上기미 …… 216
頭上落毛症 …… 216
頭髮早白症 …… 217
癌 腫 …… 217
肥滿症 …… 217
溺死者 및 縊死者救急法 …… 218
其他雜病 …… 219
毒 感 …… 219
瘧 疾 …… 219
頭汗症 …… 219
犯房傷寒 …… 219
活精丸 …… 219
腎虛症 …… 219

其 他

其 他 …… 221
四象醫學의 理論과 實際 …… 221
法醫學概論 …… 227
韓方本草의 製劑에 관하여 …… 230
太極鍼法의 利用方法 …… 233
精蜜鑑定法 …… 235
四象鑑別法 …… 236
酸棗仁湯의 不眠症治療效果 …… 238
如神炷에 對한 小方 …… 239

參考事項

參考事項 …… 241
1、心 臟 …… 241
2、精 …… 242
3、氣 …… 244
4、神 …… 245
5、血 …… 247
6、夢 寐 …… 250
7、聲 音 …… 251

8、津液 …… 253
9、痰涎 …… 254
10、虫 …… 255
11、小便 …… 257
12、大便 …… 259
13、癰疽 …… 260
14、諸瘡 …… 262
15、積聚 …… 264
16、水腫 …… 265
17、脹滿 …… 266
18、消渴 …… 267
19、黃疸 …… 269
20、瘧疾 …… 270
21、邪祟 …… 272
22、身形 …… 274
23、身形古方 …… 275
24、中風 …… 276
25、寒科 …… 277
26、暑症 …… 279
27、濕症 …… 280
28、內傷症 …… 281
29、虛勞 …… 282
30、婦人 …… 283
31、小兒 …… 288
32、咳嗽 …… 291

別篇

別篇 …… 295
經驗方 …… 295
序論 …… 295
噫氣不除 …… 295
抱攣疼痛症 …… 296
慢性關節炎 특히 畸型性 관절염증 …… 296
泄瀉 …… 296
泄瀉虛冷者 …… 297
努責 …… 297
大便下血久者 …… 297
婦人子宮出血 …… 297
小兒夜尿症 …… 297
糖尿病 …… 298
神經性胃腸病 …… 298

胃炎及 潰瘍 十二指腸潰瘍 …… 298
胃 痛 …… 298
乳汁不下 …… 299
류마치스 관절염 …… 299
腎結石症 …… 299
關節炎 下肢冷無力症 …… 299
疝 痛 …… 300
浮腫諸症 …… 300
脹滿症 …… 300
膝關節류마치스 …… 300
感冒咳嗽 …… 301
風痰症 …… 301
風寒感冒症 …… 302
胃脘痛 胸腹痞悶 噫氣 嘈症 …… 302
腰痛症 …… 302
脇痛症 …… 303
四肢麻木 全身麻痺 …… 303
婦人經水過多症 …… 303
崩漏下血過多 …… 303
血崩諸症 …… 304
姙娠惡阻症 …… 304
姙娠中咳嗽로 胎不安症 …… 304
孕婦傷寒 …… 305
姙娠三·五·七個月中에 自然流產 되는 症과 習慣性 流產이 되는 症 …… 305
產後惡風 惡寒肢節痛 攣急等症 …… 305, 305
產後便秘 …… 305
婦人虛勞症 …… 306
急驚風 및 驚悸症 …… 306
小兒驚癎症 …… 306
左脇下에 痞塊가 있는 瘧母症 …… 307
右脇下의 痞塊가 있는 瘧母症 …… 307
小兒腹脹 泄瀉 嘔吐症 …… 307
小兒發熱 咳嗽 痰盛 喘息 胸脇痛 …… 307
小兒腹脹症 …… 308
麻疹咳嗽症 …… 308
麻疹煩渴症 …… 308
麻疹에 或嘔吐 或泄瀉 …… 309
婦人痛疾患 …… 309
神經衰弱 …… 310

不眠 及 心臟衰弱 怔冲 …… 310
胃潰瘍 …… 310
急慢性盲腸炎 …… 310
赤・白痢 疫痢 …… 311
肺結核 最初其月 …… 311
甲狀腺腫大 …… 311
眼 疳 …… 311
淋 梅毒性 關節炎 及 虹彩炎 …… 312
關節炎 及 因關節炎性 虹彩炎 …… 312
癍疹 …… 312
產後血虛流走 …… 312
女子 子宮虛冷 …… 312
子宮虛弱冷症 …… 313
糖尿病肥大 小便浊 溢乾口渴 大飮水 …… 313
腎臟炎 …… 313
婦人胸腹痛 便燥症 …… 314
帶下不止症 …… 314
小兒吐瀉虛脫症 …… 314
小兒夜尿症 …… 314
有鉤、無鉤條虫 …… 314
呃逆 …… 315
紫班病 …… 315
鵞口瘡 …… 315
齒槽膿炎 …… 315
漢冲散으로 疼痛症을 治療하는 方法 …… 316
胃潰瘍、急慢性胃炎、胃酸過多 …… 316
胃無力、無酸症 …… 316
膽囊炎 膽石症 …… 317
疫痢 赤痢 …… 317
말라리아、再歸熱 …… 317
神經性 月經不順 …… 317
便秘脈洪滑者 …… 318
寒熱往來 熱多寒少症 壯熱灼之手足 心煩口 渴引飮
汁多熱不退 舌苔紅白 脈數有力者 …… 318
月經不順而目昏 眩暈 飮食減少 腰痛腹痛時 作時止
經少身瘦 舌白苔 脈遲者 …… 319
脾胃虛弱 消化不良 胸中虛痞 食後倒飽 便溏泄瀉
舌苔薄白 脈弱無力者 …… 319
產後迎風淚出 …… 320
幼兒急慢性肺炎 …… 320

胃痙攣……320
胃潰瘍……320
濕性肋膜炎……321
皮膚搔痒症……321
婦人左卵巢炎……321
陰痿不起……321
婦人胎動胎漏……322
腎虛耳鳴……322
腎石症……322
腎臟炎……322
盲臟炎……323
婦人乳汁不足……323
婦人下血……323
婦人子宮筋腫……323
膽石症……323
多發性關節炎……324
脚　氣……324
鶴膝風……324

內 科

1、呼吸器系疾患

感氣症候(普通人)

處 方

加味香蘇散 : 香附子 15g~18.75g 蒼朮 15g~18.75g 陳皮 7.5g~9.375g 葛根 11.25g~15g 蘇葉 7.5g~11.25g 甘草 3.75g~5.625g

註

① 其他症狀에 依하여 加味는 引經藥에 症候藥少量을 加한것。

② 頭痛에 川芎 白芷各 3.75g 四肢痛에 桂枝。防風 各 3.75g을 加用한다。

用 法

食後服用하고 3貼見効한다。

尹鳳潤漢醫院 尹 鳳 潤

氣管支炎

原 因

外感

症 狀

急慢性咳嗽 喀痰

治 方

半夏 陳皮 白茯苓 桑白皮各 7.5g 麥門冬 五味子 桔梗 杏仁 貝母 只角 黃芩各 3.75g 果蔞仁 地骨皮 白芥子 甘草 蟬退各 1.875g 英蘭 0.375g 千五

用 法

1日 3回 水煎食後 2~3時間服用

東濟漢醫院 徐 冠 錫

氣管支炎

症 狀

咳嗽痰盛

治 方

杏仁 7·5g 桔梗前胡 5·625g 桑白皮 3·75g 麥門冬 天門冬 香附子各 1·875g 葛根麻黃各 3·75g 黃芩 當歸各7·5g 防風 桂枝 甘草各 1·875g

東山漢醫院 車 東 極

急性氣管支炎(咳嗽 不眠)

處 方

加味小青龍湯：麻黃 5·625g 細辛 3·75g 炙甘草 5·625g 桂枝 白芍 半夏 杏仁各 7·5g 瓜蔞仁 3·75g 2貼完快

沙斤漢醫院 李 相 元

急性氣管支喘息

原 因

外感

症 狀

小便不利 手足冷 喀痰 胃虛冷者不眠 脈數滑

治 方

白茯苓 半夏各 7·5g 厚朴 桑白皮 沙蔘各 5·625g 蘇葉 乾干 杏仁 陳皮 蘇子 甘草各3·75g 麻黃 白芥子 地骨皮 蟬退 貝母各 2·625g 英蘭 0·375g 干三 棗二

用 法

1日 3回 水煎食後 2~3時間服用

東濟漢醫院 徐 冠 錫

慢性氣管支炎

症 狀

咳嗽 喀痰

治 方

半夏 陳皮 白茯 桑白皮 麥門冬 五味子 當歸 桔梗 杏仁 貝母 只殼 蘇子各3·75g 錢 白芥子 乾干 瓜蔞仁 甘草 蟬退各1·875g分 干三 棗二

洪漢醫院 洪 慶 杓

慢性氣管支喘息(胃虛弱 小便難夜甚 全身虛弱)

處 方

當歸 川芎 白芍 熟芐 蘇葉 蘇子 杏仁 陳皮 厚朴 桑

白皮 半夏 白茯苓 只角 桔梗 沙蔘各 3·75g 五味子 白芥子 甘草各 2·625g 果蔞仁 蟬退各 1·875g 英蘭 0·375g 干三 棗二

用　法

1日 3回 水煎食後 2~3時間服用함

東濟漢醫院　徐　冠　錫

急性氣管支喘息

原　因

外感後 胃冷

症　狀

手足冷 小便自利 脈數者

治　方

黃芩 紫菀 百合各5·625g 吉更 白茯苓 陳皮 当歸 貝母 桑白皮各3·75g 天門冬 麥門冬 山梔子 杏仁各2·625g 五味子 甘草 1·875g

임덕성漢医院　任　德　盛

膿胸(濕性肋膜炎)

處　方

瓜蔞仁 18·75g 柴胡 半夏各 11·25g 吉梗 黃芩 只角 杏仁 甘草各 7·5g

제중한의원　金　鍾　寅

肋膜炎

原　因

打撲傷

症　狀

咳嗽 腸鳴 喘息

治　方

浦公英18·75g 赤茯苓 黃芪各7·5g 青皮 只実各5·62g 柴胡 甘草各3·75g 蜈蚣 10條(去頭足) 膿甚者 加白芷18·75g

有信漢医院　金　己　培

肋膜炎

治　方

金銀花 陳皮各 11·25g 黃芪 天花粉各 7·5g

半夏 南星 紅花 白礬 貝母 只殼 只實 防風 當歸 川芎
白芷 吉梗 厚朴 人蔘 穿山甲 燒存性 皀角刺 肉桂 連翹
各3・75g

用 法

右水煎服 食遠服 2回分服

科南漢醫院 鄭 臨 澤

濕性肋膜炎

處 方

金銀煎：金銀花37・5g 當歸 白芍藥 甘草 玄蔘 麥門多 去心 玄蔘各 11・25g 白芥子炒3・75g 乳香 沒藥 各 1・875g

用 法

先煎金銀花去滓取汁하여 餘藥을 煎하여 服用時에 乳香 沒藥細末 3・75g式을 調服함。 1日 2回 10日限
神効 累驗方임。 愛用方임。

國一漢醫院 李 重 珪

濕性肋膜炎

處 方

金銀花 22・5g 白芍藥 15g 當歸 15g 玄蔘7・5g
甘草 0・75g 穿山甲 3・75g 皀角刺 3・75g

用 法

水煎하여 1日 3回 空心服한다。 輕患에 1~2劑
重患에 適宜多用함。

성동漢醫院 李 弘 根

濕性肋膜炎

原 因

打撲傷瘀血

症 狀

脇痛 咳嗽 腸鳴 喘息

治 方

金銀花 蒲公英各 11・25g 吉梗 前胡 黃芪 半夏各5・625g 蘇葉 桑白皮 麥門多 葛根 白朮 白茯苓 陳皮
只殼 歸尾 川芎 白芍藥 熟地黃 桃仁 南星 白芥子 柴胡
黃芩 天花粉各 3・75g 乳香 沒藥 紅花 甘草各 2・625g 干3棗2

用 法

1日 3回 水煎하여 食後 2~3時間에 服用함。

東濟漢醫院 徐 冠 錫

濕性肋膜炎

處　方

金銀花 225g 當歸 112.5g 姜活 獨活各 28.125g 桃仁 紅花各 15g 蒲公英 26.25~37.5g 皂角刺 18.75g 虎尾 草根 22.5g

註

虎尾草根은 一名野蘭이라고도함。 俗名으로 범의 눈섭풀이라고도 함。

用　法

水煎食遠服하되 1日 1貼으로 3回分服함。 3~7日이면 功效함。

註

本方을 服用後恢復期에 十全大補湯에 人蔘을 增倍하고 黃芪 37.5g 皂角刺 穿山甲 蓮子肉各 7.5g를 服用하면 더욱 좋다。

홍漢醫院　洪　慶　恢

濕性肋膜炎

處　方

金銀花 蒲公英各 112.5g 天花粉 當歸 18.75g 甘草 37.5g

有正漢醫院　吉　埈　賢

肋膜炎 虫様突起炎

處　方

當歸身 白芍藥 甘草節 黃芪 射干 連交 白芷 貝母 陳皮 皂角刺 天花粉 穿山甲 木香 靑皮 乳香 沒藥 金銀花 各 11.25~18.75g 大黃酒製 13.125g

用　法

酒水相半煎服 5~6貼 乃至 10貼

針

郄門을 灸하고 心兪 膏肓 期門 中脘 身柱를 刺針함

금산漢醫院　金　彩　坤

急慢性 肋膜炎

治　方

金銀花 37.5g 蒲公英 56.25g 當歸 黃芪 玄蔘各 37.5g 天花粉 18.75g 皂角刺 12.25g

用　法
食間服 五貼限後隨症加減

삼성漢醫院　李　雲　翼

肋膜炎(乾濕通治)

處　方
金銀花 18·75g 玄蔘 9·375g 當歸 蒲公英 白芥子 槐花 天花粉各 5·625g 白礬 半夏 皀角刺 白芍 甘草各 3·75g 干三 1劑限服用함。

江山漢醫院　徐　在　洙

乾濕肋膜炎

處　方
金敗湯(散)：金銀花 187·5g、當歸 150g、蒲公英 75g、天花粉 甘草各 18·75g 敗醬 37·5g

用　法
湯劑나 散劑로 하여 1日 3回 食間에 服用함。

한성漢醫院　金　漢　星

乾性肋膜炎 肋間神經痛

處　方
白芍 白朮各7·5g、陳皮 當歸 熟地黃 白茯苓 沙蔘 蜜炙 黃芪蜜炙各 5·625g 生黃芪 半夏 川芎各 3·75g、只角 吉梗 白芥子各 2·625g、虎尾草根 7·5g 干3 棗2

註
虎尾草根은 一名野蘭이라고도 함。俗名으로 범의 눈섭풀이라고도 함。

用　法
1日 3回 水煎食遠服 1劑見效

홍漢醫院　洪　慶　杓

TB

處　方
沙蔘 貝母 桑白皮 杏仁 吉梗 白果 各3·75g 五味子 2·625g

用　法
空心服

이　성　모

肺結核 及 肺洞空

處 方

熟地黃 37.5g、山茱萸各 7.5g、牧丹皮 澤舍 枸杞子 麥門多 五味子 百部根 白芷 吉梗各 3.75g、升麻 知母 黃栢 甘草各 1.875g

註

知母 黃栢은 法製를 要함。

경남漢醫院 金 四 甲

結 核

處 方

熟芐 紫宛各 18.75g、半夏 山茱 山藥 白茯茯各 5.625g、澤舍 當歸 川芎 白芍 麥門多 五味子 何首烏 蘇子 白芥子 甘草各 3.75g

有正漢醫院 吉 埈 賢

盜 汗

處 方

加味地黃湯：熟地黃 18.75g、山茱萸 75g、白茯 澤舍 牧丹皮各 5.625g、黃芩 黃栢各 3.75g 白朮 防風各 1.875g

廣振漢醫院 薛 用 得

脇 痛

原 因

老人性氣血痰

症 狀

肋間 或 腹部 脇部痛 呼吸難者

治 方

熟芐 蒲公英各 11.25g、當歸 山查 乃卜子 玄蔘 沙蔘 山藥 山茱萸各 5.625g、川芎 只實 車煎子 玉蜀 白茯苓 牧丹皮 桂枝 羌活各 3.75g、皂角刺 穿山甲 紅花各 2.625g

用 法

1日 3回 水煎服 每食後 2~3時間

東濟漢醫院 徐 冠 錫

瘧 疾

處 方

加減清脾飮(方見中七六)

用 法

煎服할 時에 黃丹 0·75g을 藥水에 調和하야 服用하면 無不神効 그러나 熱이 太過時는 去人蔘代沙蔘、그리고 人蔘養胃湯本方에 小柴胡湯半分量而合方이 適當함。

동화漢醫院 徐 學 鳳

까스中毒

治 方

白朮 澤瀉各 18·75g

양평漢醫院 이 정 섭

肺 炎 **水原 金 在 鳳 先生**

加 味 瀉 白 散

桑白皮 地骨皮 黃芩各二錢 桔梗 知母 梔子 麥門冬 貝母 陳皮 甘草各一錢 粳米一匙 生地黃二錢 薄荷一錢 空心服 禁服藥前後牛肉。

肺 炎 서울 **韓 祚 海 先生**

加 味 淸 肺 湯

白芍藥 甘草 貝母 桔梗各二錢 猪苓 澤瀉 麥門冬 枳殼各一錢 白干蚕 滑石 赤茯苓各七分 唐木香五分 燈心三分

慢性 頓 嗽 서울 **孟 華 燮 先生**

一、初期 外邪가 甚한者。

加 減 參 蘇 飮

乾葛一錢半 桑白皮 麥門冬各一錢 前胡 蘇葉 半夏 茯苓 陳皮 桔梗 枳殼 荊芥 知母 杏仁 甘草各五分 五味子二分半 生薑五分。

二、前方으로 止息되지 않고 外邪가 微有한者。

加 味 麻 杏 甘 石 湯

石膏 枇杷葉 款冬花 杏仁各一錢 甘草七分半 麻黃五分 五味 生薑各三分 三、外邪已去한後 頓嗽不止하는者

加 味 麥 門 冬 湯

麥門冬三錢 半夏 粳米各一錢二分半 桑白皮 蘇子 陳皮 大棗各一錢 竹茹 生薑 甘草各七分半 人蔘四分

肺 結 核 釜山 李 羽 龍 先生

(處方 第一號)

(適用證) 肺結核 一―二期 不眠 惡寒 煩熱 盜汗 飮食減退者에 使用한다。

熟地黃 地骨皮 茨仁各五錢 白朮 玄蔘各三錢 牧丹皮 麥門冬 白茯苓 沙蔘各二錢 人蔘 五味子 山茱萸各一錢 白芥子 酸棗仁各五分 空心溫服。

蓄膿症

本症은 副鼻腔炎으로서 俗名 蓄膿症이라 하며 副鼻腔은 鼻腔과 交通이 되었기 때문에 鼻腔으로 細菌의 感染이 最大하며 그 交通路가 狹少하여 分泌物의 排泄이 妨害됨에 依한다。急性期에는 鼻閉 鼻汁過多 壓痛 等이 有하며 慢性化되면 嗅覺障害 記憶力減退 前頭痛 및 惡臭 等을 發하며 根治는 甚히 頑强하다。

●藥物療法

(一) 加味通聖散 許二南遺方

辛荑 三錢 滑石一錢七分 甘草 一錢二分 玄蔘金銀花 皂角刺各一錢 石古 黃今 吉更 各七分 防風 川芎當歸赤芍藥 大黃 麻黃 薄荷 連交 芒硝 各五分 荆芥 白朮 梔子各四分 作一貼하여 水煎食遠服하되 一日二貼式約 一個月服之에 完治可能하다。

(二) 清鼻散 許二南方

玄胡索 白芷 乳香 沒藥 白伏苓黃連各一兩 南星 唐木香 各五錢을 爲末하여 一回五分式 一日三回食遠服에 有效하다。

(三) 藿香丸 谷口遺方

藿香 華荑 各二斤 薄荷 黃栢 天花粉 各一斤爲末蜜丸梧子大하여 一回四十丸式 久服에 根治 可能하다。

●鍼灸療法

1、針治는天柱 風池에 直刺五分하고 印堂에 下斜刺一寸하여 最强의 刺戟을 興하고 消炎鎭靜 및 鎭痛의 目的으로 施術한다。

2、迎香穴上部 卽鼻 孔兩側을 手指로 壓上하여 指尖留處軟骨部에 葉針으로 內上斜刺하되 鼻腔內에서 針先의 方向을 上下 或은 左右로 轉換刺針하여 瀉血하면 極히 妙하다。

3、灸治는 百會 上星 風府에 七壯式 愈病爲度로 施灸한다。

衄血

여기에서 衄血이라 함은 外傷 等에서 發하는 一時的인 症候는 除外하고 內傷으로 因한 病的 出血로서 壯年期에 好發하며 甚者는 每日 또는 隔日 輕者는 一週日前後로 一回式 出血하며 顔色은 蒼白하고 眩暈이 甚하며 心身倦怠에 漸次로 全身衰弱症으로 突入한다。

●藥物療法

(一)加味地黃湯 濟南遺方

茅根三錢 熟地黃二錢 山藥 山茱萸 犀角 牧丹皮 白伏令 澤瀉 香付子 當歸 茜根 白及各一錢 甘草五分 水煎服에 有效하라。

(二) 百草霜 槐花 側柏葉 當歸 黃連 犀角 乳香 沒藥 各一兩爲細末하여 一回에 一錢五分式 冷水에 服用하면 神効하다。

(三) 生蓮根을 乱搗取汁하여 伏竜肝末(釜底의 陳久한 黃土)을 少量調服하면 神効하다。 또 上記의 服藥에 間服하면 尤好하다。(俗方)

鼻淵症

此症은 諸鼻疾患 特히 蓄膿症 初期에 多現하는 一種의 鼻粘膜의 病的 興奮에서 發하는 粘液分泌를 云한다。

●藥物療法

(一) 加味通聖散 濟南遺方

滑石一錢七分 甘草一錢二分 黃連 防風 天花粉金銀花 五加皮 各一錢 石古 黃芩 吉更 各七分 川芎 當歸 赤芍藥 大黃 麻黃 薄荷 連交 芒硝 各四分半 荊芥 白朮 梔子 各三分半 水煎服한다。

●鍼灸療法

1、針治는 印堂에 下斜刺一寸 百會 上星 風府에 各八分斜刺하고 最强刺한다。

鼻塞症

內經에 云 寒氣에 皮毛가 傷하면 鼻塞不利하고 火氣가 氣道에 鬱하면 香臭不知라 하고 또 모든 鼻疾患의 分症으로 現한다。

●藥物療法

(一) 加味通竅湯 雨南遺方

防風 羌活 古本 升麻 乾葛 川芎 蒼朮 黃芪 菖蒲 各一錢 白芷 麻黃 川椒 細辛 甘草 各五分 水煎服

(二) 薄荷散 仝上

薄荷 藿香 各一斤 荊芥 川椒 菖蒲 皂角 各八兩 白芷 防風 各五兩 爲末一回 一錢式 一日三回 服하면 有効하다。

針灸療法

1、針治는 印堂에 下斜刺八分 百會 斜刺 一寸 前谷에 七分橫刺 迎香에 五分直刺 한다。

鼻痔 및 鼻瘡

輕者는 鼻瘡이 되고 重者는 鼻痔가 되나니 皆爲肺熱所致라 肺熱이 極甚日久 하면 鼻中에 肥肉이 形成되고 鼻腔이 滯塞되며 鼻痔로 變한다。

●藥物療法

(一) 加味通聖散 波南遺方

滑石一錢七分 甘草一錢二分 三稜 玄胡索 梔子 黃芩各一錢 石膏 吉更各七分 防風 川芎 當歸 赤芍藥 大黃 麻黃 薄荷 連交 芒硝各四分半 荆芥 白朮 三分半 水煎服

●針灸療法

1、針治는 印堂下斜刺一寸 迎香五分 天柱 風池에 六分 最強刺하면 神効하다。

鼻頭赤症

此症은 鼻準頭가 赤色으로 變하여 甚者는 變黑色 하나니 酒客에 多發하고 血液循環의 不順에 基因된다。

●藥物療法

(一) 加味四物湯 兩南遺方

川芎 當歸 乾地黃 赤芍藥 梔子 黃連 片芩酒炒 紅花 赤伏令 陳皮各一錢 甘草 五分 水煎 五靈脂末一錢 調服 濟南遺方

(二) 參梔丸

苦蔘一斤 山梔子仁 施卜花各十兩爲末 蜜丸梧子大하여 一回五十丸式 食後服 하며 兼하여 輕粉 硫黃末을 等分하고 睡液에 混和하여 一日一回式 塗布하면 甚히 有効하다。

●鍼灸療法

1、鼻準頭에 亂刺하여 瀉血하거나 或은 水蛭을 二三四그 赤色充血部에 貼하여 吸血시키면 良好하다。一方 百會와 大椎로 長期에 亘한 施灸가 有効하다。一回七分壯式

氣管支炎

本病은 氣候變換之時 感冒에서 發함이 大部分이며 또 麻疹 百日咳 等에서 續發한다。그 主症은 發熱 咳嗽 喀痰 喘息 等이 有하고 慢性化 時는 治療困難 하며 毛細氣管支炎일 時는 肺炎을 續發케 한다。

●藥物療法

(一) 加味杏蘇湯「急性」 慶北 李根元 提供

杏仁一錢五分 柴胡 前胡 白芍藥 蘇葉 桑白皮 防風 陳

皮 半夏 貝母 五味子 蘇子 甘草 各一錢 知母 黃柏 各五分 干三 水煎服에 有効

(二) 加味地黃湯「慢性」 仝 上

熱地黃 二錢 山藥 山茱萸 澤瀉 牧丹皮 白伏令 當歸 川芎 貝母 半夏 橘皮 麥門冬 吉更 五味子 各一錢 水煎服이면 有効하다。

(三) 干 梨 膏「慢 性」

橘皮 半夏 亭歷子 杏仁炒 鶯粟殼各八兩 爲細末 하고 牛干汗 梨汁各各一升 取汁合二升하여 上記五種藥末을 混合하고 鐵鍋에 入하여 緩火로 約二十四時間 煎出하면 黑色의 成膏가 된다。이 膏를 彈子大로 作成하고 一回에 三、四丸式 一日三回 服用하면 神效하다。또 老人性 久嗽에 有効하다。

●鍼 灸 療 法

1、針治는 天突에 內下斜刺一寸하고 단中에 一寸下斜刺하여 最强의 刺戟을 與하고 左右魚際로 六分 刺針하여 强刺戟을 與하면 有効하다。

氣管支喘息

本症은 氣管枝에 分佈한 迷走神經의 異當에서 發하며 其症狀은 特有의 喘息과 同時에 胸內苦悶 및 跪坐呼吸을 營爲하며 眼球는 突出하고 冷汗流出하며 咳嗽와 同時에 喀痰이 甚하고 蓄聲을 發한다。

●藥 物 療 法

(一) 加味定喘湯 光州 尹誠源 提供

麻黃 三錢 蘇子 二錢 沙蔘 陳皮 前胡 杏仁 南星 乾葛 吉更 白芍藥 五味子 甘草 各一錢 干三 召二 作一貼하여 水煎食遠服하면 有効하다。

(二) 定 喘 丸 仝 上

麻黃二斤 杏仁 蒼朮 各一斤半 半夏 南星 各一斤 鶯粟殼 半斤 爲末蜜丸梧子大하여 一回二十丸乃至 三十丸式 一日三回 食間服하고 久服에 完治可能

(三) 殼 粟 丸 水原 金春培 提供

鶯粟殼蜜炒 砂仁 杏仁 款冬花 天門冬 橘皮 甘草 各一斤 爲末蜜丸 梧子大하여 一回에 三十丸式 一日三回 空心服하면 神効하다。

(四) 猪肉 (腹部之肉) 五斤 마늘 三斤 眞蜜 二斤 人蔘末 南星末 各二兩을 混合하여 文火에 徐徐히 煎出하며 黑色의 成膏을 爲度로 하고 小缸에 貯藏하여 一回에 一匙式 一日五回 溫水服之하면 甚妙하다。【俗方】

肺 氣 腫

此症은 俗談에 알고 죽는 咳嗽라는 一種인데 大部分이 老人性이며 肺臟의 收縮力이 弱化되었기 때문에 肺自体가 膨脹되는 것이며 内部에 空氣가 充滿된 것이다。그 症狀은 胸部가 變大하고 靜止時에는 異常이 없으나 步行等에 依하여 咳嗽 및 喘息이 發하며 身体는 漸次 衰弱하여지고 治療는 極히 困難하다。

●**藥 物 療 法**

(一) 加味定喘湯 慶南 李元淑 提拱

鹿茸 阿膠 半夏 款冬花 人蔘 麥門冬 五味子 鶯粟殼蜜灸 各一錢五分 杏仁 甘草 烏梅肉 各五分 水煎服에 有効하다。

(二) 鯉 魚 丸 仝 上

鯉魚十八者一首(乾燒燥存性) 天門冬 烏梅肉各一斤 人蔘 黃芪 橘皮 砂蔘 各八兩 甘草 一兩 爲末蜜丸 梧子大하여 一回 二十丸式 一日 三回 空心服하고 久服에 完治可能하다。

●**鍼 灸 療 法**

1、針治는 天柱 風池 各六分 輕刺하고 脊椎兩旁 橫突起間으로 五分 單刺術을 施한다。

2、灸治는 大杼 風門 肺兪 또는 張氏 四華患門穴로 長期施灸면 完治 可能하다。

肺 水 腫

心臟衰弱 等으로 肺의 鬱血에서 起하며 呼吸 困難과 全身이 蒼白하며 流汗이 强하고 胸部打診上 鼓音을 發하며 多量의 泡沫痰을 咯出한다。

●**藥 物 療 法**

(一) 甘 遂 散 今井遺方

甘遂 赤伏令 各一兩爲細末하여 大棗煎水에 一錢式 一日 三回服之면 肺에 鬱滯된 水分은 完全히 下瀉된다。

(二) 加味定肺飮 仝 上

人蔘五錢 五味子 麥門冬 熟地黃 各二錢 黃芪 白芍藥 貝母 知母 甘草 各一錢 棗二 薑三 水煎服에 神効하다。

「註」 先用甘遂散一日하고 그 後 三日間 此方을 服用하고 또 甘遂散을 一日分 服用한 後 本方으로 補之하되 症候如何에 依하여는 이 方法으로 反復하여 愈病爲度로 施療하면 完治 可能하다。

●**鍼 灸 療 法**

1、針治는 孔最 魚際 復溜에 各八ㅡ强刺戟을 與하고

胸椎兩傍橫突起間에 五分單刺術을 施하면 有効하다。
2、灸治는 上胸部 華陀穴에 長期施灸에 依하여 完治可能하다。

肺　炎

流行性感冒 痲疹 또는 毛細氣管枝炎에서 續發하며 惡寒發熱에 咳嗽喀痰이 甚하고 呼吸困難을 呈하다。 胸部打診上 輕度의 鼓音及 濁音을 呈하고 聽診上 水泡音及氣管枝呼吸音을 聽한다。 重篤症에 至하면 蒼身症을 呈하고 그 經過 緩急에 依하여 急慢二症으로 區別한다。

●藥物療法

(一) 加味瀉白散　　忠南 李允承 提供
桑白皮 二錢 沙蔘 知母 麥門冬 黃芩 地骨皮 陳皮 黃連 靑皮 白伏令 甘草 各一錢 干三片

(二) 加味降火湯　　坡上遺方
蘇葉 杏仁各 錢五分 吉梗 只角 赤伏令 黃芩 石膏 前胡 白芷 木丹皮 沙蔘 防風 五加皮 甘草各一錢 干三片

(三) 益元散
小兒肺炎으로 慢性化되어 渴症이 甚하고 音聲不出하고 呼吸困難期에 益元散을 井水에 溶解하여 無時服으로 繼續 服用하면 神効하다。 滑石六錢 甘草末一錢

肺디스토마(肺土質)

淡水魚의 生食에서 肺디스토마菌이 肺에 侵入하여 發한다。 初期에는 不分明하나 咳嗽와 喀痰이 發하고 痰에 血液이 混하며 때로는 多量의 鬱血이 있기도 한다。 이 血痰中에는 菌의 卵이 散在한 것을 顯微鏡으로 發見된다。

●藥物療法

(一) 烏梅骨　　和田遺方
梅實 大根(무우)各各二貫을 取汁하여 入缸하여 太陽直斜下에 約一個月 可量 置之하면 黑色의 成膏가 된다。 거기에 欵冬花 紫菀末을 各二兩式 合하여 亂搗作丸 彈子大하고 一回三丸式 一日三回 服하면 有効하다。

(二) 薏苡仁散　　仝 上
薏以仁一斤 川椒八兩 蝸牛乾炒 牡蠣各二兩 亭歷子一兩五錢爲細末하여 一回一錢式 一日三回 食遠服하면 奇効를 奏한다。

●鍼灸療法

1、針治는 全身循環을 可能케 하기 爲하여 全身要穴에 施術한다。
2、灸治는 大杼 風門 肺兪 厥陰兪 膏肓에 七壯式 施

灸한다。

肺結核

結核桿菌의 感染에 依하며 精神感動 即失望 失戀 等에서 發하며 初期에 漸次 顔色이 蒼白하고 体重이 減少하며 盜汗이 發하며 咳嗽가 甚하다。慢性期 即 空洞期가 되면 膿性喀痰을 發하며 追日虛弱한다。

●**藥物療法**

(一) 加味地黃湯 濟南遺方

熟地黃四錢 苦蔘 山藥 山茱…各二錢 白伏令 木丹皮 澤瀉 各一錢五分 白芍藥 當歸 川芎 麥門冬各一錢 水煎服하면 有効하다。

(二) 補肺元 濟州 洪今順 提供

薏苡仁五兩 白芍藥 川芎 木丹皮各三兩 丁香白花蛇各一兩爲末蜜丸梧子大하여 一回三十丸式 一日三回 服하고 約一個月이면 그 効顯著하다。

●**鍼灸療法**

1、針治는 元來 對症療法에 不過하다。風門 肺兪에 內斜刺六分하고 大椎身柱에 直刺七分하고 膏肓에 四分直刺하여 輕刺戟을 與한다。鎭咳의 目的일 時에는 天突에 八分强刺하면 그 効顯著하다。

2、灸治는 古來로 張氏四華患門六穴이 名灸穴로 되었고 至今도 名穴로 認定된다。各穴에 七壯式 愈病爲度로 施術한다。

肋膜炎

外傷感冒 모든 肺臟疾患에서 起하며

1、乾性은 發熱脇痛에 臥位을 不能患側 한다。

2、濕性은 發熱脇痛에 咳嗽하며 患側이 膨大하고 臥位을 患側에 取한다。

3、化膿性은 濕性에 屬하나 甚者는 膿이 肺臟을 穿痛하여 口腔으로 喀出하고 또 前胸部로 穿通되어 排出하면 此를 膿胸이라 云한다。

●**藥物療法**

(一) 加味四物湯 光州 白善好 提供

金銀花二錢 當歸 白芍藥 川芎 熟地黃 南星 半夏 白芷 白芥子 木香 皂角刺 紅花 五加皮各一錢

(二) 芥子散 仁川 具奉會 提供

白芥子三兩 金銀花 皂角刺各二兩 麻黃 蘇木 紅花 白芷 各一兩爲末하여 一回一錢式 一日三回 服한다。

(三) 甘遂散 仝上

濕性일 時는 甘遂末을 大棗煎水에 一回 五分式 一日 三回 服用하면 肋膜腔内의 潴溜된 水分은 即時 小便으로 排出된다。

●**肺結核** 서울 權英植 先生

一、加味地黃湯

熟地黃(姜汁拌五蒸以上의 것) 四錢 山藥 山茱萸去核新品各二錢 白茯苓 澤瀉 牧丹皮各一錢半 紫苑 欵冬花各一錢 百部根五分 水煎 起床即時(午前七時頃)服。

二、辰砂六一散

滑石水飛六錢 甘草末去皮一錢 辰砂水飛三分(靈砂代用無妨)

右分作三包하여 每日午前 十一時頃에 一包씩 服用함。

三、香蛸散

麝香三厘 海螵蛸一分 入膠匣用 下午九時頃 温水呑服함。

●**肺結核** 서울 許在淑 先生

潤肺湯

熟地黃 山藥 枸杞子各二錢 麥門冬 天門冬 陳皮 阿膠各一錢 人蔘 當歸 五味子 甘草各五分 久服必效。

●**肺結核** 仁川 申鄕熙 先生

一、腎氣四六湯

熟地黃四錢 山藥 山茱萸各二錢 牧丹皮 澤瀉 白茯苓 麥門冬各一錢半 當歸 白芍藥 川芎 黃芩 桑白皮各一錢 五味子五分 肺結核三十歲以上 皆效。

二、加味君子湯

白芍藥二錢半 半夏 白朮各一錢半 陳皮 白茯苓 人蔘 貝母 五味子各一錢 熟地黃 當歸身 川芎各一錢二分 甘草炙五分 肺結核三十歲以下 皆效。

●**肺結核** 서울 朱冕祐 先生

(主治) 勞嗽久不愈 喘息 殺虫。

補肺鎭咳膏

清蜜二斤 氷砂糖一斤 眞油一斤 紅柿四十介 生梨二十介 大棗 天門冬 紫苑 白伏苓 百部根 瓜蔞仁 蘇子 貝母 欵冬花各半斤 찹쌀一升 엿기름三合。

紅柿以下 十一種藥을 煎沸하여 布巾으로 去渣하고、찹쌀一升을 右藥水에 作粥하여 엿기름末 三合을 加하여 製飴하되 조청이 되거던 솥에서 퍼내어 氷砂糖末 眞油 清蜜을 混合하여 每日 三次씩 少許服함。

●**肺結核喀血** 崔景燦 先生

虎眉草散

虎眉草(범의 눈썹)一~七錢 馬兜鈴 紫苑各一~一錢半

瓜蔞仁 桔梗 半夏 陳皮各七分ㅣ一錢 貝母 欵冬花 金沸草各五分~七分 水煎服以差爲度。

大邱 金在誠 先生

●肋 膜 炎

加味銀花湯

金銀花一兩 陳皮三錢 黃芪鹽水炒 天花粉各二錢 川芎 當歸 桔梗 防風 厚朴 白芷 貝母 瓜蔞仁 穿山甲炒 皂角刺各一錢 酒水相半煎 一日二貼 十貼~二十貼而愈。

서울 李基淳 先生

●肋 膜 炎

第 一 方

金銀花二錢 蒲公英 黃芪各一錢半 山査 蘿卜子 白朮 白何首烏 玉蜀黍 白伏苓各一錢 當歸 陳皮 白扁豆 肉桂 枳殼 姜黃 皂角刺 穿山甲各五分 柴胡 升麻各三分。

第 二 方

金銀花 蒲公英各五錢 當歸 川芎 白芷 半夏各二錢半 陳皮 玄蔘 瓜蔞仁 薏苡仁各二錢 大黃 桔梗 穿山甲 皂角刺 甘草各一錢。

第 三 方

黃芪一錢半 白朮 人蔘 甘草各一錢 當歸 陳皮各五分 柴胡 升麻各二分 穿山甲 皂角刺 枳殼 姜黃各四分 金銀花三錢 玄蔘一錢 雲母粉一回三分重。

大田 趙忠熙 先生

●肋 膜 炎

化痰湯

敗醬五錢 金銀花三錢 天花粉 白芥子各二錢 紅花 白伏苓各一錢 三貼煎服神效。

서울 王熙弼 先生

●肋 膜 炎

蒲公英散

蒲公英三錢 赤伏苓 黃芪各二錢 青皮 枳實 柴胡 甘草各五分 蜈蚣四~九條 有膿加白芷。

서울 姜東稷 先生

●肋 膜 炎

加味宣化湯

金銀花 當歸各五錢 黃芪 玄蔘 蒲公英 皂角刺 天花粉各二錢。

○重時에는 五錢을 一兩으로 二錢을 三錢으로 增量하면 尤好함。

仁川 申鄉熙 先生

●肋 膜 炎

(處方) 柴胡 白芍藥 白伏苓 當歸 白朮各一錢半 山梔子 牧丹皮 杏仁 桑白皮 貝母各一錢 薄荷 甘草各五分。治肋膜炎 後遺症 肋膜愈着者 肺結核合病皆效。

서울 韓祚海 先生

●肋 膜 炎

柴苓湯

柴胡四錢 黃芩二錢 陳皮 半夏各一錢半 瓜蔞仁 天花粉
青皮 桔梗 枳殼 杏仁 甘草各一錢 二十貼以內에 完治。

●**肋膜炎實證通用方** 서울 李基淳 先生

(處方) 金銀花 蒲公英各三錢 當歸 白芷 川芎 半夏 敗醬
玄蔘 天花粉 陳皮各二錢 大黃 桔梗 皂角刺 穿山甲 香附
子 白芥子各一錢。
○有熱加柴胡 黃芩。

●**乾 性 肋 膜 炎** 서울 許在淑 先生

柴 胡 逍 遙 散

柴胡三錢 黃芩二錢 半夏 白伏苓 當歸 白朮 白芍藥 人蔘
甘草各一錢 梔子 牧丹皮各七分 干三 食遠服。
○得病數年이라도 三四十貼에 完治한다。

●**乾 性 肋 膜 炎** 서울 韓祚海 先生

枳 殼 湯

枳殼 姜黃 桂皮各三錢 枳實 川芎各一錢半 半夏 陳皮 桔
梗 赤伏苓 柴胡 玄胡索各一錢 白芥子八分 甘草五分 干
三 召二 輕者二~三貼 重者十貼。
○本方은 乾性肋膜炎 肋間神經痛에 左右不問하고 痛症
에 有效함。

●**乾 性 肋 膜 炎** 서울 李基淳 先生

一、氣 虛 者

加 味 補 益 湯

黃芪二錢 白朮 人蔘 甘草各一錢 陳皮 當歸身各五分 升
麻 柴胡各三分 金銀花 玄蔘各二~五錢。

二、氣 血 俱 虛 者

(處方) 八物湯加金銀花 玄蔘各二~五錢。
○脇痛甚加香附子 白芥子 青皮 木香。

●**乾 性 肋 膜 炎** 서울 鄭貞成 先生

加 味 逍 遙 散

柴胡三錢 黃芩二錢 半夏 白伏神 當歸 白朮 白芍藥 人蔘
甘草各一錢 梔子 牧丹皮各七分 干三 食遠服。

●**濕 城 肋 膜 炎** 서울 李基淳 先生

加 味 芎 夏 湯

川芎 半夏 赤伏苓各二錢 陳皮 青皮 枳殼各一錢 白朮 甘
草炙各五分。
○脇痛甚加香附子 白芥子 白芷。

●**濕 性 肋 膜 炎** 서울 鄭貞成 先生

第 一 方

金銀花五錢 麻黃三錢 黃芪二錢。

第 二 方

玄蔘 甘草各二錢 川芎 蒼朮 半夏 白芷各一錢 貝母 細辛 天花粉各五錢。

右 第一方을 水十二器에 煎하여 半量이 되었을때 去渣하고 第二方藥을 넣어서 煎至半에 去渣하여 白靈砂五分을 混合하여 二十四時間內에 無時服하면 有效함。

●濕性肋膜炎

加味二陳湯 光州 韓南洙 先生

半夏二錢 陳皮 赤伏苓各一錢五分 甘草 南星 蒼朮 川芎 柴胡 白芥子各一錢 靑代黛少許 五貼。

●濕性肋膜炎後恢復劑

加味淸肝益榮湯 光州 韓南洙 先生

梔子炒 赤伏苓 木瓜 當歸各一錢 柴胡 川芎 白芍藥炒各七分 熟地黃一錢五分 白朮炒二錢 草龍胆酒拌炒八分 炙甘草五分 何首烏一錢 人蔘七分。

●化膿性肋膜炎

淸肝排膿湯 서울 許在淑 先生

蒲公英 黃芪各三錢 白芷 黃芩各二錢 杏仁 桑白皮 瓜蔞仁 牧丹皮 金銀花 皀角刺 人蔘各一錢 甘草五分 食間服。

大人 一日 二三貼。

●化膿性肋膜炎 서울 李基淳 先生

(處方) 托裏消毒飮合芎夏湯

●滲液性肋膜炎

柴胡淸肝湯 서울 許在淑 先生

柴胡三錢 黃芩二錢 枳殼 桔梗一錢半 半夏 瓜蔞仁 人蔘各一錢 靑皮 杏仁各八分 甘草四分 干三 食遠服。

大人은 一日二貼 病劇時에는 三貼。

●結核性肋膜炎 서울 許在淑 先生

柴胡淸肝湯 合蔘蘇飮半量。

●結核性肋膜炎 公州 全炳泰 先生

一、當歸湯

金銀花 蒲公英各一兩 當歸 大黃 連翹 牧丹皮 皀角刺 白頭翁 白礬 白芷 桔梗 甘草各一錢。(本方은 化膿時에 使用한다。)

二、加減補益湯

人蔘二錢 黃芪三錢 白朮 當歸 陳皮 甘草炙各一錢 蘇葉 藿香各五分。(本方은 愈後 補養劑로 使用한다。)

●血胸 서울 李基淳 先生

(處方) 芎夏湯合四物湯。

●肺디스토마(土疾) 서울 崔秉道 先生

加味不換金正氣散

蒼朮二錢 陳皮 厚朴 藿香 半夏 甘草各一錢 黃連 黃芩 梔

子各五分 貝母 桑白皮各七分。

● 肺디스토마喀血

서울 申信求 先生

加味四物湯

委陵菜(虎眉草)五~七錢 熟地黃 當歸各二錢 白芍藥 川芎各一錢 白芨末五分 淸水煎白芨末調服 三~四貼。

外科·其他

1、外 科

冬季手足凍傷

處 方

黃栢 地楡 大黃 草烏

用 法

上記藥同量水煎洗用即效 洗用時酒精一滴投入尤好

註

洗用이란 많은 藥水에 손발을 넣고 씻는 것이 아니고 여기에서는 湯藥一貼달인 藥水程度로서 자주 발르는 것임。 2～3日間만에도 功效함。

德壽漢醫院 南 完 洙

負傷瘀血痛

處 方

加味柴胡湯：柴胡 15g、黃芩 3·75g、桔梗 只角各 7·5g、果蔞仁 7·5g、金銀花 18·75g、天花粉 18·75g

廣振漢醫院 薛 用 得

打撲傷 其他 神經痛一切

治 療

巨刺法(痛處 經絡反對側 經穴絡穴)과 子午流注 瀉子穴 其他 通用穴을 鍼한다。

東濟漢醫院 徐 冠 錫

打撲損傷瘀血

處 方

全當歸 18·75g、川芎 11·25g、牧丹皮 蘇木各 7·5g、紅花 桃仁各 11·25g、澤蘭 18·75g、甘草18·75g

註

四肢腫痛에 桂枝 沒藥各 5·625g를 加한다。

광운漢醫院 王 孝 仁

落傷不仁鍼治法

① 手臂落傷不仁—三間瀉 曲池補
② 腰部落傷不仁—京骨瀉委中 崑崙承正補
③ 脚部落傷不仁—公孫瀉 風池補
④ 脇部落傷不仁—足臨泣瀉 陰陵泉補

註

瀉 落傷便——從內而抽出
補 反對便——從外而抽入

東益漢醫院 表 天 根

一切出血症 (止血劑임)

處 方

血竭 18·75g、五靈脂炒 37·5g

用 法

①內服時는 上記藥粉末로 하여 1日 2回 每回에 3·75~5·625g를 服用함。
②外用時는 止血目的으로 傷處에 散布한다。刀傷에 有效하다。

尹鳳潤漢醫院 尹 鳳 潤

水 虫 (무좀)

處 方

輕粉 眞油

用 法

끓는 眞油에 輕粉을 投入하여 煮하여 거기에 (油中에) 窓戶紙를 適宜하게 오려서 浸投하여 그 窓戶紙(기름먹은 종이)를 건져서 患部에 塗付함。1日 2~3回 바꾸어붙임。

同友利漢醫院 申 昌 秀

毒蛇에물린데

處 方

荆防敗毒散

荆芥 防風 柴胡 前胡 羌活 獨活 川芎 只角 桔梗 赤伏 甘草各 3·75g、薄荷 少許

楊平漢醫院 李 貞 燮

疣

處　方

其上에 灸 3～4壯 2～3日 繼續 薏苡仁服用

豊山漢醫院 任　佐　彬

火　傷

處　方

大黃

用　法

右藥을 粉末하여 바른다。 輕症 一回에 有効 重症 2～4回有效

金星漢醫院 金　長　烈

各種痰核痰腫

處　方

淸骨散

生地黃 柴胡各 15g、 熟地黃 人蔘 防風各 7・5g

薄荷 秦艽 赤伏各 5・25g 胡黃蓮十個 湯煎 食遠服

보인漢醫院 李　炳　國

狂犬咬傷

서울 張 大 根 先生

加味敗毒散

紫竹根 地楡各一兩 羌活 獨活 柴胡 前胡 桔梗 枳殼 人蔘 赤伏苓 川芎 甘草各一錢 薄荷五分。

○ 狂犬의 神效方으로서 三貼ㅡ五貼에 完治。 牛馬가 狂犬에 咬傷한 時는 十倍로하여 三貼에 完治。

○ 紫竹根은 山野에 自生하는 小竹임。

●淋巴腺管炎(가래톳·요꼬네)　水原 蔡世鎔 先生

綿花子 去皮汞米採取。

右作末三錢 靈砂末一分 混合 米泔水調下。

●脫　疽　서울 朱楨焄 先生

八　珍　湯

當歸 白芍藥 黃芪各三錢 白朮二錢 柴胡二分 升麻五分 熟地黃五分 人蔘 伏苓 川芎各一錢 金銀花三錢 十六貼。

●蛇　頭　瘡　서울 金長凡 先生

石雄黃 作末하여 鷄卵속에 넣고 患指를 그 속에 담어 一宿한 다음 蜈蚣을 불에 태우면서 煙氣를 患處에 薰하면 卽差한다。

●頸項淋巴腺結核(連珠瘡)　서울 王熙弼 先生

蛇草(忠南地方 田野에 多生) 汁塗하되 乾燥하면 煎服한다。

●連　珠　瘡　서울 朱冕祐 先生

連珠瘰癧丸

天湯子(卽黑三稜) 玄蔘 夏枯草各八錢 三稜 蓬朮 柴胡 梔子 枳殼 白干蚕 桔梗 當歸 牧丹皮 赤芍藥 靑皮 大黃 連翹 甘草各五錢。

右藥 爲末 糊丸梧子大 每日三回 一回十五丸 或二十丸 食後一時間 溫水呑下。

灸法① 肩柱二穴(在肩端起骨尖上)灸七壯。

② 肘尖二穴(在手肘尖上屈肘得之)年數灸。

③ 百勞二穴(在大椎穴上二寸爲基點 從其點左右各距一寸)灸七壯。

④ 缺盆穴(在鎖骨上天突穴兩傍各四寸凹陷中) 灸七壯。

●連　珠　瘡　서울 安鳳承 先生

加味六神丸

蟾酥 雄黃各三〇 朱砂 乳香 沒藥 龍腦 白靈砂各一五 枯礬二〇 射香三 夏枯草一五〇。

爲末 綠豆大作丸 大人一三ー一五個 一日三回 食後服。

●連　珠　瘡　洪鍾起 先生

瘰癧酒方

白頭翁 夏枯草各一斤 天花粉 金銀花各八兩。

右를 粗末하고 한데 合하여 露濕케 한 後에 大鍋內에 入하고 燒酒一斗를 注入하고 四五升量의 小罐 一個를 甑內에 安置하고 釜蓋를 覆하되 釜柄에 輕粉末二錢重을 小囊에 入하여 懸垂하되 釜中으로 墜落하지 않도록 糸類로 繫定하고 釜蓋를 뒤집어 앉혀 놓은 後에 小麥粉

을 반죽하여 周邊을 바른 後에 點火하되 冷水를 釜盖上에 適當하게 注入하여 水熱커든 다시 換水하기를 約二時間ー二時間半한 뒤에 退火待冷하여 開出하고 一夜經過後에 隨量飮之하면 多日에 必奏效한다。

本方은 陳久性 淋疾 梅毒類도 無不奏效 하는데 鷄猪酒麯 아지 고등어 等을 忌한다。

●頸項淋巴腺結核(瘰癧) 서울 申泰亨 先生

唐斑猫一介를 去頭翅足하고 鷄卵一個를 穿孔作穴後 前記 斑猫末을 入内하여 食釜(밥솥)에 蒸熟하여 食後에 頓服하되 三週間 連服함。

○夏枯草一升 香附子 海粉各五兩 合劑煎하여 間服하면 神效함。

○萬若 副作用을 發하면 綠豆汁으로 解毒함。

●連珠瘡 清州 李錫珪 先生

加味四物湯

玄蔘七錢 夏枯草三錢 熟錢黃 白芍藥 川芎 當歸 漏蘆 各二錢。

一日二回 食遠服 一ー二劑。

●連珠瘡 서울 李相漸 先生

萬瘡丸

輕粉一兩半 白礬一兩 斑猫五錢 胡桐淚五錢 龍腦五錢 石膏五錢 蛇退七條 蜈蚣五十首 麝香四錢 乳香沒藥各三錢。

●毒腫薰藥方 서울 金祚錫 先生

(適應病) 疔瘇 蛇頭瘡等

常輕粉一錢 杏仁四錢 石雄黃 乳香 沒藥 月石各一錢 胡桐淚 甘草各五分。

右藥 細末 作心地(심지)하여 眞油燈盞에 沈燒하여(煙氣를 一處로 나오도록 裝置할 것) 當處를 薰하면 如何한 毒腫이라도 一次에 痛止하고 數次繼續 後에 膏藥을 貼付하여 施治하면 其效如神。

●癰疽 서울 孟華燮 先生

(處方) 金銀花 一兩五錢 當歸 玄蔘 生甘草各二錢半 天花粉一錢半 白礬五分 附子三分。

○未膿者不過五六貼卽消。

●打撲瘀血 大邱 金在誠 先生

澤蘭湯

澤蘭葉二錢半 當歸尾 赤芍藥 桃仁 桑白皮 牧丹皮 蘇木各一錢半 紅花八分 烏藥一錢 香附子一錢半。

酒水相半煎服。

●痔 疾 鄭英一 先生

鰍魚(미꾸라지)一斤

生으로 服用하되 물에 씻어 비늘이 傷하지 않게 呑下한다。分服亦可하며 雌雄新久를 莫論한다。

●外 痔 疾 서울 鄭貞成 先生

加味四物湯

當歸川芎白芍藥生地黃各三錢 荊芥 防風 黃芩 枳殼 槐實 黃連各二錢半 升麻一錢半 烏梅二介。

○下血多者는 加地楡三錢 石菖蒲一錢半

右重煎 薰一週日 하면 即差。

●內 痔 疾 서울 鄭貞成 先生

加味活血湯

當歸 白芍藥 生地黃 連翹 荊芥 防風 黃芩 地楡 梔子各二錢半 白朮 阿膠珠各二錢 人蔘 甘草各一錢 烏梅二介召二。

●痔疾貼付妙方 서울 申泰亨 先生

蟹醬 石淸蜜을 等分混合하여 滋器內에 入하여 蜜封하고 一年을 經過하면 膏藥과 같이 凝固한다。이 藥을 痔에 貼付하면 拔根潰痔하여 永不再發 한다。

○此藥은 絶對로 內服하면 不可하니 服則即死 한다。

○秦艽蒼朮湯을 兼用하면 尤效하다。 서울 申泰亨 先生

●脫 肛 症

靈 神 丸

小草忠南產尤效 黃芪 人蔘各五錢 山茱萸三錢 升麻二錢 空心服。

○下膠 長强 兩穴에 針灸하고 本方을 服用하면 奇效。

●肛門周圍炎 蔚珍 金炳斗 先生

加味槐角湯

槐角 槐花 乾地黃各一錢半 土川芎山當歸 桃仁研泥末各一錢 枳殼 黃芩 薏苡仁 黃連 金銀花 白蘇皮 連翹 蒼朮炒 山梔子炒 麻子仁研 大黃 蓁艽 升麻 荊芥 防風各七分。

●龜胸龜背 서울 申泰亨 先生

火 風 丹

大戟三兩 甘遂二兩 巴豆五錢 大猪心一具

右藥 三味를 細末하여 猪心에 入之後 白紙六兩으로 猪心을 싸서 文火(弱火)로 三十分間 煨灸하여 猪心을 細末 綠作丸豆大하여 每服三四丸씩 日三服함。

●癩 病 서울 申佶求 先生

蒼 耳 草 膏

蒼耳草(小暑後 立秋前 採取者去根鬚) 三十餘擔(지게)。

右蒼耳草를 二寸大로 切斷하여 晒乾하고 大釜에 煮汁하되 約六時間에 汁液을 濾過하고 다시 大釜에 넣고 再次煉汁하되 文火로 慢熬하면 半月에 熬成한다。(煮汁六時를 除한 外에 再次로 熬成하기를 六時間하면 문득 成膏한다) 煤炭 二千斤과 鍋釜에 淸水 一萬五千斤을 用하고 糖質을 加하지 않고 膏 二百斤을 이루어 三罈(독)에 分貯하고 外로는 柳筐(버들고리짝)을 덮어 둔다。

(用法) 絶對로 他味를 加하지 말고 上體에 病이 있는 者는 食後에 二小匙씩 服用하고 下體에 病이 있는 者는 食前에 二小匙씩 冲服하면 輕症이면 半月、重症이면 二月 最惡症이라도 六月에 完差한다。

小兒科

小兒感氣兼消化不良症

處　方

兒聖散

柴胡 麥門多 白芍 各 3·75g、山査肉 神曲 黃芩 甘草各 1·875g、蘇葉 1·125g、春加靑皮 夏加石古 秋加桔梗 多加麻黃 各 3·75g

이정재漢醫院　李　貞　載

小兒消化不良症 (寒熱도 있을 때)

處　方

柴胡 黃芩 半夏 白朮 草果 厚朴 赤茯苓 靑皮 各 3·75g、甘草 1·875g、干三 棗二

註

① 蛔動에 苦練皮 7·5g를 加用한다。

② 消化不良에 砂仁 山査 神曲 蒼朮 各 2·625g를 加用한다。

用　法

1貼을 水煎하여 1日 3回 食後 1時間에 服用하며 年齡에 따라 適宜分服한다。

大元漢醫院　卞　晙　燮

小兒急性氣管支炎

處　方

麻杏甘草湯：麻黃 3·75g、杏仁 3·75g、石古 7·5g、甘草 1·875g、黃芩 3·75g

用　法

本方은 成人의 用量으로서 小兒에겐 1貼을 煎藥하여 盡終日 少量式 隨宜 服用시킨다。

세민漢醫院　韓　永　洙

百日咳 (咳嗽甚 氣管支炎 虛弱者)

處 方

鹿茸 白茯苓 當歸 山茱萸 竹茹 陳皮 蘇子 黃芪蜜炙 人蔘 白朮 各 3·75g、桂皮 半夏 杏仁 甘草 各 1·875g、五味子 靑皮 麥芽 各 2·625g、麥門冬 桑白皮 各 3·75g、英蘭 0·375g、干三 棗二

用 法

1日 1貼 水煎適宜分服함。

東濟漢醫院 徐 冠 錫

小兒夜啼症

症 狀

腹冷痛啼

處 方

加味六神散

白茯苓 白片豆炒 各 7·5g、 人蔘 白朮 山藥炒 甘草炙各 3·75g、干三 棗二,

用 法

水煎溫時頻服神效

제관漢醫院 李 重 珪

小兒夜啼症

處 方

甘草 7·5g、小麥15g、麥芽 神曲 竹茹 菖蒲 元肉 當歸 各 3·75g、 酸棗仁 鉤藤 各 2·256g、干三 棗五

用 法

1日 1貼 水煎하여 適宜分服함。

東濟漢醫院 徐 冠 錫

夜啼症 (神經興奮 不眠 食滯腹痛)

處 方

小麥 18·75g。元甘草7·5g、元肉 山棗仁 陳皮 山査肉 神曲 麥芽 當歸 白茯苓 各 3·75g、 唐木香 1·875g、干三棗二 症에 따라 加減。

用法

1日 1貼 水煎適宜分服함。

東濟漢醫院 徐 冠 錫

小兒夜熱

處方

當歸 川芎 白芍 熟芐 各 4·5g、牧丹皮 2·625g、黃蓮 知母 黃栢 山梔子 柴胡 各 1·125g、四物以外의 加味는 小兒年齡에 따라서 加減할 수 있음。

제명漢醫院 趙 命 來

小兒急慢驚風症

原因

心受驚 肝受風 肝風心火交爭 大驚(聞不常之聲) 食滯 泄瀉後

症狀

一 牙關緊急 反張 搐搦 顫動 竄視 壯熱 或身冷手足冷 脈浮數洪緊或沈細

處方

先以三陵刺左右手足大指端爪甲後(即少商穴、隱白穴)出血一滴

後用牛黃抱龍丸溫水化下 百日以內 乳兒 1丸作分 3服、1~2歲兒 1丸、5歲兒 2~3丸、10歲兒 5丸。

孔德漢醫院 魚 淵

小兒慢驚 및 泄瀉甚

原因

素稟虛弱 脾虛肝盛 或急驚傳成

症狀

手足搐搦時作時止 面色黃青 昏睡眼合 或露睛 大便青

處方

人蔘 7·5g 桂枝 肉頭久 訶子 地楡各3·75g 乾干炮 白朮各2·625g 唐木香各1·875g 英蘭 0·375g 烏梅1個

用法

1日 1貼 水煎하여 適宜分服함。

東濟漢醫院 徐 冠 錫

食傷慢驚 (吐瀉 虛弱)

處方

葛根 白朮 各 7.5g、人蔘 藿香 唐木香 白茯苓 山藥 白片豆 肉豆久 天麻 各 3.75g、吳茱萸 金嬰子 丁香 白豆久 各 1.875g、地楡 2.625g

用法

1日 1貼 水煎適宜分服함。

東濟漢醫院 徐 冠 錫

小兒泄瀉 兼慢驚

處方

錢氏白朮散

註

① 慢驚에 天麻 細辛 各 3.75g를 加用함。
② 吐甚에 白豆久 3.75g를 加用함。
③ 泄甚에 山藥 白片豆 肉豆久 各 3.75g를 加用함。

用法

1日 1貼 水煎하여 適宜分服함。

孔德漢醫院 魚 淵

小兒夜尿 及遺尿症

處方

熟芐 黃芪 各 11.25、山藥 山茱萸 各 7.5g、白茯 牧母皮 兎絲子 枸杞子 五味子 各 3.75g、烏藥 益智仁 桑螵蛸 各 3.0g

三誠漢醫院 李 雲 翼

夜尿症

原因

肪胱括約筋과 神經이 鈍感하고 無力한 要因。

症狀

夜睡眠中排尿者로서 4~5歲로부터 15歲까지 許多하며 大人에도 가끔 볼 수 있음。

藥 治

韮子 7·5g、人蔘 黃芪 山藥 五味子 各5·625g
白朮 甘草 各 3·75g、當歸身 陳皮 益智仁 各 1·875g、升麻 柴胡 各 1·125g

用 法

年齡에 따라 適宜 增減服用하나 幼小兒는 2~3貼 大人은 5~6貼 水煎服하고 或은 製丸하여 小兒는 20~30丸式、大人은 50~60丸式 適宜增減服。

針 治

曲骨 水道 三陰交 留針强刺(30分~60分留針) 愈爲度로 繼續함。

註

或 陰包穴를 加用하기도함。

홍일漢醫院 洪 淳 鶴

白 濁 (小便色如米汁者 胃虛弱者)

處 方

茵蔯 山査肉 各 7·5g、陳皮 麥芽 神曲 半夏 白茯
澤舍 猪苓 白朮 菖蒲 山藥 山茱萸 各 3·75g、烏藥
竹葉 各 2·625g、燈心 甘草 各 1·875g、干
3 棗2

用 法

1日 1貼 水煎適宜分服함。

東濟漢醫院 徐 冠 錫

小兒大便不通

處 方

只角麸炒 甘草炙 生甘草 各 3·75g

用 法

水煎하여 1日 1貼 2~3回 適宜分服

국도漢醫院 盧 尙 福

볼거리 (耳下腺炎 淋巴腺炎 頰腫痛)

處 方

消炎散
吉更 5·625、金銀花 荊芥 連交 各 3·75g、蒼朮 川芎 赤伏 只角 白芷 防風 各2·625g、柴胡 黃芩 薄荷 牛方子 升麻 甘草 各 1·875g

空心服 3~5貼 奇効。

東寶漢醫院 朴 一 洪

小兒耳下腺炎

處 方

連交敗毒散에서 去人蔘하고 加沙蔘 3·75g하며 金銀花는 7·5g、蓮交는 5·625g를 加味하여 쓴다

用 法

水煎服하며 小兒는 1日 1貼 適宜分服하고 3~5貼程度

泰平漢醫院 林 貫 一

小兒胎毒症

症 狀

全身發班 或頭面發班 赤靑或黃 瘙痒

處 方

加減四物湯

生地黃 赤芍 各 3·75g、當歸 川芎 黃芩 防風 各 1·875g 蟬退 1·125g、薄荷 小許 日黃蓮 或 毛黃蓮 1·875g

補陽漢醫院 權 寧 訓

胎 黃 症

處 方

茵蔯四物湯：茵蔯 當歸 川芎 赤芍 生芐 赤茯 天花粉 猪苓 澤舍 各等分

註

胎黃症 身面俱黃、尿黃便閉、身熱目閉、多啼不飮乳

用 法

水煎하여 母子俱服함。累驗愛用方임。

국일漢醫院 李 重 珪

小兒痲痺症

處 方

加減四物湯

熟地黃 白芍藥 當歸 香付子 各 8·4375g、五加皮 18·75g、牛膝 3·75g

用 法

病狀始發 即時煎服。

德壽漢醫院 南 完 洙

百日咳

이疾患은 百日咳菌으로 傳染되며 一同羅患한 後는 免疫性을 獲得하게 된다。

痙攣期에는 本病의 極期로서 發作時에는 眼球突出 冷汗流出하며 强度의 窒息狀態를 起한다。

●**藥物療法**

(一) 鹿茸湯　　今井遺方

鹿茸 一錢五分 葶藶子 當歸 麥門冬 半夏 陳皮 甘草 各一錢 水煎하여 無時服한다。

(二) 햇즈마水(수세미水)　　日本俗方

瓢水即수세미水인데 수세미를 春季에 栽培하여 夏季即 가장茂盛한 時期에 地上에서 約三尺程度로 切斷하고 그 切斷部를一升甁內에 挿入하여두고 一宿이 經過되면 그 甁이 水로充滿한다。그러면 他甁을 交代하여 取水하면 約二升可量 된다。이것을 그대로保管하였다가 百日咳에 羅患될 時는 砂糖을 조금混合하고 微溫水程度로 하여 無時服시키면 痙攣期로는 突入되지 않고 徐徐히 治療된다 一般咳嗽에는 特히 有効하다。이病은 注射나 鹿茸劑를 利用하여도 即時 完全治療는 不可能하다。

●**鍼灸療法**

1、針治는 對症療法에 不過하다。

丹毒

이疾患은 表皮의 小創으로 細菌의 傳染에서 發한다。惡寒戰慄에 高熱을 發하며 發赤腫脹하고 邊緣이 隆起하고 鋸齒狀을 呈하고 發熱譫語에 意識이 涵濁한다。

●**藥物療法**

1。加味解毒湯

黃連 黃芩 黃栢 치자 升麻 玄蔘 荊芥 防風 各一錢

●**鍼灸療法**

針治는 古方에서는 그周緣隆起에 刺針出血시킨다。

2、日本俗方

卵白(鷄卵의 흰자위)에 灰(木炭재)를 混合하여 그發赤腫脹部에 塗布하여 一宿만 經過하면 그炎症은 擧皆가 消散되고 만다。

小兒急癎 (急驚風)

이疾患은 大腦의 刺戟感受가 亢進하여 諸熱 自家中毒에서 發한다。 眼球上竄顔貌强直 意識消失 牙關緊急에 全

身痙攣을 發한다。

●鍼灸療法

1、此症은 針治의 最適應으로써 發作時는 干先 十指및 十趾尖端에 刺針出血시키고 다음에는 百會를 爲始하여 全身皮膚針을 施함과 同時에 人中(水溝)에 三分 刺하면 覺醒한다。

2、黑丑葉汁 (日本俗方)

나팔꽃葉(黑丑葉)을 乱擣取汁하여 嚥下시키면 即時 回生한다。習慣性 即慢性일時는 連服에 依하여 完治可能하다。

3、古方에서는 牛黃抱竜丸 鏡面朱및靈砂 等이며 또 牛黃 麝香도 適宜使用 한다。

急性脊髓性小兒麻痺

이疾患은 弛緩性 小兒麻痺로서 二才以下의 小兒에 多現하는 疾患이다。高熱에 痙攣을 發하며 覺醒後는 偏側麻痺를 遺留하며 그麻痺는 患肢가 弛緩性筋肉麻痺로 因하여 畸形을 招來한다。

●藥物療法

(一) 加味保命丸 서울金永雲

木香 杜冲 古本 羌活 牛膝 各一兩 白花蛇 鹿茸 防風 當歸 虎脛骨 山藥 各七分 爲末蜜丸彈子大하여 一日一丸을 三回에 分服한다。

●鍼灸療法

1、針治는 氣血循環과 新陳代謝를 可良케하여 筋肉의 萎縮을 防止하는 意味에서 患側健側및 全身要穴에 皮膚針을 施하며 電氣治療를 兼하면 尤効하다。

小兒慢性腹加答兒

下痢는 本病의 主徵이되며 腹部膨脹하고 瘦削이 繼續되고 往往脾臟肥大를 呈한다。

●藥物療法

(一) 加味芍藥湯 群山申初連

白芍藥 三錢 黃今 二錢 厚朴 陳皮 樗根 白皮 訶子 甘草 水煎하여 無時服시킨다。

●鍼灸療法

飢餓療法을 行하며 針은 水分에 一寸二分强刺하면足하다 然而 背部및 腹部또는 頭部에 皮膚針을 施하면錦上添花의 格이된다。

小兒科病

大田 郭 錫 俊 先生

●디프테리아

① 輕症 또는 初期

加味麻杏甘石湯

石膏三錢 杏仁二錢 麻黃一錢半 甘草 蘇子 桑白皮各一錢

② 重 症

加味凉膈散

連翹二錢 大黃 芒硝 甘草各一錢 薄荷 黃芩 梔子各五分 竹葉一錢 石膏三錢 桔梗一錢半 蜜少許

前二方에 左方을 兼用한다。

桔梗白散

桔梗 貝母各三分 巴豆一分。

右各細末하여 和勿하고 每服一分하되 量兒大小하여 內服케 한다。

●麻 疹(紅疫)

裡里 趙 容 準 先生

宜 和 湯

白芍藥炒六錢 黃芩 半夏姜製各二錢 烏梅眞品 川椒去目 甘草各五分 生姜七分。

本方은 發疹期로부터 疹退後 百日內에 適用한다。

○發疹時에 欲發未發하며 嘔吐症이 날때‖本方加淡豆鼓二錢 梔子一錢 枳實七分

○汗多에‖五倍子末五鉞을 口津으로 調合作餠하여 臍孔에 貼付하고 本方을 內服한다。

○羞明 流淚 眼閉不開하며 發疹이 안되고 喘咳가 發할때‖本方加升麻 葛根各一錢。

○疹色이 鮮明치 못하면‖本方 加石菖蒲七分

○疹色이 紫暗하면‖本方加天門冬去心一錢五分 生地黃一—二錢

○疹發而即沒할 때는‖本方加使君子炒一錢半—二錢

○疹이 欲發未發하며 發疹이 되지 않을때는‖濁酒를 若干 먹인다。

○酒類를 服用하여도 發疹이 안될때는‖本方加生地黃 酒洗 當歸酒洗各一錢半

○發疹은 順調이나 嘔吐가 있을 때는‖本方加黃連一錢

○無汗‖本方加麻黃 葛根 升麻各一錢

○發疹이 下體에 先發함은 腎陰不足이니‖本方加熟地黃五錢 枸杞子二錢 黃芩 半夏各減半 或加細辛五—七分 或加官桂五分하여 引經케 한다。

○麻疹內攻으로 發熱咳嗽하며 肺炎症狀이 되었을때는‖本方加桑白皮 知母 貝母 地骨皮 桔梗 杏仁各一錢 或은 本方合瀉白散亦佳。

○蛔虫發作이 甚하면‖本方加苦楝皮二錢。
○消化不良‖本方加神曲 陳皮 山査 枳實各一錢。
○泄瀉甚‖本方加木通 車前子炒各一錢 或混用益元散亦佳。
○痢疾이 兼할때는‖本方加大黃一—二錢。
○赤痢가 兼할때는‖本方에 益元散을 混用하거나 또는 本方加訶子 肉豆久各一錢。
○治愈期에 浮腫이 나타났을때는‖本方去烏梅 加桑白皮 麥門冬 車前子炒 赤伏苓各一錢。

二、防 風 湯

防風 蘇葉 葛根 麻黃 蟬退去嘴及翅足 赤芍藥 升麻 甘草各一錢 牛方子炒七分 干三。

麻疹初期에 服用하면 發疹을 促進한다。

●麻疹後口疳瘡(水癌) 光州 韓 南 洙 先生

清 肝 解 毒 湯

人中黃 黃連 柴胡各二錢五分 知母去毛 連翹去心 牛蒡子炒研 犀角 玄蔘 荆芥 防風 石膏各七分半 竹葉十四枚 燈心五分。

(人中黃의 代用으로 甘草一錢五分 胡黃連一錢 糞缸中土三錢을 使用하였음)

●百 日 咳 서울 崔 秉 道 先生

一、加味和解散

桔梗一錢半 前胡 柴胡 川芎 白伏苓 天花粉 瓜蔞仁 桑白皮 羌活 獨活各七分 人蔘 甘草各五分 五貼皆效。

二、青礞石散

青礞石末煅하여 金色에 至하면 細末한다。每五分重씩 雪糖水에 呑下한다。十歲兒 日三次 三四歲兒는 二分五厘重 日三次 服用한다。

●百 日 咳 金 聖 培 先生

① 加答兒期(約一週日乃至二週日)

第一竹茹湯(三歲兒一日分)

人蔘五分 竹茹一錢 陳皮八分 半夏四分 蘇子八分 杏仁三分 桂皮五分 甘草四分 干二 召三二日三回 朝食前 晝食後 臨卧時에 分服한다。

② 痙咳期(四週乃至六週)

第二竹茹湯(三歲兒一日分)

人蔘七分 竹茹八分 陳皮六分 半夏五分 蘇子四分 黃芪八分 桂皮三分 甘草五分 干三 召三。

用法 前方과 同一。

③ 恢復期 或은 減退期(約三週間)

第三竹茹湯(三歲兒一日分)

人蔘八分 竹茹五分 杏仁四分 陳皮五分 當歸四分 白朮五分 半夏三分 蘇子三分 甘草五分 干二 召三

用法前方과 同一。

●百 日 咳 서울 宋 榮 奭 先生

寧 嗽 湯

熟地黃四錢 麥門冬 白伏苓各二錢半 巴戟 白薇各二錢 五味子 甘草各五分。

●百 日 咳 서울 韓 祚 海 先生

清 咳 散

甘草四錢 杏仁三錢 桔梗 荊芥 麻黃各二錢 四五貼에 十中八九完治。

●百 日 咳 大邱 鄭 奎 萬 先生

一、加味荊防敗毒散

防風一錢半 荊芥 羌活 獨活 紫胡 前胡 枳殼麩炒 赤伏苓 川芎各一錢 桔梗八分 人蔘 薄荷 甘草各五分 干三。

二、人蔘龍眼肉湯

人蔘一錢 龍眼肉五分。

三、人蔘五味子散

人蔘五錢 五味子 何首烏各三錢 爲末 毎一錢 蜜水調服。

四、人蔘敗毒散

桔梗一錢二分 川芎 白伏苓 枳殼 前胡 柴胡 薄荷 荊芥 防風 人蔘 連翹各一錢 羌活 獨活 甘草各五分 干三。

●小 兒 肺 炎 議政府市 柳 昌 培 先生

加味麥門冬湯

白伏苓 麥門冬各五錢 黃芩 五味子 柴胡各一錢。

●小兒急性肺炎 서울 孟 華 燮 先生

(處方) 麥門冬 白伏苓各五錢 桔梗二錢 柴胡 黃芩 五味子各一錢。

●夏 季 腦 炎 서울 裵 元 植 先生

一、初 期

加 減 柴 胡 湯

柴胡五錢 黃芩 白芍藥 香薷 大黃各三錢 枳實 竹茹各二錢 半夏一錢半 石膏三錢以上。

一日二貼 食前三十分 또는 食後二時間服

二、病劇而心臟衰弱時

石膏七錢 麥門冬五錢 人蔘 知母各三錢 甘草一錢半 粳米一握。

三、單 方

山猪膽。

一回一錢—二錢 三時間一次 一日三次。

●夏季腦炎

大邱 靑雲 先生

①陽明經病

(症候)骨節痛 泄瀉 嘔吐를 發하고 後에 昏腫麻痺를 나타낸다。

葛根大黃湯

大黃一錢半 黃芩 白芍藥 赤伏苓 藁本 白朮 甘草 葛根 桔梗各一錢。

②太陽經病

(症候)肢痛 身熱 頭痛을 發하고 五六日後에 昏腫가 되어 十日以上 繼續되다가 熱이 漸次 내린다。

加味升葛湯

羌活 葛根各一錢半 白芍藥 川芎 石膏 黃連酒炒 黃芩酒炒 人蔘 知母酒炒 升麻 生地黃各一錢 干三。

③少陽經病

(症候)寒熱往來 眩暈等症을 나타낸다。

小柴胡湯

柴胡二錢半 半夏二錢 黃芩 人蔘各一錢半 甘草一錢 干三 召二。

●夏季腦炎

水原 李璟模 先生

①豫防劑

大暑 大旱之時에 加味益元湯 二三貼 또는 黃連消暑丸을 往往 服用시킨다。

②治療劑

輕症에 加味益元湯 二三貼。

急重症에 三生丸을 急服시킨다。

加味益元湯

香薷 白扁豆各一錢半 生地黃 當歸 白芍藥各一錢 麥門冬 遠志去心各七分 滑石 甘草各六分 柴胡 黃芩 各五分 黃栢鹽水炒三分 五味子六粒 川黃連一分 粳米一匙布裹。

(小兒大小를 參酌하여 加減하라)

黃連消暑丸

半夏一斤 生甘草 伏苓去皮各半斤 川黃連二兩

右爲末 薑汁煮糊丸 如梧子大 每服 二三十丸 不拘時服。

三生丸

白附子 天南星 半夏並去皮等分。

右生研 猪胆汁和丸 黍米大 量兒大小 以薄荷湯下 服後 嘔出痰水即差。

●夏季腦炎

裡里市 趙容準 先生

淸金降火湯

枸杞子一錢五分 麥門冬溫水浸去心 赤伏苓各一錢二分
川黃連 木痛去節 車前子炒 天門冬溫水浸去心各七分 羌
活 防風 黃芩去朽 半夏姜汁浸 梔子炒黑 甘草各五分 干
五 召二 加遠志去心尤可。

三四歲兒 爲準量으로서 晝 夜各一貼 服用케한다。

皮膚燥澁者加葛根一錢 升麻七分。

自汗者加白朮一錢 또는 官桂三—五分。

熱退後頭痛者黃連二—三分 伏苓二分 去麥門冬 加川芎
五分 薄荷二分。

大便不痛腹脹者去木痛 車前子 羌活 防風 加大黃七分—
一錢 當歸 川芎各七分。

咳多者去枸杞子 羌活 防風 減黃連 伏苓各二分 加桑白
皮 貝母薑炒各一錢 乾姜五—六分。

治療二三日而熱不退者及發病三四日 而初診者加山藥 山
茱萸去核蒂各二錢 官桂 附子各五分하여 用之하고 別途
로 (小茴香 附子各七分 吳茱萸末湯泡者六錢을 細末하
고 溫水로 化合하여 餠과 같이 만들어서 二分하여 兩
足湧泉穴에 一枚式 貼付하고 無毒性 草木葉으로 覆之
하여 緊縛하고 乾燥와 剝脫을 防止하는 一方湯劑를 使
用하는데 每三十分에 體溫을 檢査하면 八—九時間에 三
度C 以上 下熱한다。이때 毛指를 患者의 眼胞上에 얹
어 보아서 眼胞나 眼球가 動하는 者는 生하고 不動하
면 死한다。生할 者에게는 米飮이나 乳汁을 少給한다。

腦炎中泄瀉가 甚한者는 車前子炒四—五錢 白朮一錢 生
姜五分 召三을 煎用한다。

●夏 季 腦 炎 公州 白 昌 基 先生

加 味 香 薷 湯

香薷 香附子各二錢 蘇葉 陳皮 蒼朮各一錢 羌活 川芎
白芷 細辛各七分 厚朴 白扁豆 甘草各五分 天麻 地骨皮
各三分 (發病 二十四時間內에 三貼을 用之면 無不神效)

●類 似 腦 炎 서울 韓 祚 海 先生

救 腦 湯

川芎去油九錢 當歸五錢 白芍藥三錢 辛荑三錢 蔓荊子二
錢 白芥子一錢 白芷一錢 細辛五分

●小 兒 麻 痺 鎭安 朴 南 錯 先生

桂枝加苓朮附湯

桂枝二錢 芍藥一錢半 伏苓 白朮各二錢半 甘草一錢 附
子一錢 生姜 大棗各一錢。

○小兒麻痺者로서 麻痺期에 들어서서 四枝萎弱하고 汗
氣가 있는 者에게 運用한다。

●小兒肝氣 서울 鄭 貞 成 先生

白芍藥四錢 甘草灸二錢 生地黃 木痛 麥門冬 黃芩 黃連 竹葉各一錢。

右藥煎水에 抱龍丸 또는 靈砂末調服。

●小兒肝氣 서울 朱 晃 祐 先生

(主治) 小兒肝氣 泄瀉 靑便 身熱 急慢驚風 夜啼等症。大人中風에는 多服則效。

加味淸心丸

朱砂 人蔘 蓮子肉 白芍藥 白伏神 柴胡 白朮 甘草 白干蚕 釣鉋藤 元防風 天竺黃 犀角 靑竹茹 山藥各五錢。牛胆南星 白蘞 天麻各三錢 龍腦一錢 右藥爲末 蜜丸一錢重式 作丸。

●小兒肝氣 大邱 金 在 誠 先生

鎭肝散

白芍藥二錢 甘草一錢 靑皮 木香 乳香 沒藥 唐木香各五分。

右細末 每二三分씩 溫水服 一日三四回 空心服。

○便常靑白하고 腹痛多啼하며 깜짝깜짝 놀라기를 잘하는데 特效하다。

●小兒泄瀉 서울 鄭 善 熙 先生

加味平胃散

白朮 白扁豆 阿膠珠 澤瀉各一錢半 神曲 麥芽 砂仁 檳榔 陳皮各一錢 厚朴 伏苓 甘草各七分。

●小兒泄瀉 서울 成 貞 成 先生

加味蔘朮湯

人蔘 白朮 白伏苓 陳皮 山藥 山茱萸 白扁豆 白豆久 甘草各一錢 五味子七分 吳茱萸五分 二貼完治。

○四季와 原因을 不拘하고 適用됨。

●小兒吐瀉後遺症 公州 盧載光 先生

(症候) 小兒四五歲에 吐瀉日久하여 津枯引飮 煩滿하며 欲成慢驚者。

加味人蔘湯

人蔘五錢 大棗三錢 白朮 白伏苓 陳皮 藿香 貢砂仁 神曲各一錢二分 山藥 白片豆 肉豆久 甘草各一錢

●小兒身熱驚畜靑便不消乳食方 서울 李泳漢 先生

淸香散

靑黛 牛胆南星 唐木香各一錢 靑皮 釣鉋藤 神曲 麥芽各五錢 天麻 朱砂各三錢 白干蚕五錢 甘草三錢 石雄黃三分。

右十二味 極細末 每服三分 溫水調服。

●幼兒消化不良常習下痢　서울 金鵬南先生

(處方) 五味子 烏梅各二錢。

水一合에 温浸 濾過하여 黑糖을 타서 隨時服用。

●小兒癎疾　蔚珍 金炳斗先生

加味抑肝散

半夏 陳皮各一錢半 當歸 釣鉤藤 川芎 白朮 白伏苓 天麻各一錢 柴胡 人蔘 澤瀉 甘草各五分 黃栢三分 干三召二。

●小兒夜啼症　서울 白南道先生

人蔘三錢 毛黃連一錢半 炙甘草五分 生竹葉頭尾尖切去十枚。

水一器 煎至半去渣 每服一二匙 無時服。

●小兒黃疸　서울 金東悅先生

茵藿飮

山査肉 一錢半 茵陳 蒼朮 藿香 陳皮各一錢 神曲 檳榔 澤瀉各七分 枳殼 三稜 蓬朮各五分 干二。

●遺尿症　서울 姜東稷先生

(處方) 益智仁三錢 白朮 桑標蛸 烏藥 巴戟 肉桂各二錢 鷄內金 牡蠣粉 韮子各一錢。

●夜尿症

鷄腸散

猪腎三具 鷄腸三具燒存性 牡蠣粉 白伏苓 桑標蛸各五錢 桂心 龍骨煅各二錢半。

右細末 每服五分 温水呑下 一日再服。

●夜尿症　서울 金明振先生

加減地黃湯

熟地黃四錢 山藥 山茱萸各二錢 白伏苓 牧丹皮各一錢半 益智仁 烏藥 破故紙炒 兎糸子酒蒸 金毛狗脊酒蒸 牡蠣粉各一錢 或加鷄內金。

●小兒마른 버짐　서울 崔奎晩先生

安蛔理中湯 二ㅡ三貼 水煎服即差。

●小兒濕疹(胎熱濕瘡)　서울 李鎭淑先生

苦草去仁燒存性爲炭 作末貼付則神效。

●小兒諸病解熱消毒劑　서울 朴熙麟先生

(主治) 胎熱 胎毒 丹毒 急驚風 痢疾 吐瀉 時疫發熱 肺炎 小兒瘡癤 食滯 食滯瀉 水腫 腹脹 盤腸等症

沆瀣丹

川芎 大黃 黃芩 黃栢各九錢 黑丑頭末 滑石 連翹 赤芍藥各六錢 檳榔七錢半 薄荷 枳殼各四錢半。

右細末 蜜丸芡實大 月內兒 每一丸 日二回服。二三歲兒는 每二三丸 日三回服。三歲以上三四丸 日三回服

○一切虛症에는 禁用함。

1、月經門

婦人經病(月經不順)

下記와 같이 原因 症狀을 따라 四物湯을 活用한다。

四物湯—當歸 川芎 白芍 熟苄各 7·5g

① 經色이 紫한 것은 風이니 上記四物湯에 防風 白芷 荊芥各 3·75g를 加하여 쓴다。

② 經色이 紫黑한 것은 血熱이니 四物湯에 黃芩 黃蓮 香付子各 3·75g를 加하여 쓴다。

③ 經色이 淡白한 것은 虛이니 四物湯에 人蔘 黃芪 白芍 香付子各 3·75g를 加하여 쓴다。

④ 經色이 不變하고 成塊한 것은 氣滯이니 四物湯에 香付子 玄胡索 只角 陳皮各 3·75g를 加하여 쓴다。

⑤ 經水將來에 心腹連腰作通하는 것은 血實 氣滯이니 四物湯에서 熟苄을 生苄으로 換하고 黃蓮 香付子 玄胡索 牧丹皮 蓬朮 青皮各3·75g、桃仁 2·625g 紅花 1·125g를 加하여 쓴다。

⑥ 經水가 過期不來하고 作痛하는 것은 血虛 有寒이니 四物湯에 香付子 肉桂 木通 蓬朮 蘇木各3·75g 桃仁 2·625g、紅花 甘草各1·875g를 加하여 쓴다。

⑦ 經行時에 腰腹이 疼痛拒按하는 것은 四物湯에 山査 玄胡索 香付子各 3·75g 桃仁 乾干各 1·875g 木香 2·625g를 加하여 쓴다。

⑧ 經後腹痛에 喜按하는 것은 四物湯에 人蔘 白朮各 3·75g 乾干2·625g甘草1·875g를加하여쓴다

⑨ 經水가 先期하여 來하는 것은 血虛有熱이니 四物湯에서 熟苄을 生苄으로 換하고 香付子 黃芩 黃蓮 阿膠珠各 3·75g 知母 黃栢 甘草 竹葉各 1·875g를 加하여 쓴다。

⑩ 經水가 過期하여 來하고 紫黑成塊한 것은 氣鬱血滯이니 四物湯에서 熟苄을 生苄으로 換하고 香付子 玄胡索 牧丹皮 青皮各 3·75g 桃仁 紅花 甘草各 1·875g를 加하여 쓴다。

제관漢醫院 李 重 珪

月經痛

① 骨小肉多者 五積散依本方에 去麻黃 加兵郞 3·75g 木香 桃仁 紅花各 1·875g 玄胡索 7·5g、1日2貼 空心服

② 骨大肉少者 四物湯加黃芩 黃蓮各 3·75g 桃仁 紅花各 1·875g 1日2貼。

信明漢醫院 姜信明

經中痛(腰腹痛) 因虛困症

處方

鹿角 熟芐 枸杞子 杜冲 當歸各 7·5g 牛膝 烏藥各 5·625g 肉桂 甘草炙各 3·75g

用法

人工流産後 加 人蔘 7·5g 艾葉炒 3·75g 消化不良 加山査肉 7·5g 貢砂仁 3·75g

東濟漢醫院 [illegible]冠錫

月經遲 下腹痛

處方

熟芐 15g 當歸尾 11·25g 枸杞子 杜冲炒各 7·5g 牛膝 肉桂各 5·625g 陳皮 澤舍 甘草各 3·75g 紅花 1·875g(特効)

誠信漢醫院 金義光

月水不通

處方

加味芎歸湯

當歸 22·5g 川芎 15g 卷栢 11·25g 甘草 3·75g

8—9貼에 即差함。

科南漢醫院 鄭臨澤

處女月經不通症

(2~3個月經水가없을때)

處方

人蔘 3·75g 白朮 白茯苓 甘草 當歸 川芎 白芍 熟地黃各 5·625g 香附子 肉桂 白芷 牡丹皮 玄胡 蒲黃 桃仁 五靈脂 各 3·75g 紅花 2·625g 沒藥 1·875g。

국도漢醫院 盧尙福

婦人月候不調結成癥瘕等諸病

處 方

婦人病萬病通治丸

白芍 當歸 川芎 白朮 白茯 古本 桂皮 白薇 玄胡 牧丹皮 赤石脂各 37.5g 沒藥 甘草各 18.75g 益母草 150g 吳茱萸 乾干各 75g 香付子 600g

用 法

綠豆大로 製丸하여 1日3回 每回 50丸增減하여 空心服。

수정원漢醫院 宋 浚 亨

經血再來症

處 方

加味平胃散

地楡炒黑 18.75g 荆芥炒黑 蒼朮各 7.5g 陳皮5.625g 厚朴 3.75g 甘草 2.25g 干3 棗2

用 法

1日3回 水煎하여 食間空服한다。

補陽漢醫院 權 寧 訓

經 閉

處 方

牛膝 37.5g 多芥子 當歸尾 薏苡仁各 18.75g 桂枝 11.25g 紅花 木通 7.5g 桃仁 瞿麥 活石 牧丹皮各 3.75g。

延壽堂漢醫院 韓 熙 錫

調 經

大田 趙 忠 熙 先生

經來先期者

桂枝丹皮湯

牧丹皮 白伏苓 何首烏 乾薑 白芍藥 桂枝 厚朴各三錢 麥門冬 山茱萸各二錢 益智仁一錢半。

經來後期者 大田 趙 忠 熙 先生

薑黃阿膠湯

桂枝 白伏苓 乾薑 丹蔘酒洗 何首烏 阿膠 牧丹皮各三錢 甘草二錢。

月經月再行或過多 서울 孟 華 燮 先生

(**處方**) 熟地黃四錢 當歸 白朮土炒 山茱萸 白芍藥酒炒 荊芥炒黑各一錢半 川芎 續斷 甘草各一錢。

2、陰戶門

婦人性不感症

處　方

加味地黃湯

六味地黃湯에　加金櫻子　芡仁各　7・5g

광제漢醫院　鄭　光　世

小戶家痛(交接則痛不忍)

處　方

甘草　112・5g、　白芍　18・75g、　生干　6・75g、　桂心　2・25g。

用　法

上記方　以酒二升煮取一升去滓朝夕食前分二服累驗愛用方임。

衆　用

黃蓮　56・26g、　牛膝　甘草各　37・5g　以水四升煮取二升當處　洗之日四次함。

국일漢醫院　李　重　珪

3、姙娠門

婦人無子

原因

多由血少不能攝精(子宮乾澁)

處方

① 加味益母丸(宜調養經血) 益母草 600g、當歸 赤芍 木香各 150g、蜜丸梧大子。

② 調經種玉湯(方見方藥合編上統 101)

用法

調經種玉湯을 1日3回 水煎空心 服時에 益母丸 50～100 丸式呑下 服之百日有孕。

孔德漢醫院 魚 淵

不姙症

處方

① 洗宮湯(前期藥) 白芍 當歸 生地黃 牧丹皮 玄胡索 黃連 蓬朮 香附子 桃仁 紅花各 3·75g、1日2貼、空心服 藥酒五匕入。

② 補宮湯(後期藥) 人蔘 11·25g、黃芪 18·75g、香附子 白芍藥 當歸 白朮 陳皮 貢砂仁 艾葉 甘草各 3·75g 民魚膠炒 18·75g、干3、棗一合(1貼에)入 服用時醋滴一入。

註

許俊醫學賞當選處方임 前期藥10日間服後에 後期藥10日間服用則神效함。

信明漢醫院 姜 信 明

習慣性流產

處方

金櫃當歸散: 黃芩 白朮 當歸 川芎 白芍人蔘各37·5g

註

腹痛에 貢砂仁 3·75g을 加用함。

用法

本方爲細末하여 空心服 1日3回、每回 1·875～3·75g、式 適宜溫酒調服 或分製十貼作湯服用함。

孔德漢醫院 魚 淵

習慣性流産

處　方

熟地黃 白芍 蓮子肉各7·5g、白朮 山茱萸 當歸 白茯苓 各 7·5g、陳皮 川芎 砂仁 黃芩 甘草各 2·625g、

用　法

妊娠 3~4個月以內에 十貼限服用。

심재선漢醫院　沈　在　善

落胎方

蓬朮 桃仁 紅花各 18·75g 玄胡索 鬱金 干黃 肉桂各 2·625g 牛膝 續斷 敗醬 杜冲各 3·75g 烏藥 白芍 川芎 當歸 香附子各 5·625g。

三省堂漢醫院　李　雲　翼

惡阻症

處　方

半夏7·5g、赤茯苓 陳皮 砂仁 桔梗 只角各3·75g 甘草 1·875g、烏梅一介 干五。

用　法

水煎하여 1日3回 3日程度면 功效。

성가漢醫院　韓　相　虎

惡阻(妊娠)

原　因

임신 惡阻症은 대개가 脾胃가 虛寒하여 發生되는 것으로 느낌。

症　狀

嘔逆吐淸水

治　方

加味保生湯 加乾干 7·5~11·25g。

東局漢醫院　姜　鎭　春

妊娠惡阻症

處　方

① 保生湯：蒼朮 香附子 烏藥 橘紅各 7·5g、人蔘 甘草各 3·75g、加藿香 貢砂仁 唐木香各 1·875g。

② 比和飮：人蔘 白朮 白茯苓 神曲各 3·75g、藿香 陳皮 貢砂仁各 2·625g、甘草 1·875g、白豆

久 3·75g、伏龍肝入

信明院漢醫院 姜 信 明

妊娠惡心嘔吐症(惡阻症)

原 因

妊娠中毒症의 一種으로서 神經症。

症 狀

早朝空腹時、惡心、嘔吐、頭眩、惡食、擇食。

處 方

何首烏 半夏各 5·625g、乾干 7·5g、薄荷1·875g、白朮 5·625g、只角 3·75g、砂仁 3·75g、山査 2·625g、山茱萸 2·625g、龍肉 7·5g、芍藥 3·75g、當歸 7·5g、桂枝 3·75g 甘草 1·878g。

用 法

1日2貼 1貼煎하여 2~3回分服함。

註

半夏는 症狀이 甚한 경우 7·5g까지 使用할 수도 있음

東山漢醫院 車 東 極

胎中虛弱(補藥)

處 方

加味八珍湯：當歸 土川芎 江芍藥 熟地黃各 7·5g 白朮 白茯苓 人蔘 甘草 陳皮 貢砂仁 香附子各 3·75g 干3棗2

信明院漢醫院 姜 信 明

妊中氣血俱虛

(腰腹痛 目眩 氣短 心悸 脈弱)

處 方

當歸身 9·375g、白芍炒 白朮 山藥各 7·5g、熟芐 人蔘各 5·625g、杜冲 山茱萸各 3·75g、陳皮 甘草 黃芩各1·875g 芡仁7·5g、砂仁3·75g

註

或加山召仁 元肉各 3·75g。

用 法

水煎服 1日3回 服用者의 虛弱에 따라 適宜服用이 可하나 普通은 1劑程度。

성가漢醫院 韓 相 虎

胎漏症(姙娠中下血)

處 方

膠艾四物湯：熟芐 當歸 川芎 白芍藥各 3·75g、阿膠珠 7·5g 條芩 白朮 貢砂仁 艾葉 香附子炒各 3·75g、虛者加 人蔘。

信明院漢醫院 姜 信 明

子腫症(姙娠中浮腫)

處 方

加減 補益湯：人蔘 白朮各1·875g、黃芪 當歸各 11·25g、柴胡 陳皮 升麻各 1·125g、甘草 0·75g、茯苓 37·5g。

信明院漢醫院 姜 信 明

子 癎

症 狀

胎前 頭項强直 筋脈拘攣 言語蹇澁時時發搐 又兼 中風不省人事。

處 方

茯神湯

茯神 山棗仁 獨活 白朮 羚羊角 貢砂仁各 7·5g 當歸 防風 川芎 赤芍 杏仁 防已 黃連 干蠶 知母 陳皮 五加皮 旋覆花 炙甘草各 3·5g 菊花 1·875g。

延壽堂漢醫院 韓 熙 錫

子癎症(姙娠中癎疾과如함)

處 方

羚羊角散：羚羊角3·75g、獨活 山棗仁 五加皮 防風 當歸 川芎 茯神 杏仁 薏苡仁各 2·625g、木香 甘草各 1·875g 干3。

信明院漢醫院 姜 信 明

難產(氣血虛者)

處 方

佛手散：當歸 22·5g、川芎 15g、益母草 11·25g、鹿茸 3·75g。

用 法

水煎臨熟入酒少許再煎溫服。

孔德漢醫院 魚 淵

4、産 後 門

産後感冒風寒咳嗽痰盛

症狀 産後에 感冒風寒하여 咳嗽痰盛。

處方 旋卜花湯

赤芍 赤茯 旋卜花各 5·625g、荊芥穗 半夏曲 五味子 麻黃 杏仁 前胡 甘草各 3·75g。

천광漢醫院 千 昌 茂

産後喘嗽

處方 加味芎歸湯：當歸 26·25g、川芎、18·75g、蘇木 7·5g、人蔘 3·75g、5〜6貼。

金星漢醫院 金 長 烈

産後喘急

處方 救脫活母湯

人蔘 18·75g 麥門冬 熟苄各 9·375g 枸杞子 山茱萸各 4·5g 阿膠珠 荊芥炒各 1·875 肉桂 1·125g。

東洋漢醫院 金 鍾 錫

産後浮腫·喘咳

處方 虎杖根 18·75g、當歸 川芎 熟苄 王不留行 蘇木各 7·5g 沙蔘 陳皮 白茯苓 麥門冬各 3·75g、但寒熱 柴胡 黃芩各 白芍藥 3·75g、

用法 1日3回 水煎服 每食後 2〜3時間。

東濟漢醫院 徐 冠 錫

産後貧血頭痛

原因

肝虛

症 狀

產後貧血頭痛

處 方

加味四物湯

熟芐 當歸各 18·75g 川芎 白芍 香附子 各 7·5g

濟元漢醫院 許 燕

產後血虛頭痛 及四肢節痛症

原 因

產後게 血虛로 因한다。

症 狀

時時發熱 惡寒 頭痛 四肢節痛等。

處 方

加味補虛湯

人蔘 11·25g、白朮 5·625g、當歸身 川芎 黃芪 陳皮各 3·75g、甘草 2·625g、荊芥 11·25g、乾干 桂皮各 3·75g 柴胡 羌活 白芷各 2·625g、干3。

이정재漢醫院 李 貞 載

產後血虛症

處 方

變方四物湯：當歸 熟芐各 18·75g、香附子 白芍藥 川芎各 7·5g。

濟元漢醫院 許 燕

產後頭眩痛(甚한 頭痛을 말함)

處 方

加味芎歸湯 當歸 18·75g、川芎 15g、古本 7·5g、細辛 蔓荊子各 2·625g、5~6貼。

金星漢醫院 金 長 烈

產後頭痛眩氣症

處 方

當歸 川芎各 18·75g、荊芥 7·5g、白芷 3·75g、細辛 1·875g、甘草 1·875g。

用 法

水煎하여 1日3回 食後1時間에 服用한다。

大元漢醫院 卞 晙 漢

產後發熱

處 方

加味地黃湯

熟芐 15g、山藥 山茱萸各 7.5g、牧丹皮 白茯苓 澤舍各 5.625g、黃芩 3.75g。

長安漢醫院 嚴 基 貞

產後 惡寒發熱(產褥熱)

處 方

柴胡 生芐各 7.5g、川芎 赤芍藥 當歸 黃芩各 5.625g、陳皮 沙蔘 防風 羌活各 3.75g、半夏 甘草各 1.875g、干3。

用 法

1日3回 水煎服 每食後 2~3時間。

東濟漢醫院 徐 冠 錫

產後風症(產後呼吸困難 咳嗽 浮腫)

處 方

藿香正氣散에 葛根 羌活 香附子各 3.75g를 加用함。

信光漢醫院 辛 宗 薰

產後風

症 狀

手足酸痛 或浮腫等症

處 方

海東皮 11.25g、山査 香附子 唐木香各 5.625g、蘇葉 蘿卜子 牛膝 續斷 威靈仙 桂枝 防風各 3.75g、白芷 白茯大卜皮 半夏 厚朴 陳皮 砂仁 皀角 白朮 甘草各 1.875g。

用 法

水煎服 1日3回 食後 1時間에 服用(1劑표준임)。

有情漢醫院 吉 埈 賢

產後肢節痛

處 方

蔓蔘 11.25g、白朮 5.625g、當歸 川芎 黃芪 陳皮各 3.75g、白茯苓 香附子各 3g、乾干炒黑 肉桂 羌活 獨活 2.625g、續斷 牛膝各 2.25g、烏藥 甘草各 1.875g。

加減法

① 上肢痛者에 去肉桂 加桂枝 3·75g。
② 下肢痛者에 加五加皮 3·75g。
③ 腰痛者에 加杜冲 3·75g。
④ 消化不良者에 加貢砂仁 2·625g。
⑤ 頭痛者에 加防風 2·625g。
⑥ 眩暈者에 加荆芥 1·875g。
⑦ 氣血不足者에 加白芍 熟芐各 5·625g。

江山漢醫院 徐 在 洙

産後血燥症

(手足掌이 불담아 부은 것 같이 화닥거림)

處 方

加味四物湯：當歸 川芎 白芍 熟芐各 9·375g、知母 黃栢各 7·5g、無不神效함。

信明院漢醫院 姜 信 明

乳腺炎

症 狀

惡寒發熱

處 方

不換金正氣散

蒼朮 厚朴 陳皮 藿香 半夏甘草各 7·5g、連交 牛方子 金銀花各 5·625g、干3 棗2 3貼限必癒。

江山漢醫院 徐 在 洙

乳 腫

症 狀

膿成 或不膿成

處 方

雙和湯：加活石 連交各 11·25g、柴胡 7·5g、乳核加白芷 貝母各 3·75。

東一漢醫院 朴 寅 商

乳房腫痛

處 方

加味青皮散

當歸 白芍 獨活 羌活各 3·75g、青皮15～22·5g、只角 甘草各 3·75g。

用 法

食後服用 日再服 3貼～6貼 奏効 痛甚時는 青皮 22.5g。

東寶漢醫院 朴 一 洪

產後乳腫

症 狀

乳房膨脹 乳汁不通

處 方

蒲公英 12g、當歸 山藥各 4.5g、香附子 3.75g、牧丹皮 1.875g。

用 法

水煎食間服 5貼限

三誠漢醫院 李 雲 翼

乳腫(젖몸살)及乳房核

處 方

紫草 37.5g、白茯苓 白芷各 3.75g、貝母 1.875g、青皮 1.875g。

用 法

水煎하여 食後服하되 2～3貼限 見效。

유정漢醫院 吉 埈 賢

婦人急性乳腺炎(젖몸살未化膿者)

處 方

蒼朮 陳皮 厚朴 藿香 半夏 甘草各 7.5g、蓮交 牛方子 金銀花 5.625g 干3。

註

2～3貼神效。

江山漢醫院 徐 在 洙

產後嘔吐症

原 因

產後虛因

症 狀

嘔吐

處 方

補陰止嘔湯(虛因嘔吐에 即效함)黃芪 元肉 白朮各 11.25g、熟芐 9.375g、人蔘 山茱萸各 5.625

g、白茯苓 乾干炒黑各 3·75g、半夏 白豆久 橘紅 甘草各 18·75g。

천광漢醫院 千 昌 茂

兒枕痛(産後腹痛)

處 方

五靈脂 蒲黃 澤蘭 白芷 白芍 甘草各 3·75g、當歸 川芎 玄胡索各 11·25g。

2貼特效

대동漢醫院 沈 載 勳

兒枕痛(産後腹痛症)

處 方

桃核承氣湯

桃仁 桂枝各 11·25g、大黃 甘草 芒硝各 7·5g。

用 法

清酒半鈞을 入하여 煎服하는데 芒硝는 去滓即前에 投入一沸後에 溫服한다 2貼特效。

報仁漢醫院 李 柄 國

兒枕痛(産後腹痛症)

處 方

山査子 3·75g、黃梅木 26·25g、當歸 7·5g、五靈脂 蒲黃各 5·625g、桂皮 3·75g。

用 法

水煎하여 服用時에 설탕2匙를 調服한다。

德壽漢醫院 南 完 洙

兒枕痛(産後腹痛症)

處 方

① 處 者

當歸 川芎各 18·75g、山査 木香 乾干 桂皮 蒲黃 甘草各 1·875g、桃仁 紅花各 1·125g、玄胡索 7·5g。

② **實** 者

當歸 白芍各 7·5g、川芎 白芷 桂心 蒲黃 牧丹皮 玄胡索 五靈脂 沒藥各 2·625g。2~3貼神效

信明院漢醫院 姜 信 明

兒枕痛(產後腹痛症)

處 方
當歸 川芎各 18·75g、牛膝 牧丹皮各 7·5g、3貼 神效。

천수당漢醫院　金　顯　九

產後腹痛

處 方
當歸 川芎各 11·25g、山査肉 玄胡索 五靈脂 蒲黃各 3·75g、桃仁 乾干各 2·625g、乳香 沒藥各 1·875g、香付子 3 75g。

用 法
1日 2~3回 水煎服함 愛用方임。

국일漢醫院　李　重　珪

產後腹痛及一切產後諸症

處 方
加味生化湯：當歸尾 30g、川芎 15g、乾干炒黑 桃仁甘草炙各 3·75g。

註
① 浮腫에 防己 2·625g、澤蘭 11·25g를 加用함。
② 本方은 金長憲先生님處方임。

用 法
水煎服 1日3回 5~10貼。

金星漢醫院　金　長　烈

產後腹痛

處 方
① 加味芎歸湯：當歸 川芎各 18·75g、玄胡索 7·5g、三稜 蓬朮 益母草各 3·57g、桃仁 紅花各 1·875g。
② 加味生化湯：當歸 川芎各 18·75g、山査 木香 乾干桂皮 蒲黃 甘草各 1·875g 桃仁 紅花各 1·125g、玄胡索 7·5g。

信明院漢醫院　姜　信　明

產後腰痛

處 方

敗醬 當歸各 15g、川芎 白芍藥 桂心各 11·25g。

用　法

水煎分二次食遠服 忌葱 愛用方임。

국일漢醫院　李　重　珪

包衣不下(後産不能)

處　方

茱萸四物湯

山茱萸 11·25g、當歸 川芎 白芍 熟芐各 7·5g。

정안漢醫院　嚴　基　貞

自然流産中 下胎不能 及腹痛者

處　方

歸尾 26·25g、川芎 11·25g、香付子 牛膝各 7·5g、蘇葉貢砂仁 大卜皮 乳香 沒藥各 3·75g。

用　法

1日3回 水煎服 每食後2～3時間。

東濟漢醫院　徐　冠　錫

人工流産後 及經中腰腹痛(因虛困)

處　方

鹿角 18·75g、熟芐 當歸 枸杞子 杜冲各 7·5g、牛膝 烏藥 桂枝 人蔘 山査肉各 3·75g、貢砂仁 甘草炙各 2·625g

用　法

1日3回 水煎服 每食後 2～3時間。

東濟漢醫院　徐　冠　錫

5、帶下·崩漏·子宮 出血

帶下(子宮內膜炎)

子宮體의 粘膜의 炎症으로 急性과 慢性의 症으로 나타난다。

粘膜의 炎症은 微生物性과 非微生物性으로 內膜炎을 發하되 微生物 性內膜炎엔 慢性內膜炎과 急性內膜炎으로 區分되고 非微生物性 內膜炎엔 間質性 또는 廣汎性 腺性 內膜炎으로 慢性內膜炎을 이르킨다。

原　因

急性內膜炎은 淋菌이나 腐敗菌 또는 化膿菌에 依하여 腐敗性炎 또는 敗血性 子宮內膜炎을 이르키며 非細菌性 內膜炎에는 全身血行不全 不攝生에 原因되며 子宮의 形狀位置異常、胎盤片殘留등으로 帶下를 發生한다。

症　狀

急性內膜炎에 發熱 子宮頸部粘膜이 肥厚發赤 多量의 膿樣惡臭帶下가 있고 陳痛樣疝痛을 發하고 骨盤內壓重感이 있다。

慢性子宮內膜炎에는 漿液性 또는 膿樣의 分泌가 오고 대개는 月經過多를 이르킨다。諸種의 神經症狀으로 氣鬱 頭痛 腰痛 月經痛등의 苦痛을 받는 것이 많다。

子宮內膜炎은 骨盤腹膜炎 子宮周圍炎 卵管炎 子宮結合織炎 尿道肪胱炎 膣炎등을 合併한다。이런 것은 모두 瘀血의 成因이 되는 것으로 治療로는 急性과 慢性으로 區分하여 여러 處方이 많으나 本人이 常用하는 特히 慢性에 잘듯는 處方 1方을 記載하고 저 한다。

處　方

加味五積散

蒼朮 7·5g、陳皮 3·75g、厚朴 梗桔 只角 當歸 乾干 白芍藥 白茯苓各 3g、川芎 白芷 半夏 桂皮各 2·625g、甘草 2·625g、小茴香 木香 兵郞 桃仁 紅花各 2·625g 干3 葱2。

註

下腹을 壓診하여 牽引痛이 有한 者에 尤效함。

用　法

1日3回 水煎空心服이 可하다。

강생漢醫院　姜　昊　景

婦人帶下

原 因

1972年刊行大韓漢醫學會誌1에 精誠漢醫院 朴炳昆先生의 詳細한 說明을 參考하고 여기에서는 省略。

症 狀

赤帶下 白帶下 赤白帶下 膿炎帶下 子宮癌帶下。

處 方

復元榮養湯(方藥合編上統百番)에 鹿角膠 枸杞子 何首烏各 3·75g을 加하여 쓴다。

註

① 患者가 熱甚할時는 去蔘하고 代沙蔘한다。

② 赤帶下 白帶下 赤白帶下에는 有效하나 膿炎帶下나 子宮癌帶下에는 無效하다。

無名氏

婦人帶下

白帶下 黃帶下 赤帶下 黑帶下

處 方

加味桃仁湯

香附子 當歸 白茯苓 烏藥 枸杞子各 7·5g、茴香 乾干肉桂 玄胡索 桃仁 乃卜子·炒 木香各 3·75g。

이상용漢醫院 李 相 龍

各種帶下症

處 方

分清飮：當歸 川芎 白芍酒炒 熟地黃 香附子炒 人蔘 吳茱萸各 3·75g、甘草 升麻 肉桂各 1·5g、紅花 1·125g、阿膠珠 2·625g、黃栢炒 山梔炒黑 乾干各 3·75g、木香 1·875g。

用 法

水煎服 1日3回 空心服 輕症10貼 重症20貼。

朴鍾坤漢醫院 朴 鍾 坤

急慢性帶下症

處 方

人蔘 白朮 白茯苓 陳皮 白片豆 山藥 薏苡仁 甘草各 3·75g、地楡 膠珠 澤舍各 5·625g。

註

白帶下에 倍加薏苡仁 赤帶下에 丹蔘 當歸 를加用하

고 赤帶下에 柴胡 梔子를 加用하고 黃帶下에 石斛 荷葉을 加用하고 黑帶下에 杜冲 續斷을 加用함。

用 法

1日3回 水煎服 食後 2~3時間。

東濟漢醫院 徐 冠 錫

婦人帶下 및 淋疾、尿道炎

原 因

文獻參考할 것이나 여기에서는 原因不問함。

症 狀

赤白黃帶下多而惡嗅者
經色黑而腰下腹痛者
經前經後腰下腹痛者
急慢性淋疾、尿道炎

處 方

九節草 1·875g、 毒蛇乾脯 26·25g 京炮附子 11·25。

用 法

上記爲末製丸梧子大 1日3回每回40丸式服用(空心服이 可하나 時로는 食後服을 함) 上方에 毒蛇末倍加則 淋疾、尿道炎에 切效함。

註

本方은 本人의 簡易方으로서 服用者의 體質을 때로는 考慮할 點이 있음。

홍일漢醫院 洪 淳 鶴

子宮內膜炎 子宮附屬器炎

處 方

白芍藥 13·125g、 當歸 川芎 熟芐各 9·375g 只角 柴胡 青皮 黃芩各 4·875g、 砂仁 神曲各 3·75g、 白藤(아까시아根) 桑根各 7·5g、 干3。

用 法

水煎食遠服 1日3回 1劑限功效。

홍漢醫院 洪 慶 杓

子宮內膜炎

處 方

加味王四物湯：王不留行 18·75g、 山藥 5·625g、 當歸 川芎 白芍 熟芐各 4·5g、 白片豆 牡丹皮

地膚子 桃仁 玄蔘各 3·75g、玄胡索 綿花子各 2·25g、空心服。

婦人崩漏症

濟元漢醫院 許 燕

處 方

蒼朮 7·5g、陳皮 3·75g、厚朴 桔梗 只殼 當歸 乾干 白芍 白茯各 3g、川芎 白芷 半夏 桂皮 甘草各 2·625g、干3 葱2 6貼。

用 法

五靈脂를 따로 炒硏末하여 2·25g式 6包를 만든다。前記五積散3貼과 五靈脂末3包를 1日分으로 하여 2~3時間마다 前者와 後者를 反復하여 空心에 服用함。五靈脂末은 每回에 酒에 타서 先服用하고 其後 2~3時間에 五積散을 服用하면 된다。 2日服用이면 完治됨。

崩漏(子宮出血)

금산漢醫院 金 彩 坤

原 因

胃腸장애없이 갑자기 出血 및 原因관계 없이 急出血時。

處 方

四物湯

熟地黃 18·75~37·5g、當歸 川芎 白芍各 9·375。

子宮出血 及 崩漏

東局漢醫院 姜 鎭 春

處 方

止崩湯：熟芐 白朮各 37·5g、當歸 黃芪 人蔘各 18·75g、乾干炮 7·5g。

用 法

1日1貼 3回分服 空心服이可함、

崩漏症(不正子宮出血)

濟元漢醫院 許 燕

處 方

加味當歸湯

當歸 乾地黃 黃芩 香附子各 7·5g、白芍 黃蓮 阿膠珠 川芎各 5·625g、知母 黃栢 艾葉 甘草 荆芥炒黑 乾干炒黑 地楡炒黑各 3·75g、干3、6貼限效。

명산漢醫院 丁 奎 萬

子宮出血

處 方

蔓蔘 大黃 牡蠣粉 乳香各等分。

用 法

作末 鹽水溫服 1回 1·875g。

淑濟漢醫院 金 丙 祖

子宮出血 及 炎症(虛症)

處 方

當歸頭 川芎 白朮 熟苄各 18·75g、地楡炒 黃芪 膠珠各 7·5g、側栢葉炒黑 人蔘 續斷各 3·75g、乾干炒黑 荆芥炒黑 艾葉炒各 1·875g、黃栢 鹽水炒 2·625g。

用 法

1日3回 水煎服 每食後2~3時間。

東濟漢醫院 徐 冠 錫

子宮出血

原 因

流産後 子宮이 虛弱하여 생긴염증。

症 狀

流産後 2個月 및 오랫동안 不止。

處 方

全生活血湯(方見合編中156)
加黃芪 防風各3·75g

윤봉윤漢醫院 尹 鳳 潤

子宮出血

症 狀

소파手術後나 其他 子宮出血一切。

處 方

加味芎歸湯(十年間 한번도 失敗없음) 當歸 37·5g、川芎 18·75g、防風 荆芥炒黑 乾干炒黑 側栢葉 熟地黃

白芍藥 各 3·75g、阿膠 地楡各 1·875g。

沙斤漢醫院 李 相 元

婦人下血症(甚者)

註

流産後遺症의 下血이나 其他男子腸風症 又는 痔出血等은 本方의 適用이 아님。

處 方

加味補益湯

補中益氣湯에 白頭翁 3·75g을 加한다。

用 法

水煎空心服可 1日3回 白頭翁은 多年根일수록 좋고 腦頭部를 去하고 體質에 따라 3·75g、以內로 適宜使用해야 함。

2~3g貼用에 即差。

註

白頭翁만을 去腦頭하여 蒸乾爲末하여 膠匣(캅셀)에 投入하여 놓고 下血이 甚하고 體力이 있는 者에게는 2個、下血이 輕하고 體力이 虛弱하면 1個式 1日3~4回 數日間 服用하기도 하는데 藥을 먹고 잠이들었다가 起寢하면서 效力이 있게 됨。

세민漢醫院 韓 永 洙

一切下血症 腸風下血等

症 狀

婦人子宮出血、男子便血 諸般出血。

處 方

百中湯

川芎 當歸身各 11·25g、白芍藥 香附子 厚朴 陳皮各 5·625g、槐花 升麻 玄胡 地楡炒 荊芥炒黑 乾干炒黑 側栢葉旱蓮草 良干 甘草各 3·75g。

用 法

水煎空心服可 輕者3貼重者增貼。

東昌漢醫院 金 漢 經

6、子宮炎 및 卵巢炎

左側子宮炎 及 卵巢炎과 正中子宮炎

原　因

血虛

症　狀

貧血症

處　方

加味地黃湯

熟地黃 玄蔘各 11·25g、沙蔘 山藥 山茱萸 白片豆各 5·625g、白茯 牡丹 澤舍 桃仁各 3·75g、綿花子 玄胡索各 2·25g。

右側子宮炎 及 卵巢炎症

處　方

加味煖肝煎

枸杞子 11·25g、當歸 烏藥 小茴香 白茯苓各 7·5g 桃仁 玄胡索 桂枝 綿花子各 3·75g。

子宮病一切

處　方

加味四物湯

王不留行 18·75g、山藥 7·5g、當歸 川芎 白芍 熟芐各 4·6875g、白片豆 桃仁 牡丹 玄蔘 沙蔘 香附子 地膚子各 3·75g、玄胡索 綿花子各分 2·25g。

用　法

空心服

濟元漢醫院　許　燕

子宮筋腫(證例報告임)

症　狀

經後出血過多 心悸亢進(怔冲)

臨床所見

內診하니 鷄卵大의 筋腫觸知됨。

病　歷

10餘年前 子宮筋腫으로 一部摘出 手術後、2年前再發함。

處 方

加味桂枝茯苓湯

桂枝 茯苓 牡丹皮 桃仁 芍藥 別甲 大黃各 3·75g、澤蘭 蒲公英各 1·875g、當歸 黃芪各 3·75g 鹿角 7·5g。

用 法

1日2貼式 1個月間 계속 服用後에 月經正常化되고 筋腫消失됨。

藥水洞漢醫院 林 準 圭

子宮不栓

處 方

熟苄 18·75g、當歸 11·25g、枸杞子 杜冲炒各 7·5g

肉桂 乾干 牛膝酒洗 炙甘草各 5·625g、澤舍 3·75g。

誠信漢醫院 金 義 光

陰脫症(因產後用力太過)

處 方

加味三疋湯：黃芪蜜炙 22·5g、人蔘 7·5g、白茯苓 當歸 熟苄 白朮 陳皮各 3·75g 益智仁 3g、升麻 肉桂 甘草 附子各 1·875g、干3 棗2、5～6貼限。

백선漢醫院 尹 碩 煥

脫陰症

處 方

加味補益湯(10貼即效)

補中益氣湯에 青皮 赤茯苓 澤舍 車前子各 4g을 加하여 쓴다。

박성일漢醫院 朴 性 一

調經

●經閉

加味附益湯　　서울 王熙弼 先生

香附子 益母草 熟地黃 山藥 白伏苓 牧丹皮各一錢半 澤瀉 當歸各一錢 肉桂 丹蔘各五分 吳茱萸三分。

●痛經

加味淸經湯　　서울 申東卨 先生

香附子二錢半 三稜 桃仁 續斷 玄胡索各二錢 甘草五分 或加蓬朮。

○本方은 經閉一二個月에 用之하며 下胎에는 使用하여 八割은 必效함。

●月經不順

調姙湯　　서울 金長凡 先生

赤芍藥二錢 當歸 川芎 牧丹皮 枳實 大黃 香附子各一錢 桃仁 玄胡索 桂皮各七分 紅花 甘草各五分。

●逆經(倒經)

加味犀芋湯　　大邱 金在誠 先生

犀角鎊 白芍藥 牧丹皮各一錢 生地黃三錢 枳殼一錢 黃芩 桔梗 陳皮 百草霜各八分 甘草三分。

●月經痛

桃仁四物湯　　大田 趙忠熙 先生

桃仁 赤芍藥 當歸尾各一錢半 川芎 玄胡索 肉桂 枳殼 蒼朮 丹蔘 生地黃各一錢 紅花 甘草各五分 二十貼。

●經前腹痛

苓桂丹蔘湯　　大田 趙忠熙 先生

牧丹皮 乾薑 桂枝 丹蔘 白伏苓各三錢 甘草二錢。

●經來腹痛

桂朴湯　　烏山 趙智行 先生

桂枝 厚朴各三錢 山茱萸一錢 澤瀉 益智仁各一錢半 眞龍骨末一錢調服。經來服痛에 二三貼 以內에 鎭痛되며 調經에도 神效함。二劑服用으로 受孕함。

●經行腹痛

加味通經湯　　大田 趙忠熙 先生

蒲黃 香附子酒炒 當歸各三錢 赤芍藥 五靈脂各二錢 川芎 桃仁 玄胡索各一錢半 肉桂 沒藥各一錢 乾姜炒黑 小茴香 紅花各五分。

●經後腹痛

歸地芍藥湯　　大田 趙忠熙 先生

白芍藥 熟地黃 當歸 白伏苓 何首烏 桂枝各三錢 甘草二錢。

●不姙症受孕方

(主治) 經事不調하여 臨經服痛하며 不孕하는 者。

● 坤厚資生丸

九製熟地黃 當歸 茺蔚子酒蒸各四兩 香附子 醋浸炒一兩 酒浸炒一兩 薑汁浸炒一兩 鹽水浸炒一兩 白朮 土炒四兩 丹蔘酒蒸 白芍藥酒炒各三兩 川芎酒蒸一兩半。右爲末하고 益母草 八兩을 酒水相半에 熬膏하여 和煉蜜爲丸하되 每空心에 溫水에 四錢씩 呑下한다。

公州 盧載光 先生

● 不 姙 症

〔主治〕 婦人心肺俱損 血虛 月經不調 不姙等症。

加味滋血湯

當歸 白芍藥 黃芪 山藥 乾地黃各一錢半 白伏苓 川芎 白朮 陳皮 香附子 益母草 乾姜 桂皮 砂仁各一錢三分 甘草七分 枸杞子二錢。

서울 金長凡 先生

● 帶 下 症

第一方 加味四友散

山査四兩 烏藥二兩 玄胡索二兩 小茴香五錢 甘草二錢 川芎二錢 當歸二錢 金銀花一錢。

○以上 五貼을 服用하면 帶下가 좀더 甚하게 물컥물컥 나온다。그런 後에 下記方을 使用하라。

第二方 加味四友散

前方 加芍藥二錢 白伏苓二錢 薏苡仁一錢 五貼。

○以上 兩方合十貼을 使用하면 帶下가 完治되는데 그 後에 下記方을 使用하면 尤好하다。

第三方

補中益氣湯加升麻 防風各一錢 一~二劑。

서울 吳鳳錄 先生

● 帶 下 症

〔主治〕 婦人帶下惡臭 下腹部重痛 從陰戶如入風者。

枯白礬三兩 杏仁去皮一兩 石雄黃五錢。

○以上爲末 煉蜜丸 一兩을 五丸으로 하여 每一丸을 絹袋에 入하여 陰戶內深處에 納入한다。隔日 交替하되 一丸이면 得效한다。

서울 朱冕祐 先生

● 帶 下 症

加味玉露飮

鹿角霜五錢 熟地黃三錢 當歸 川芎 烏藥 玄蔘 阿膠珠各二錢半 杜冲 蜀葵花 側栢葉 黑荊芥 白朮 黃芪各二錢 九麻 甘草各一錢。

○本方은 血崩 血漏도 治함。

서울 孟華燮 先生

● 帶 下 症

加味八味帶下方

當歸二錢半 土伏苓二錢 川芎 伏苓 木通各一錢半 陳皮 金銀花各七分半 大黃五分 桂枝 木丹皮 桃仁芍藥各一錢半 薏苡仁四錢 敗醬三錢。

大田 趙忠熙 先生

● 帶 下 症

敗醬五錢 紫花地丁 蒲公英各四錢 白茅根三錢。

●白濁·帶下 華城 呉喜善 先生

加味分淸飮

唐萆薢五錢 敗醬三錢 石菖蒲 烏藥 益智仁 白伏苓各一錢 甘草五分。

○赤白帶下加黃連 黃芩各一錢。

●帶下(赤白通用) 安養 金炯達 先生

加味四物湯

當歸 川芎 白芍藥 熟地黃各二錢半 香附子 龍骨 海螵蛸 牡蠣粉 大薊各二錢 甘草一錢。

●赤帶下 安東 金鳳南 先生

赤石脂丸

赤石脂三兩 龍骨煅 鹿角霜 當歸酒洗 香附子醋炒 艾葉 童便一宿浸陰乾各二兩 白薇一兩。

右藥細末糊丸大豆大 每服六十丸 醋水 相半 空心服。

●白帶下 安東 金鳳南 先生

香附子丸

香附子醋浸三宿後陰乾四兩 川芎 當歸酒洗 白芍藥 熟地黃 砂仁拌 龍骨煅 玄胡索 鹿角霜各三兩。

右藥細末 糊丸大豆大 每服八十丸 艾葉湯下。

胎 前

●惡阻(虛弱人) 全州 金昌軒 先生

蔘茸養榮湯

人蔘二錢 白芍藥一錢半 鹿茸 白朮 黃芪 陳皮 當歸 熟地黃各一錢 白伏苓 甘草各七分 肉桂五分 遠志三分。

●子懸症 서울 金昇起 先生

(處方) 藿香正氣散加貢砂仁二錢 唐木香五分 干三 召二 四貼。

●姙婦盲腸炎 大邱 金在誠 先生

(處方) 藿香正氣散 依本方、

加玄蔘 沙蔘 小茴香各五錢。 一日 二貼 空心服。

●流產常習 大田 趙忠熙 先生

神效墨附丸

艾葉去筋四兩과 香附子四兩을 酒二碗에 同煮하여 濕潤할 程度로 조리고 石臼에 杵爛하여 錢厚大(동전 두께만큼 두꺼웁게)의 餠子를 만들고 新瓦上에 놓고 炭火로 焙乾搗末한다。

別途로 香附子去毛三十二兩을 四分하여 米泔 酒 童便 醋 四物에 各各 二十四時間 浸하였다가 晒乾搗末하고 人蔘 白伏苓 當歸酒洗 川芎 熟地黃 上唐墨煅醋淬

各一兩 唐木香五錢을 爲末하여 合하여 醋糊에 化丸 梧子大하여 好酒에 每服 五十丸한다。

臨 產

●產時玉門不開症 故 鳳岡 田光玉 先生

達 生 湯 (又名加味烏歸湯)

當歸八錢 川芎三錢 醋炙亀板手掌大一片研末 婦人頭髮如鷄卵大瓦上焙存性。

水二鍾子에 煎하여 至一碗에 去滓 頓服한다。

○本方은 死胎도 亦下한다。

●產時催生方 故 鳳岡 田光玉 先生

保 產 萬 應 湯

當歸酒洗 兎系子酒洗各一錢五分 川芎酒洗一錢三分 炒白芍一錢二分(冬用一錢) 川貝母去心一錢 黃芪 荊芥各八分艾葉醋炒炭七分 厚朴干汁炒七分 枳實麩炒六分 羌活酒炒五分 甘草炒五分 干三。

水二鍾子에 煎至八分하여 空心温服한다。

○本方은 又能安胎하며 橫生 倒產에 數日 不生이라도 連服一二劑면 應手取效하고 或 臨產에 先服一二劑하면 自然易產하며 妊婦腹痛이 正如正產에 服一二劑면 自安한다。 妊婦胎動下血症 妊婦感冒食傷腹痛症 妊婦發疹티브스熱症에도 俱效한다。

●橫產逆產手足先出症 故 鳳岡 田光玉 先生

一、伏龍肝一錢 釜底正中部에 있는 꼭지밑 흙이 爲好。

右極細末하여 長流水에 加黃酒少許하여 調服한다。

二、食鹽을 胎兒의 手足掌心에 塗抹하면 即時 縮入한다。 然後에 左記 方法을 使用한다。

即 陳艾葉을 揉熟作丸 如小麥大하여 產婦의 右脚 小指頭尖에 灸二壯하면 立產한다。

●陳痛微弱症 故 鳳岡 田光玉 先生

(羊水破出하고 陳痛이 微弱한 때)

食油少許 淸醬二大匙 食鹽少許 水二匙

右混合하여 肛門에 注入하고 다시 카테테루로 尿道에 注入하여 大小便이 痛하면 陳痛이 弱해지는 수가 있다。

●難 產 方 斗庵家傳方

(**處方**) 香油(참기름)不拘多少나 多服益善。

○먼저 香油를 多服케 하고 다음에 次方을 服用케 한다。

加 味 佛 手 散

當歸一兩 川芎七錢 益母草 大卜皮 砂仁 蘇葉各一錢 一

~二貼。

○香油를 使用하는 理由

무릇 難産의 原因의 大多數는 羊水缺乏 羊水早期破裂 等으로 臨産時에 子宮 또는 産道가 枯澁하여 胎兒가 横出 逆出 手足先出 等의 症候를 發하는 것으로서 이때 香油를 多服하면 子宮内나 産道가 潤滑하여 易産이 되는 것이다。

○氣虛에는 鹿茸二~五錢을 加味佛手散에 加用한다。

●**難産方** 서울 崔秉道 先生

脫花煎

當歸身六錢~一兩 肉桂 川芎 牛膝各二錢 車前子一錢半 紅花五分~一錢。

○陰虛加熟地黃一兩。

○氣虛加人蔘三五錢~一兩。

○胞衣不下加厚朴 芒硝各一錢。

胎 後

●**胞衣不下症** 故鳳岡 田光玉 先生

鷄羽毛 또는 舌壓子를 口中에 넣고 喉頭를 찔러서 吐氣를 發하게 하면 胞衣가 나온다。

●**産後腹痛** 大田 趙忠熙 先生

殿胞湯

當歸四錢 山査二錢 便香附一錢半 川芎 赤伏苓 肉桂 甘草 紅花各一錢 桔梗 木香各七分 三貼。

●**産後腹痛** 서울 金長凡 先生

加味四友散

山査七錢 烏藥三錢 玄胡索 小茴香 甘草各一錢 當歸三錢 川芎二錢 金銀花一錢。

○産後에 瘀熱入肺하여 面黑發喘 할때는 小蔘蘇飮 一貼 服用後 本方二貼을 使用하면 神效하다。

○本方은 産後浮腫에도 神效하다。

●**産後腹痛** 故鳳岡 田光玉 先生

生化湯

當歸五錢 川芎二錢 乾干炒黑 紅花 桃仁 炙甘草各五分。酒水相半煎

○本方은 産後兒枕痛 및 瘀血上衝하여 命在頃刻한데 服一劑하면 痛自止血自下 한다。瘀血이 盡出이면 去桃仁 紅花하고 再服一劑하면 爲妙하다。

●**産後腹痛** 서울 金昌俊 先生

一、實 證

當歸五錢 土川芎三錢 益母草一錢半 荊芥 山査 牧丹皮
乳香 桃仁各一錢 二~三貼。

二、虛 證

當 歸 建 中 湯

當歸 桂枝各二錢半 芍藥三錢半 甘草一錢半 干七 召七。

●產後玉門破裂痛 故 鳳岡 田光玉 先生

硫黃末을 撒布付之하면 有效하고 枯白礬末과 甘草末等分을 消毒한 棉布에 裹之하여 陰戶에 放置하면 赤效함。

●產後子宮下垂症(陰脫) 故 鳳岡 田光玉 先生

人蔘 黃芪 當歸各五錢 白朮二錢半 川芎一錢半 升麻一錢。
水煎空心 日一二回服 有效。

●產 後 傷 食 榮州 權重起 先生

(症候) 產後傷食 胸腹飽悶痛 或寒熱不思食。

加 味 芎 歸 湯

當歸 川芎各五錢 厚朴 山査肉 玄胡索各一錢半 蒼朮 陳皮 神曲各一錢 乾姜八分 貢砂仁 甘草各五分 三貼~五貼。
○泄加 白朮 赤伏苓 訶子各一錢。
○小腹痛加五靈脂 沒藥各五分。

●產 後 衄 血 症 서울 金昇起 先生

香附子炒五錢 川芎去油三錢 荊芥炒黑二錢。

●產後血暈不語症(氣血虛脫) 故 鳳岡 田光玉 先生

一、蔘歸茸湯

人蔘一兩 當歸 鹿茸各五錢。
極冷者는 附子炮 官桂各一錢을 加用함。水煎 日二回 分服空心。

二、獨 蔘 湯

人蔘一兩 乃至五六兩。
水煎 去滓 藥器를 新汲水中에 安置하고 任意로 日二三回服。

●產後血暈氣脫症 故 鳳岡 田光玉 先生

一、補氣解暈湯

人蔘 黃芪 當歸各二~三錢 附子炮 桂心各一錢 川芎八分。
水煎 急用一劑면 有效。(此症은 出血過多로 因하여 氣血이 俱虛한 것으로서 產婦가 面白 口開 自汗 手足厥冷 六脈微細하여 欲脫命에 達하나니 急用一貼이면 有效함)

二、救脫活母湯

人蔘一兩 麥門冬 熟地黃姜汁拌各五錢 枸杞子 山茱萸各二錢半 阿膠珠 荊芥炒各一錢 肉桂五分。
水煎 空心 日一二回 服。(氣血俱脫로 喘促이 生하였을때 有效함)

三、二母散

桃仁去皮尖炒研 杏仁去皮尖炒研各二錢 知母炒 貝母去心研 白伏苓各一錢。

水煎 去滓하고 人蔘末二錢을 調服하되 空心 日二回服。

(產後 惡血이 肺經에 流入하여 咳喘을 發하는데 有效함)

四、小蔘蘇飮

蘇木二兩細挫

水二碗에 煎하여 至一碗에 去滓하고 人蔘末二錢을 調服하되 空心 日二回服。(產後 敗血이 肺로 流入하여 面黑發喘 欲死症에 有效함)

●產後一切諸血虛症

芎歸補血湯 故 鳳岡 田光玉 先生

川芎 當歸 白伏苓 白朮 熟地黃 陳皮各一錢 香附子便炒 烏藥 乾姜炒黑 益母草 牧丹皮各七分。

水煎 空心 日二回服 五日則有效。

○腹痛에 加山査肉炒黑細末一錢。

●產後中風 論山 文重大 先生

加味羌活湯

羌活 升麻各一錢半 獨活一錢 蒼朮 防已 威靈仙 白朮 當歸 赤伏苓 澤瀉 小茴香 甘草各七分 五貼。

●產後喘嗽 서울 金昇起 先生

當歸七錢 川芎五錢 蘇木二錢 五~六貼。

●產後頭痛 서울 金昇起 先生

當歸五錢 川芎四錢 古本一錢 細辛 蔓荆子各三分。

●產後發熱 서울 金昇起 先生

當歸六錢 川芎四錢 柴胡三錢 桂皮二錢 黃芩 生地黃各八分 蒲黃五分。

●產後發痙 大田 趙忠熙 先生

加味三氣飮

熟地黃 當歸 枸杞子 杜冲各二錢 牛膝 白伏苓 白芍藥 肉桂 細辛 川芎 甘草炙 附子炮各一錢。

●產後雜症 仁川 徐延鎬 先生

加減調血飮

當歸 川芎 白朮 白伏苓 陳皮 香附子便浸各一錢 乾姜炒黑七分 甘草五分。

○產後下血不止加黃芪 生姜 梔子 荆芥 阿膠珠 烏梅各等分。

○血甚不止加地楡 茅根汁 京墨各等分。

○產後泄瀉脾虛發腫去川芎 加人蔘 蒼朮 砂仁 厚朴 猪苓 木通 大卜皮 白芍藥各等分。

○瀉甚不止去厚朴 加肉豆久 訶子 烏梅各等分。

○産後食傷脾胃飽悶泄瀉去川芎 加砂仁 唐木香 山藥 蒼朮 厚朴 白芍藥各等分 瀉甚不止則去厚朴 木香 加肉豆久 烏梅。

○産後血虛煩渴不止津液枯渴去川芎 香附子 加人蔘 麥門冬 五味子 天花粉 葛根 蓮肉 烏梅 白芍藥各等分。

○血虛發煩躁虛驚臨臥不寧錯語失神去乾姜 加酸棗仁炒 竹茹 梔子 麥門冬 辰砂各等分。

○出血過多血虛發腫者去乾姜 加砂仁 大卜皮 厚朴 猪苓 木通 熟地黃各等分。

○産後脾虛飽悶不進飮食去川芎 乾姜 加砂仁 白豆久 厚朴 益智仁各等分。

●産後浮腫年久不差者 서울 吳鳳錄 先生

轉 氣 湯

人蔘三錢 白伏苓三錢 白朮三錢 當歸酒洗五錢 白芍藥酒炒五錢 熟地黃九蒸一兩 山茱萸三錢 山藥炒五錢 芡仁炒三錢 破故紙鹽水炒一錢 柴胡五分。

●産後乳少症 및 無乳症 故 鳳岡 田光玉 先生

가、生黃芪一兩 當歸五錢 白芷五錢 七孔猪蹄一對

右 煮湯하여 浮油를 去하고 煎藥一大碗을 服之하고 覆面臥睡(엎드려 자는것)하면 即有乳下함。或通乳치 않으면 再服一劑하면 無不通乳이다。

나、或新産無乳者는 猪蹄를 使用치 말고 酒水相半煎服하되 體壯者는 加紅花三五分 한다。

●乳 腫(젖 몸 살) 大邱 金在誠 先生

殼 皮 湯

青皮 枳殼各五錢 不過二三貼而愈。

●乳 腫 서울 韓祚海 先生

金銀花五錢 黃芪 蒼朮 甘草各二錢半 蒲公英 川山甲各一錢 白芷五分 二~三貼。

●乳 腫 서울 姜東稷 先生

薯 續 至 神 湯

山藥 續斷各五錢 白芷 貝母 金銀花 天花粉 皂角刺 穿山甲 當歸尾 瓜蔞仁 甘草炙各一錢。

○重時에는 山藥 續斷各一兩。

●乳 腫 서울 孟華燮 先生

蒲公英 澤蘭 金銀花 白芷 木瓜 甘草各三錢 酒水相半煎服取汁。

●乳 腫 初 期 大田 趙忠熙 先生

(處方) 不換金正氣散 依本方

加蒲公英五錢 金銀花 白芷 天花粉各一錢 三貼服用。

● **乳 腫**(初期―化膿前) 서울 金昌俊 先生

(處方) 藿香正氣散 依本方 加黃芪頭五錢 水煎服神效。

● **乳 腫**(初期에서 化膿期까지) 서울 崔奎晩 先生

(處方) 鹿角末三錢(一回量)

右藥酒 또는 温水에 三回服하면 神效하다。

● **乳 房 炎** 鎭安 朴南錯 先生

(處方) 天花粉二錢 玄蔘 金銀花 牛方子各一錢 酒水相半煎。

○境遇에 따라서 用量을 三錢~二錢으로 增量할수 있다。

婦人雜病

● **子 宮 出 血** 서울 李基淳 先生

一、崩 症

當歸一兩 川芎三錢 生地黃 白芍藥各二錢 黃芩 陳皮 香附子 木香 枳殼各一錢 地楡五錢 白芨 阿膠珠 槐花各二錢 水煎服、

○加三七根末尤好。

二、漏 症

白朮三錢 當歸二錢半 人蔘 熟地黃各二錢 黃芪一錢 甘草五分 升麻 川芎 陳皮 黃連 黃栢各四分 羌活 防風各三分 地楡三錢 白芨 阿膠珠 槐花各一錢 水煎服。

○加三七根末二錢尤好。

● **子 宮 出 血** 서울 李基淳 先生

一、虛性崩漏

加 味 芎 歸 湯

當歸八錢 川芎三錢 生地黃 白芍藥各二錢 黃芩 陳皮 香附子各一錢 地楡五錢 阿膠 白芨各二錢 水煎服。

二、炎症性崩漏。

山藥 芡仁各五錢 熟地黃 當歸 川芎 白芍藥各一錢半 玄胡索 牧丹皮 知母各一錢 黃栢 車前子 二錢。

帶下에 出血을 兼하는 境遇에 右方에 地楡 阿膠 白芨各二錢을 加한다。

● **慢性子宮出血** 鎭安 朴南錯 先生

加 味 地 黃 湯

乾地黃四錢 當歸 芍藥各二錢 川芎 阿膠 艾葉 甘草各一錢 王瓜根五錢。

● **血 崩 症** 大田 趙忠熙 先生

止崩湯

熟地黃五錢 白朮三錢 當歸 丹蔘酒洗 黃芪 人蔘 乾姜炒黑各二錢。

右煎水에 龍骨末一錢調服。

●子宮出血(血崩)　　清州 李錫珪 先生

治血湯

當歸 川芎 白芍藥炒 熟地黃各一錢半 地楡 白朮土炒 陳皮 木棉實燒存性 側柏葉 漏蘆 艾葉微灸 阿膠珠各一錢 蒲黃炒 乾姜炮 甘草灸各七分。

●血漏症　　大田 趙忠熙 先生

桂枝薑苓湯

白伏苓 桂枝 白芍藥 乾薑 牧丹皮 白何首烏各三錢 甘草二錢。

●子宮內膜炎　　論山 文重大 先生

加味消炎湯

敗醬 蒲公英各三錢 川芎 玄胡索 牧丹皮各二錢 桃仁 當歸 白芍藥 桂枝 牛膝各一錢半 紅花 乳香 沒藥各五分。

○又治卵巢腫炎 按之腫痛惡血間下。

●子宮內膜炎　　金泳珍 先生

柴胡破瘀湯

柴胡五錢 黃芩 生地黃各二錢 當歸 白芍藥各一錢半 半夏 桃仁 五靈指 玄胡索 甘草各一錢。

○經中에 勞努中寒하여 熱入血室이 되어 少腹膨滿而痛不忍 하는데 使用한다。

●嗽叺管炎　　서울 王熙弼 先生

加味趨痛散

玄胡索三錢 香附子 續斷 牛膝各二錢 當歸尾一錢半 或加三稜 蓬朮。

●卵巢炎 및 輸卵管炎　　仁川 徐廷鎬 先生

加味逍遙散

白芍藥 白伏苓 當歸各三錢 枳殼 麥芽 甘草各一錢。

○熱甚加柴胡二錢 牧丹皮 梔子各一錢。

○無熱加柴胡一錢 牧丹皮 梔子各五分。

●子宮筋腫　　서울 王熙弼 先生

加味桂枝伏苓丸

別甲 大黃 桂枝 赤伏苓 牧丹皮 芍藥各四錢 甘草七錢。

●子宮癌　　水原 李福童 先生

加味流氣飮

蒲公英三錢 澤蘭 玄蔘 蘇葉 黃芪各二錢 當歸 川芎 桂枝 厚朴 白芷 防風 烏藥 檳榔 白芍藥 枳殼 木香 桔梗 人蔘

甘草各一錢

●子 宮 癌 서울 金長凡 先生

加 味 大 牧 湯

薏苡仁五錢 敗醬三錢半 大黃 牧丹皮 桃仁 瓜蔞仁各二錢 青皮 芍藥 麥門冬 玄胡索 艾葉 白芷 甘草各一錢 冬葵子五分。

●子 宮 癌 서울 張載滴 先生

加 減 五 積 散

蒼朮二錢 陳皮一錢 厚朴 桔梗 當歸 乾姜 白芍藥 白伏苓各八分 川芎 白芷 半夏 桂皮各七分 甘草六分 檳榔 桃仁 紅花 漏蘆各一錢。

○浮腫이 併發한 者에게 五苓散을 兼用한다。

●子 宮 癌 서울 王熙弼 先生

清 經 湯

瓦松六錢 香附子 玄胡索各二錢 牛膝一錢半 肉桂(健者는 代黃芩) 當歸 桃仁 紅花 三稜 蓬朮各一錢二分 甘草五分。

○但瓦松一斤半 牛膝八兩煎湯을 併用隨時 服用한다。

●子 宮 혹 서울 王熙弼 先生

加 味 二 陳 湯

赤伏苓二錢 玄胡索 木通各一錢半 當歸 虎杖根各三錢 蓬朮 大黃 草龍胆 黃栢 牛膝各一錢 甘草五分。

●交腸症 및 小門放氣 서울 王熙弼 先生

猪 脂 飲

先用五苓散 五貼 次用猪脂飮。

人髮一兩燒存性 猪脂一握 猛煎頓服數次。

●陰門大便出症 서울 王熙弼 先生

先用五苓散 五貼 次用補中益氣湯加當歸一錢半。

●子 宮 下 垂(脫陰症) 서울 呉鳳錄 先生

靈神草 魚膠各一兩 黃芪 荆芥 人蔘各三錢 升麻一錢 鈎鉤藤二錢 三~五~七貼。

○脫肛症에도 神效함。

●婦 人 脫 陰 症 安東 申大植 先生

沙蔘三錢 升麻二錢半 當歸二錢 人蔘 甘草各五分 干三召二。

●婦人久年陰脫症 故 鳳岡 田光玉 先生

升 提 湯

黃芪二錢 人蔘 白朮 當歸 熟地黃 川芎 肉桂 甘草 升麻各一錢。

水煎 空心服 日再服 二三週間連服效。(上藥 服藥中에 每朝 陰戶를 鹽湯에 淨洗하고 子宮脫出部에 眞油를 精製

塗擦하여 推入한 後에 消毒한 棉 또는 布를 三五個 鳥卵大로 作球하여 陰戶를 栓塞하고 月經帶를 施用하여 固定케 함)

● **陰 戶 痒 痛** 서울 王熙弼 先生

一、加味龍胆湯

草龍胆 柴胡 薄荷 木通 車前子炒研 赤伏苓 生地黃 當歸 山梔子 黃芩各一錢半。

二、瀉 肝 湯

生地黃 當歸 山梔子 黃芩各一錢 甘草五分。

三、甘 菊 煎

甘菊煎湯 洗或薰。

四、三 黃 湯

草龍胆 黃栢 大黃各二錢。

● **葡 萄 狀 鬼 胎** 金甲喆 先生

五積散去麻黃 加木香 檳榔 桃仁 紅花各一錢。

● **子 宮 外 姙 娠** 大邱 徐文敎 先生

益胃升陽湯 依本方

加地楡五錢 熟地黃四錢 荊芥炒黑 乾姜炒黑 香附子炒 蒲黃炒各一錢 一日三貼 空心服。

● **流 產 方** 水原 金在鳳 先生

加 味 佛 手 散

當歸六錢 川芎四錢 益母草三錢 貢砂仁一~二錢 香附子三錢 神曲炒 麥芽炒各五錢~一兩 蓬朮 三稜各一錢。一日二貼 空心服。一貼乃至三貼 二個月 以内면 必效함。

● **流 產 方** 서울 申東卨 先生

加 味 牛 膝 湯

牛膝七錢~一兩 當歸五~七錢 川芎三~五錢 桃仁 肉桂各二錢 車前子 紅花各一錢半 蘇木 穿山甲各一錢。

● **婦 人 一 切 心 火** 서울 申東卨 先生

六 鬱 湯

香附子二錢 白伏神 蒼朮 神曲 川芎 枳實 枳殼 貝母各一錢 蘇葉 遠志 柴胡各八分 梓子炒黑 陳皮 甘草各五分。

● **婦 人 諸 虛** 公州 盧載光 先生

〔主治〕 婦人諸虛百損 七情所傷 咳嗽吐血 潮熱羸瘦等症。

加 味 浴 寶 湯

當歸一錢半 白朮 白伏苓 陳皮 知母 貝母 便香附 地骨皮各一錢二分 麥門冬二錢 白芍藥 柴胡 天門冬 山藥 澤瀉各一錢三分 牧丹皮 薄荷 甘草各一錢。

● **婦 人 氣 痛** 公州 盧載光 先生

〔主治〕 婦人九氣作痛 七情鬱結 食帶胸痛 蛔氣急痛等症。

加味正氣散

香附子三錢 烏藥二錢 乾姜 陳皮 檳榔 山査肉各一錢半 肉桂 草果各一錢 龍眼肉二錢 甘草七分 川椒三十粒 烏梅二介。

月經過少症

이 疾患은 卵巢機能廢絶 貧血 糖尿病 等에서 來한다。週期的 出血을 缺如하거나 그 時日이 短縮되고 頭痛眩暈 心悸亢進 等을 發한다。

●**藥物療法**

(一) 加味四物湯　濟南遺方

熟地黃 白芍藥 當歸 川芎 各二錢 香附子 玄胡索 官桂 各一錢五分 枸杞子 牧丹皮 乾干 呉茱萸 甘草 各一錢 水煎服하면 不踰二劑에 完治 可能하다。

(二) 子玉丹　椎南遺方

牧丹皮 赤石脂 玄胡索 茜根 桃仁 蓬朮 當歸 各五兩 乾干 呉茱萸 甘草各二兩 爲末蜜丸彈子大하여 一日三回 一回六丸式 溫酒에 服한다。 久服에 完治된다。

月經過多症 (婦人病)

이 疾患은 每月經時 出血多量으로 그 時期가 長한 者 月經間隔이 短縮되어 出血이 頻發하며 漸次로 貧血狀態로 陷한다。

●**藥物療法**

(一) 加味補脾湯　樵南遺方

人蔘五錢 白朮 當歸 山藥 乾干 鹿角霜 蓮肉 白芍藥 川芎 各二錢 山棗仁炒 一錢半 甘草炙一錢 遠志五錢 烏梅三枚水煎服

(二) 加味白朮散　上仝

人蔘 白朮 白伏令 山藥 甘草炙 各三兩 薏苡仁 蓮肉 吉更 砂仁 白扁豆各一兩半 升麻 防風 各五錢 爲細末하여 一回二錢式 棗湯水에 一日三回 食遠服한다。

(三) 大補丸　雪山遺方

此方은 月經不調로 因하여 血氣衰盡한 不姙娠者에 用하여 許多한 實蹟의 秘方이다。 紫河車(人胎)五具 陰乾(川流水에서 竹刀로 乱刺하며 血分을 清潔하게 洗除한 後 一宿만 그 川流水에 侵置하였다가 取之陰乾)人蔘 天門冬 杜冲 山藥 五味子 當歸身 乾地黃 黃栢 各五兩 山茱萸 白朮 肉蓯蓉 各二兩 爲末蜜丸梧子大하여 朱砂爲衣

하고 每空服에 六十丸式 温水服한다。

(四) 烏 梅 丹　　谷口遺方

生梅實肉五斤 桃仁 生山藥(不乾者) 生地黃 各五斤을 入臼乱搗하여 取汁하고 그 汁을 收容될 만한 缸에다 入하여 入口를 開放한대로 太陽直射下에 約 二十日可量 放置하여 두면 그 量은 約三分之一로 減少됨과 同時에 硬固한 黑色의 一種의 膏로 變化된다。右를 彈子大로 作丸하여 一回五丸式 空服에 一日三回 温水服한다。

脫陰症 (子宮下垂症)

此症은 主로 無力体質者에 多發하며 또 產後不注意에서 來하는 子宮頸部下垂症이다。即 產後에 子宮이 原狀으로 復歸되기前에 母体의 勿理한 動作에 依하여 子宮은 膣腔内로부터 小陰辰外로 突出하고 恒常惡息를 放散한다。또 甚者는 性交도 不能하다。

●藥 物 療 法

(一) 加 味 益 氣 湯　　濟南遺方

黃芪 一錢半 人蔘 白朮 草龍膽 柴胡 澤瀉 甘草 各一錢 木通 車前子 赤伏令 乾地黃 當歸 山梔子 黃芩 陳皮 各五分 升麻酒洗三分 水煎服

(二) 熨 法

枳實三兩을 武火로 三合水를 二合으로 煎出하고 그 藥水에 白礬一兩을 溶解하고 洗面器 等에서 患部를 侵置하되 一日一回式 하고 一回에 約三十分 可量 侵置한다。그 藥水는 每日 使用한다。

(三) 上記에 加味益氣湯을 不計貼數하고 服用하면서 熨法을 行하면 老人을 除하고는 完治可能하다。

●鍼 灸 療 法

1、針治는 初期에 限하여 腎俞 三焦俞 氣海俞 大腸俞 關元俞에 七、八分 輕刺하고 三陰交 陰陵泉에 一寸強刺한다。施灸도 可

帶下症 (俗稱冷症)

此症을 大別赤 白二症으로 區分할 수 있다。白帶下症이란 生理作用에서 分泌되는 液体가 多少 過多함을 云한 것이요 赤帶下症이란 病的症候로서 子宮内膜炎 膣炎 및 潰瘍 等에서 發하는 液体를 云함이라 古方에서는 赤者는 熱이 小腸에 入하고 白者는 熱이 大腸에 入한 것이라 하였다。

●藥 物 療 法

(一) 加味芍藥湯 柳東遺方

白芍藥 二錢 當歸 香附子 各一錢五分 黃柏 樗根白皮 白朮 乾地黃 鹿角霜 白芷 白伏苓 시호 川連子 甘草 各一錢 水煎服

(二) 加味當歸丸 仝上

當歸一斤 良干 附子炮 各十兩 香附子 地楡 山藥 玄胡索 各五兩 琥珀 甘草各一兩 爲末蜜丸梧子大하여 朱砂爲衣하고 一回五十丸式 空心服。

● **鍼 灸 療 法**

(一) 針治는 八髎 二寸深刺하고 三陰交로 一寸強刺한다。

(二) 灸治는 關元 中極南傍二寸部 一回七壯式 施灸한다。

神經系病患

類似腦炎

處　方

香附子 香薷各 7.5g、蘇葉 陳皮 蒼朮各 3.75g
羌活 川芎 白芷 細辛各 3.0g、厚朴 白片豆 甘草 1.875g、干三 葱二

양평漢醫院　李　貞　燮

頭　痛

治療穴

風池 尺澤瀉 列缺 合谷補

註

前頭痛에 照海、後頭痛에 申脈、陰脫에 百會灸

백선漢醫院　尹　碩　煥

偏頭痛

處　方

懸鍾穴(絶骨)에 刺針하며 左患右鍼하고 右患左鍼한다。

동제漢醫院　沈　泰　奉

項强不仁(後頭痛)

原　因

脾胃寒濕

症　狀

혈압도 높지 않고 뒷목이 뻣뻣하여 좌우로 회전을 잘못하며 消化不良을 兼하였을 때

治　方

加減香砂平胃散

去只實 加黃芪 川芎 白茯 半夏各 3.75g、羌活 1.875g

東國漢醫院　姜　鎭　春

中　風

原　因

因酒濕

症　狀

四肢無力 或半身不遂(右) 惡心嘔吐微熱 脈滑數

處　方①

蒼朮 陳皮各 7·5g、 赤芍藥 赤茯苓 竹葉 麥門多 黃芩各 3·75g、 黃栢 威靈仙 甘草 羌活各 2·625g、 英蘭 0·375g

處　方②

藿香 陳皮 葛根各 7·5g、 蘇葉 白朮 蒼朮 半夏 威靈仙 黃栢 厚朴 梔子 白芷 元防風各 3·75g、 貢砂仁 唐木香 白豆久 甘草各 1·875g、 英蘭 0·375g

註

實症에는 清心元 調服

虛症에는 麝香蘇合元 調服

用　法

1日 3回 水煎服 每食後 2~3時間

東濟漢醫院　徐　冠　錫

中風(半身不遂)

治療穴

人中 百會 曲池 三里 風市 中渚 三陰交 子午流注 瀉子穴 或十井穴出血(但反對側刺鍼)

東濟漢醫院　徐　冠　錫

顏面神經麻痺

處　方

石古 天門多 元甘草各 7·5g、 六貼功效

박성일漢醫院　朴　性　一

口眼喎斜

原　因

脾胃虛弱 肝風木이 乘하여 風病이 發生

症　狀

勞役太甚하여 疲勞하고 脈搏數가 女子 70、 男子 80 以下로 뛰며 或은 95 以上을 上回한 口眼喎斜症

治　方

加味補中益氣湯

加白芍 桂皮 防風各3・75g

東局漢醫院　姜　鎭　春

口眼喎斜(口噤流涎)

先　針

地倉 頰車 合谷 間使 郄門

後　藥

加味祛風湯 鈎鉤藤 11・25g、羌活 白干蠶各 5・625g、獨活 只角 靑皮 陳皮 烏藥 吉更 南星 半夏 天麻 川芎 白朮 白芍 荆芥 防風 白附子 全虫 甘草各3・75g 干五 冷服 三~五貼卽效

광제漢醫院　鄭　光　世

神經痛 及 神經炎

治　方

白朮 白茯各1・875g、甘菊 11・25g、甘草 3・75g、元防風 羌活各 1・875g、元參 37・5g

注　意

元參은 天門冬과 비슷하며 玄參같이 크다。産地는 강원도이며 본초학에는 玄參과 같이 취급되었으나 약성이 다르다。

淑濟漢醫院　金　丙　祖

神經痛

處　方

葛根 7・5g、香附子 5・625g、木通 防風 獨活各 3・75g、黃芩 紅花各 3・75g、牛膝 5・625g 芍藥 桂枝各 3・75g、當歸 7・5g、草烏 1・875g、羌活 3・75g、甘草 1・875g、干三

東山漢醫院　車　東　極

神經痛

處　方

薏苡仁 黃仁各 37・5g、白朮 車前子 牛膝 木果 五加皮 羌活 防風 石斛各 3・75g

有正漢醫院　吉　埈　賢

肩胛神經痛(左右急慢性 全身虛弱 胃虛 冷者)

處 方

當歸 川芎 白芍 熟苄 桂枝 薏苡仁各 7·5g、山査肉 續斷各 5·625g、秦艽 威靈仙 南星 蒼朮 羌活 陳皮 烏藥神曲各 3·75g、甘草 川烏 紅花各 1·875g、干三

用 法

1日 3回 水煎服 每食後 2～3時間

東濟漢醫院 徐 冠 錫

肩 臂 痛

處 方

舒經湯：薏苡仁 桂枝各 11·25g、當歸 7·5g、海東皮 3·75g 白朮 陳皮 赤芍 羌活 干黃 白芥子各 3·75g、甘草 1·875g 10點限

윤봉윤漢醫院 尹 鳳 潤

肩 臂 痛

原 因

更年期障害나 過勞한 運動等으로 髆神經叢의 疼痛으로 來한다。

症 狀

髆神經叢의 疼痛으로서 髆이 擧上不能 回後不能하며 其他運動障碍를 呈한다。

處 方

加味舒經湯：干黃 7·5g、當歸 海東皮 白朮 赤芍各 3·75g、羌活 甘草各 1·875g、熟地黃 37·5g、蜈蚣 20條、干三 10貼限

用 法

1日 3回 每食後 1時間에 服用

東源漢醫院 尹 四 源

肋間神經痛

治 方

只角桂皮 干黃各 11·25g、只實 川芎各 5·625g 陳皮 半夏 吉更 赤伏 沒藥 乳香 柴胡各 3·75g、白芥子3g、玄胡索 甘草各 1·875、干三 棗二

실로암漢醫院 申 宇 鉉

肺氣(딸국질)

處 方

藿香正氣散에 雪糖18·75g를 加하여 쓴다。二貼見効

대성漢醫院 金 洛 基

血虛(平人 少陰人 心臟弱 神經質型)

處 方

加味安心湯 熟地黃 7·5g、當歸 白芍 山茱萸 麥門冬各 3·75g、黃芷 1·125g、黃蓮 1·125g、白芥子 3·75g、肉桂 1·125g

註

①不眠時 元肉 1·875g、毛黃蓮 1·875g、香付子 3·75g

②毒感에 蘇葉 7·5g、白芷 1·875g、川芎 1·875g

③怔冲眩暈에 肉桂 1·875g、茯神 3·75g、黃芪 3·75g를 加用한다。

④春秋冬엔 山茱萸를 山藥으로 代하고 黃蓮은 有熱時엔 1·875~3·75g로 함。

用 法

水煎하여 食後服한다。3~5日間이면 奏効함。

尹鳳潤漢醫院 尹 鳳 潤

貧血性不眠症

處 方

加味四物湯：熟地黃 當歸 川芎 白芍各 5·625g、玄蔘 龍眼肉 山棗仁各 7·5g、香付子 唐木香各 3·75g、黃芩 大黃各 1·875g

註

養朮 3·75g를 加用하면 尤好

德壽漢醫院 南 完 洙

노이로제 不眠症 神經銳敏(歸脾湯으로 안들을 때)

處 方

人蔘 山茱萸 山藥 五味子 白茯神 破古紙 山棗仁炒 川芎 甘菊 肉豆久 藿香各 3·75g

用　法

水煎하여 1日3回 食間服하되 夜에는 특히 初湯(再湯아닌것)으로 服用하고 晝間에 再湯을 服用함이 可

大元漢醫院　卞　晙　燮

神經衰弱 不眠症

處　方

加味歸脾湯：熟芐 26·25g、當歸 龍眼肉 酸棗仁炒 遠志 人蔘 黃芪 白朮 茯神各 3·75g、木香 貢砂仁 益智仁 甘草各 1·875g 干三 棗二 40貼限

神經院漢醫院　李　燮

虛煩不睡(不正脈)怔冲症 神經衰弱 陰虛症等

處　方

加味歸脾湯：熟芐 15g、肉蓯蓉法製 山藥 山茱萸鹽水炒 枸杞子鹽水炒 石菖蒲 遠志炒各 7·5g、麥門多去心 仙茅米泔浸24時間 知母去毛 牧丹皮 白茯苓 澤舍各 5·625g、黃栢鹽水炒 當歸 白芍 木香 甘草各 3·75g、五味子 沙蔘各 2·625g

用　法

水煎食遠服(食後2時間) 1日 3回可

百補堂漢醫院　李　永　燦

元氣不足(神經衰弱)

原　因

血虛

症　狀

婦人肢痛 元氣不足

處　方

熟地黃7·5g、當歸 川芎 白芍 山藥 麥門多 香附子各 3·75g、肉桂 0·75g、頭痛 小便不利加 柴胡 1·125g 澤舍 車前子各 3·75g

尹鳳潤漢醫院　尹　鳳　潤

神經衰弱

處　方

香付子 釣鉤 陳皮 茯神 只實 竹茹各 7·5g、當歸 白朮 山棗仁 黃芪 元肉 遠志 菖蒲 青皮 龍骨 牡蠣粉各

3·75g、甘草 3·75g

有正漢醫院 吉 埈 賢

精神異常 神經衰弱

原 因

五勞損傷으로 身神耗弱이 要因

症 狀

精神昏迷、分裂、錯亂、精神衰弱하여 不眠 不安焦燥
興奮 或은 朦朧 獨我而橫說垂說者

藥 治

生毛黃蓮 荊芥 蔓荊子 羌活 防風 當歸 遠志 山棗仁
人蔘 黃芪 龍眼肉 白朮 茯神各 3·75g、木香 甘草各
1·875g

用 法

水煎服 輕者 5~10貼、重者 1~3劑、1日3回 空
心服

針 治

百會針或灸 上星 風池 肩井 道陶 曲池各針或灸 合谷
針 足三里針或灸 甚者勇泉針或灸三狀

홍일漢醫院 洪 淳 鶴

狂症陰虛者(精神分裂症)

處 方

熟苄 18·75g、當歸 白芍 生地各 9·375g、玄蔘
山棗仁炒各 11·25g、白朮 柴胡 黃蓮 梔子炒 遠志 石
菖蒲 白茯神 五味子 甘草各 3·75g

註

氣不升降 膽虛에 香附子 7·5g、燈心 只實各 3·
75g를 加하여 쓴다。

天慈漢醫院 金 喜 根

癲癎(不時暈倒 痰壅搐搦)

處 方

淸心溫膽湯：陳皮 半夏 白茯 只實 竹茹 白朮 石菖蒲
黃蓮干炒 香附子 當歸 白芍各 3·75g、麥門冬 3·g、
川芎 遠志 人蔘各 2·25g、甘草 1·5g、干3

用 法

1日 3回 水煎服時 朱砂 0·375g 調服

孔德漢醫院 魚 淵

腎虛腰痛

處　方

防己 黄栢各 7·5g、厚朴 威靈仙 當歸 熟苄 白芍 牛膝 石斛 蒼朮各 3·75g、白茯苓 3·75g、川芎 木果 肉桂 防風 獨活 木香 甘草炒各 2·625g、細辛 杜冲各 1·875g

用　法

酒水相半煎服 1日 3回 空心服可

天一漢醫院　金　喜　根

腰　痛

原　因

瘀血

症　狀

腰脊痛 念坐痛 屈伸不能者

治　方

白朮 18·75g、牛膝 木果 杜冲 續斷 歸尾各 7·5g 狗脊 烏藥 羌活各 5·625g、南星 半夏 赤茯苓 陳皮 只殼 桃仁 紅花各 3·75g、乳香 沒藥各 1·875g

用　法

1日 3回 水煎服 每食後 2~3時間

東濟漢醫院　徐　冠　錫

腰痛(因捻挫)

處　方

白朮 18·75g、薏仁 杜冲 續斷各 7·5g、破古紙 烏藥 狗脊 香附子 歸尾 牛膝 木果各 5·625g、乳香 沒藥 紅花各 1·875g、羌活 3·75g

註

虛者 加四物湯、實者 加南星 半夏 陳皮 白茯苓各 3·75g

用　法

1日 3回 水煎食後 2~3時間服用함。

東濟漢醫院　徐　冠　錫

腰痛(一切)

治　方

木香 2·625g、獨活 防風 肉桂 破古紙 木果 川芎 白茯各 3·75g

牛膝 芍藥 熟芐 當歸 威靈仙 厚朴 黃栢 各 7·5g、防己 蒼朮各 3·75g、杜冲 細辛各 甘草各1·875g

天一漢醫院 金 喜 根

坐骨神經痛

原 因

小腸이 虛寒할 때

症 狀

응치 부위에서 大腿(넙적다리) 部位까지 쑤시고 저리면서 疼痛有한 者

治 法

小腸病은 補脾胃 原理에 依하여

處 方

補中益氣湯：加 山藥 杜冲各3·75g、桂皮 乾干 1·875g 二十 貼限

東局漢醫院 姜 鎭 春

坐骨神經痛(左側痛 痛甚不眠者)

處 方①

玄胡索 牛膝 木通 續斷 海東皮(或五加皮) 威靈仙 半夏 陳皮 當歸 杜冲炒各 5·625g、獨活 南星各 3·75g、乳香 木香 甘草各 1·875g、草烏 1·125g、或蜈蚣10條 干三

處 方②

(左右慢性症) 黃芪蜜灸 熟芐各18·75g、麥門冬 玄蔘各11·25g、車前子炒 薏苡仁炒 白朮炒 杜冲炒各7·5g 牛膝 羌活 人蔘 破古紙各3·75g、元防風 京炮附子 乳香 沒藥各 2·625g、五味子10粒 烏藥 5·625g

用 法

1日 3回 水煎服 食後 2~3時間

東濟漢醫院 徐 冠 錫

手顫症

原 因

飮酒過多로 氣血循環不全

症 狀

手가 덜덜 떨림

處 方

理氣祛風湯：加鹿茸5·625g 葛根各 5·625g

附子 1.875g

用 法

5貼~10貼甚則1劑

委中引疼

東和漢醫院 徐 承 麟

原 因

風寒

症 狀

오금에서 뒷발목까지(脛骨踝部位)까지 특히 委中(오금)이 引疼

治 方

五積散

去 麻黃 加 防風3.75g

東局漢醫院 姜 鎭 春

犯方傷寒 及 左股痛

原 因

性交後風寒

症 狀

犯房後急左股痛 및 惡寒肢節痛

治 方

返本湯、沙蔘 玄蔘各 7.5g、蘇葉 葛根 當歸 川芎 蒼朮 白朮 陳皮 羌活 獨活 麥門冬 威靈仙 木瓜各 3.75g、 干三 棗 空心服

東局漢醫院 姜 鎭 春

骨 髓 炎

處 方

두더지 (通順散本方에 加肯胆草7.5g)

用 法

陰乾粉末或作丸하여 無時服用함

金星漢醫院 金 長 烈

●煉炭까스中毒

서울 金晚軾 先生

菖 蒲 湯

菖蒲二錢 當歸 川芎 白芍藥 熟地黃 玄蔘各一錢 遠志白伏苓 甘草各七分 水煎服。

注意: 먼저 十宣穴 百會 印堂 人中 承漿(三稜針으로 出血) 內關에 刺鍼하고 牛黃淸心丸을 溫水에 化下케 한 後에 本方을 使用한다。

神經痛(痰痛)

神經痛이란 모든 慢性疾患에는 거의 兼하여 發하며 또 原發性인 神經痛은 大部分이 過勞에서 發함이 普通이 되어 患者의 大部分을 占하는 疾患이다。故로 古人은 十病九痰이라 하였으니 古代에도 가장 許多한 疾患이였다고 할 것이다。神經은 過勞하여 興奮된 狀態를 所謂 神經痛이라 한다。그러므로 漢醫學에서 氣虛痰盛이라는 것이 亦是 이것을 말하는 것이라 하겠다。

三叉神經痛

本疾患의 主症은 眠과 上眼瞼 前額 前頭鼻腔 等에 疼痛을 發한다。俗에 風痰이라 한다。

●藥物療法

用藥法의 煩雜을 避하기 爲하여 各條下에는 痛俗에 依한 處方만을 記하고 秘方級에 屬하는 丸藥處方 等은 章末에서 總括的으로 記述코자 한다。

(一) 加味消風散

荊芥 甘草 當歸 白芷 川芎 南星各一錢 砂蔘 白茯苓 白干蚕 防風 藿香 蟬退 羌活 草烏各五分 陳皮 厚朴各三分 水煎服에 最妙하다。

(二) 加味補血湯

이 處方은 老人性으로 氣血이 極히 虛弱한데 基因되는 者에 適當하다。黃芪三錢 當歸 熟地黃 白芍藥 川芎 人蔘 肉桂 半夏 細辛 白芷 香附子 木香 甘草各一錢 水煎服하면 不踰一劑에 大効가 現한다。

●鍼灸療法

1、針治는 찬 竹에 下斜刺八分 陽白에 橫斜刺一寸 百會 神庭 曲差에 各斜刺八分 翳風 糸竹空에 直刺各七分 强刺한다。

肩胛 및 上肢神經痛

本症은 膊神經叢의 疼痛으로서 膊이 擧上不能 回後不能하며 其他運動 障碍를 呈한다。

●藥物療法

(一) 加味舒經湯

干姜二錢 桂枝 薏苡仁 南星各一錢五分 當歸 海東皮 白朮 赤芍藥 香附子 木香各一錢 草烏 羌活 甘草七分 干一, 水煎服

(二) 加味半夏湯

半夏 蒼朮各一錢五分 烏藥 香附子 陳皮 白朮 南星 桂枝 威靈仙 赤伏令 防己各一錢 附子 甘草各五分 水煎服

●鍼灸療法

1、肩井 巨骨 肩中兪 曲池 三里에 六分强刺한다。

肋間神經痛 (脇痰)

本疾은 咳嗽 高聲等에서 胸背連心痛을 發하며 特히 左側에 好發한다。

●藥物療法

(一) 加味芍藥湯 水原 洪 利 元 提供

白芍藥 川芎 玄胡索 乾葛 桂枝 只角細辛 砂蔘 麻黃 防風 木香 草烏 赤伏令 陳皮 半夏 黃連 各一錢 水煎服

(二) 加味只角散 서울 金 用 九 提供

只角五兩 干黃 玄胡索各三兩 乳香 沒藥甘草各一兩 爲末一回에 一錢五分式 一日三回 空心服

●鍼灸療法

針治는 脊稚橫突起間에 患部에 準하여 五分强刺 하고 胸骨緣인 助骨末端部에서 三分稍强刺하면 其效神妙하다。

腰神經痛 (腰痛)

本疾은 腰痛에 連하여 下腹部 鼠蹊部 外陰部 等에 疼痛을 發한다。

●藥物療法

(一) 加味五積散

蒼朮二錢 附子 茴香 五加皮 陳皮各一錢 厚朴 吉更 只角 當歸 乾干 白芍藥 白伏令各八分 川芎 白芷 半夏 桂皮各七分 甘草六分 干三 葱二

(二) 加味龍虎散 濟州 高 在 浩

蒼朮 四兩 破古紙 杜沖 各三兩 木別子 乳香 沒藥 草烏 各一兩 爲末 一回一錢式 一日三回 溫酒服

●鍼灸療法

1、針治는 三焦兪 賢兪 氣海兪 大腸兪 關元兪에 一寸 委中 崑崙에 八分 各各 强刺 한다。

2、灸治는 年久月深한 慢性症에는 三焦兪 腎兪 氣海兪 大腸兪에 各七壯式 二個月前後 施灸하면 完治可能하다。

附 缸 法

腰部打撲으로 因한 神經痛 卽 氣候變節期나 過勞될 時에 反復하고 疼痛을 發하는 腰痛에는 附缸瀉血 시키

면그 治療가 短縮되고 再發함이 全無하다。

使 用 法

硝子製의 펌프式 等 여러가지가 있으나 분통에 小量의 脫脂線을 細分하여 內入하고 點火即時로 皮부에 付着시키면 內部의 眞空에 强한 瀉血이 된다。 部位는 按壓에 壓痛이 發하는 局部에 葉針으로 五分程度 刺針하여 付

坐骨神經痛

本疾은 처음에 腰部에서 發하며 그 疼痛은 坐骨結節과 大轉子의 間으로 大腿後面에 沿하여 牽引性으로 足蹠에 至한다。

● 藥物療法

(一) 加減順氣湯　　全南 安 昌 順

附子炮 二錢 五加皮 防風 黃芪 木果 陳皮 烏藥 各一錢五分 川芎 白芷 白干蚕 只角 吉更 各一錢 乾干五分 甘草三分 干三 棗二

(二) 加減五積散

蒼朮 二錢 附子 防風 半夏 白芷 牛膝各一錢 厚朴 乾干 只角 吉更 白芍藥 白伏令 當歸 各八分 川芎 桂皮 各七分 甘草 六分 干三

(三) 鹿角膠丸　　公州 李 昌 浩 提供

日久月深하여 極히 虛弱者에 用하면 神効하다。 鹿角霜 熟地黃 各八兩 當歸身 四兩 牛膝 白伏令 兎糸子 人蔘 白朮 杜沖 各二兩 虎脛骨 龜板 各一兩 爲末하고 別途로 鹿角膠一斤을 入酒加熱하면 溶解되나니 上記의 藥末을 混入爲丸梧子大하여 一回五十丸式 一日三回 溫酒服

● 鍼灸療法

1、八膠에 二寸 環跳에 一寸五分 承扶 殷門 各五分 三里 縣鍾 三陰交 委中 崑崙에 七分 最强刺한다。

2、極히 慢性化되어 모든 治方이 無効之時는 下記治方을 適宜利用하면 百發百中임 承扶 殷門에 細針(一番針)으로 五分刺針하여 一方으로 撚針二三回 하고 針下가 緊張되면 約三十分可量 留針하였다가 鋏刀(가위)로 皮膚上에서 絶斷하고 絆創膏를 부쳐둔다。 그러면 組織에 刺入된 針은 約 百日內外로 酸化된다。 然則百日間은 繼續하여 針刺戟이 傳導되는 것이니 無制限 强刺戟이 된다。 이를 埋針法이라 한다。

精系神經痛 (前陰痛)

本症은 下腹部로 精系 및 陰囊에 沿하여 疼痛이 發한다。

●**藥物療法**

(一) 加味懦葱散　　濟南 遺方

蒼朮 砂蔘 茴香 玄胡索 甘草各一錢 三稜 逢朮 白伏令 靑皮 白芍藥 各七分 砂仁 丁香皮 兵郞 各五分 官桂 乾干 各三分 葱白一

(二) 呉茱萸散　　空 上

呉茱萸四兩 茴香 玄胡索 各三兩 沙蔘 破古紙 川楝子 肉各二兩 乳香 没藥 各一兩 爲末一回一錢式 温水服

●**鍼灸療法**

1、針治는 腎俞 氣海俞 大腸俞 關元俞에 一寸强刺하고 三陰交에 八分 最强刺 한다。

2、灸治는 氣海 關元 下三里로 一回七壯式 施灸한다。

下肢神經痛

이 神經은 坐骨神經의 末端部의 關係上 坐骨神經에 病變이 有할 時는 該神經痛이 並發될 수 있고 獨立的으로 發할수도 있다。그症候는 下肢前面으로 痛症이 現할 時는 腓骨神經痛이며 後面일時는 脛骨神經痛이라 한다。

●**通治藥**

1、稀薟丸　　서울 李 時 用

稀힘 五斤 威靈仙 三斤 白芥子 一斤半 白芍藥 一斤 川烏 半斤(黑豆同煎하여 去黑豆) 爲末糊丸梧子 大하여 一回五十丸式服用하면 모든 神經痛에 完治可能하다。

2、草太丸　　全南 李 根 元

草烏 四兩 鼠目太 一升(大升) 右並煎乾燥하여 二味混合으로 爲末糊丸梧子大하여 一回二十丸式 一日三回服用하면 모든 胃腸神經痛 및 冷症이 完解된다(大驗)。

顔面神經麻痺 (口顔喎斜)

本症은 耳下腺腫 腦髓疾患 感冒 寒氣에서 發하며 患側의 顔面이 下垂하여 健側에 向하고 上下眼瞼의 開閉運動이 極히 不完全하다。

●**藥物療法**

(一) 加味四物湯　　仁川 尹 吉 善

熟地黃 白芍藥 當歸 川芎 荆芥 五加皮 防風 羌活 獨

活 陳皮 天麻 黃芪 白芷 甘草 各一錢

(二) 慢性化된 疾患에는 松樹의 幼枝의 節을 取하여 細切하고 清酒에 浸하되 冬節에는 十日 間夏節에는 三日間 浸置하였다가 一日一合을 三分하여 三回服한다。長期에 亘하면 完治 可能하다。또 間使에 七壯式 施灸을 兼하면 尤可하다。俗方

●**鍼灸療法**

1、針治는 翳風에 八分 中刺하고 耳門 下關 攢竹 糸竹空 頰車 地倉 等에 五分輕刺하고 百會 頭維等에도 廣汎한 單刺法을 施한다。

2、時日 經過되고 治療極히 頑强한 者에는 左右合谷에 置針術을 五時間以上 繼續 施療之時는 完治容易하다。(大驗)

顔面神經痙攣 (口顔喎斜)

이 疾患은 收縮作用이 病的으로 너무 强盛한 狀態를 現하는 故로 麻痺와는 反對로 患側에 向하여 收縮되고 眼部도 閉鎖된다。

●**藥物療法**

牽正散　　惠庵遺方

麻痺는 이 神經이 弱化되었기 때문에 補로 爲主하고 痙攣은 神經이 强化되었기 때문에 瀉即鎭痙을 爲主로 한다。此方은 强烈한 鎭靜劑로 되었다。白附子 白干蚕 全虫 各等分 爲末하여 一回一錢(本方에는 二錢)式酒調下에 一日三回服 한다。

●**鍼灸療法**

1、針治는 翳風에 八分 下關 攢竹 糸竹空 地倉에 六分最强刺 한다。要컨데 麻痺와 同一한 穴에서 正反對의 施術을 行한다。

舌下神經麻痺

이 疾患은 腦出血後에 分症으로 多發하며 上頸椎疾患에서 起한다。舌運動이 障碍되고 言語가 甚히 不自由하며 流涎을 發한다。

●**藥物療法**

(一) 加味正舌散　　谷川遺方

薄荷 一斤 茯神 半斤 琥珀 全虫 二兩 爲末하여 一回一錢式 温酒服에 神効하다。

(二) 加味地黃飮子　仝　上

玄蔘 黃芪 防風 生乾地黃 巴戟 山茱萸 肉蓯蓉 石解 遠志 五味子 白伏令 麥門冬 石菖蒲 各一錢 附子 官桂 各五分水煎服 한다。

(三) 石菖蒲散　仁川 安 益 洙

石菖蒲 遠志 各一斤 爲末하여 龍腦 二兩混合하고 一回에 一錢五分式 一日三回 薄荷煎水에 長服하면 有効하다。

●鍼灸療法

針治는 天柱 風池에 五分直刺하고 人迎에 七分輕刺한다。

橫隔膜痙攣

이 疾患은 腦疾患 內臟疾患 精神興奮에서 來하며 그 症은

1、橫隔膜强直性痙攣은 上腹部는 膨大하여 呼吸困難 四肢厥冷 大小便이 不通하며 甚者는 窒息死를 招來한다。이를 關格이라 한다。

2、間代性痙攣은 橫隔膜의 收縮과 同時에 異樣에 音聲을 發한다。此를 吃逆이라 한다。

●藥物療法

(一) 加味二陳湯　柳 元 遺 方

只實 草烏各二錢 半夏 陳皮 赤伏令 貝母 果蔞仁 木香 甘草各一錢 干三緩火에 一沸水煎即急煎하여 三回에 分服하면 即効가 現하다。

●鍼 灸 療 法

1、針治는 第四頸椎兩房에서 橫突起間에 六分强刺하여 橫隔膜神經의 興奮을 直接鎭靜시키며 또 日月期間으로 內上方二寸强刺하여 直接刺戟을 與한다。

2、四關即合谷太衝에 七分 兩湧泉에 八分最强刺 하면 緩解된다。

3、橫隔膜强直性痙攣으로 窒息死를 招來할 時는 急히 人中에서 一寸二分上斜刺 하고 左乳房直下 第四肋骨下 陷中에 一寸二分 第三肋骨下에 一寸二分 輕刺하면 蘇生한다。

腦 膜 炎

本病은 皆擧가 續發性으로 來하며 結核菌이 主因이 된다。主症候는 極甚한 頭痛 精神朦朧 項脊部强直 譫語 및 痙攣을 發하고 麻痺를 後遺하며 極히 不良하여

(六) 加味天麻湯 釜山 高太浩

天麻 七錢 白附子 白干蚕 各一錢 水煎服하면 久服에 能治된다。

●鍼灸療法

1、針治는 百會 上星 大椎 身柱各五分刺針하고 또 脊椎兩房橫突起間에 四分單刺術을 施한다。

2、灸治는 百會 및 湧泉에 七壯式 施灸한다。

3、痙攣을 發할 時는 十指 및 十趾尖端에 刺針出血하고 全身皮부 針을 施하면 即時 緩解된다。

腦貧血 (虛暈)

이 疾患은 心腸疾患 精神感動 多量의 朱血 等에서 發한다。顏面蒼白 冷汗流出 四肢厥冷에 重聽耳鳴하여 神識을 失함에 至한다。

●藥物療法

(一) 加味四物湯 濟南漢醫 妙方

熟地黃 當歸 川芎 白芍藥 防風 天麻 古本 人蔘 黃精 黃芪 鹿茸各一錢 荊芥 南星 白芷 各五分 木丹皮 黃連 三分水煎食遠服 한다。最妙方임。

(二) 加味大補湯 仝上

廢疾을 遺留한다。

●藥物療法

(一) 蚯蚓丸 全州 金仁植

蚯蚓(지렁이를 大中小로 區分하여 中以下者로서 色赤者를 取하고 二十四時間만 器內에 두어서 腸中의 泥를 排泄시키고 乾燥한 것) 二兩 天麻 白附子 白干蚕 各一兩朱砂 五錢 爲末糊丸 麻子大 하여 一回十五丸式 一日三回 食遠服에 神効

(二) 大熱이 不退之時는 蚯蚓을 不拘多少하고 水煎一日三回服之면 偉効를 得한다。

(三) 龍腦散 濟南漢醫妙方

龍腦二錢 大鏡面朱 一錢五分 牛黃 麝香 各一分 爲末一回服하면 特効를 得한다。

(四) 正氣散 仁川 朱一善

琥珀 馬牙硝 寒水石 丁香 天麻 天竺黃 鏡面朱 各一兩 雄黃 白干蚕 全虫各五錢 牛黃二分 爲末하여 一回五分式 溫水服

(五) 五香散

唐木香 沈香 藿香 丁香 各二錢半 水煎하여 乳香末 一錢 調服하고 繼續하면 完治 可能하다。

人蔘 白伏令 白芍藥 當歸 川芎 熟地黃 白朮 黃芪 肉桂 鹿角膠 麥門冬 肉蓯蓉 甘草各一錢 水煎服 한다。此方은 男女四十才 以上의 体質에 適宜하다。

(三) 加味芎歸丸

川芎 當歸 各五兩 天麻 半夏 各二兩 爲蜜丸梧子大하여 一回四十丸式 一日三回 食遠服한다。愈病爲度면 所期의 目的에 達할 수 있다。散藥으로 亦可하니 一回一錢二分 服用。

(四) 蔘 白 散　　서울 金 仁 澤

人蔘 山藥 白伏令 以上等分末하여 蜜水에 一回一錢五分式 一日三回 食間에 服用 久服에 有効

(五) 猪 肝 丸　　星川 李 光 用

猪肝(乾燥한 것) 二兩 白花蛇 琥珀 各一兩 靈砂五錢 爲末蜜丸彈子大하여 朱砂爲衣하고 一回二丸乃至三丸式 一日三回 食後服한다。(累驗)

(六) 芎 歸 散　　俗 方

牛及猪의 心臟 血에 當歸 川芎末을 一回에 一錢式 調服하되 每朝食前 一回服用 長期에 亘하면 有効。

● 鍼 灸 療 法

1、針治는 百會 天柱 風池 各六分 輕刺하고 大椎 郄門에 各七分 中刺한다。

2、灸治는 身柱 膏肓左右穴에 七壯式 百會에 九壯式 長期施灸하면 完治된다。

腦 溢 血 (卒中風)

本病은 頭部의 充血로 小動脉이 破裂되여 腦髓內에 出血하는 疾患으로서 酒精腎臟炎 肥滿症等에서 誘發한다。其症은 卒倒한 者는 神識을 失하고 昏睡에 陷하며 運動知覺 및 反射機能이 消失되고 呼吸及心動을 認하는 外에는 死者와 同一하며 糞尿는 失禁한다。此症을 所謂 中臟風이라 한다。然而此症이 覺醒하면 殘留性半側運動麻痺 및 顔面麻痺와 言語障碍가 現한다。此症을 所謂 中風이라 한다。

※ 注意：卒中發作時는 絶對安靜을 必要로 하며 卒倒場所에서 靜臥시키고 頭部를 擡位에 置하고 出血部로 推側되는 部位에 永囊을 貼하고 徐서히 靜閑한 場所로 安臥시켜야 한다。

● 藥 物 療 法

(甲) 卒中風時에 療法

(一) 星香正氣散에 牛黃淸心元調服 卒中風 發作時는

藿香一錢五分 蘇葉當歸 防風 各一錢 白芷 大腹皮 白伏令厚朴 白朮 陳皮 半夏 吉更 甘草 各五分煎出하여 牛黃淸心元 一個를 調服한다。

(二) 鳩 糞 散　　江原道 金 時 淵

卒中風 發作으로 因하여 人事不省 時에는 鳩糞(비둘기 똥) 乾者을 細末하여 竹瀝一合에 鳩糞一錢 比例로 混合하고 無時服으로 飮水代身嚥下시키면 비록 重態에 陷한 患者라 할지라도 早速히 回生된다。

(乙) 後療法 即中風時

(一) 黃芪 白伏神 防風 羌活 半夏 各一斤 當歸身 川芎 沈香 虎脛骨各八兩 巴戟 木丹皮 烏藥 白朮 稀薟 甘草 各五兩 爲末蜜丸 梧子大하여 一回四十丸乃至五十丸을 溫酒로 食遠服하되 久服에 完治可能

(二) 鹿 骨 散　　春川 洪 時 根

鹿骨炒(一頭分에 全体)에 五加皮 菖蒲 各二斤을 合하여 爲細末하여 一回에 一錢二分式 溫酒에 空心服。

(三) 補 骨 丸　　莞島 延 秋 元

鹿角霜 二斤 黃芪 石斛 各一斤 炮付子 一兩爲末하고 鹿角膠 一斤을 熱湯에 溶解하여 三種의 末藥을 混入攪拌亂打한 後 梧子大로 爲丸 一回에 五十丸式 一日三回 溫水에 空心服하면 神効하다。

(四) 神 生 散　　濟州 姜 仁 五

川烏豆(川烏 一斤을 坐切하여 鼠目太 一升과 合하여 水二升을 入하고 緩火로 徐徐煎出하되 水分이 거의 蒸發時期에 取藥乾燥하여 川烏는 除去하고 鼠目太만取한 것) 白花蛇 白何首烏 天麻 各二兩 甘草 六錢合爲細末하여 一回七分乃至一錢 溫水에 食遠服 一日三回 服한다。一個月 服之에 藥効 顯著하다。

●藥 物 療 法

1、針治는 卒中風 時에는 湧泉과 勞宮에 大針으로 最强刺하면 甚히 神効하다。

2、灸治는 卒中風 時에는 湧泉과 大椎에 豆粒大의 灸三十壯式 施灸하면 有効하다。

中風時에 療法

3、針治는 天柱 風池에 六分 肩井曲池 上三里 下三里 風市 膝眼 縣鍾 等에 中度에 刺戟을 주고 治療가 長期 亘하면 必治可能하다。

4、灸治는 肩井 曲池 下三里 縣鍾에 各七壯式施灸하면 有効하다。

脊椎가리에스 (龜背症)

이 疾患은 結核菌이며 小兒에 多發한다。誘因은 外傷 過勞 等에서 發한다。骨壞死로 骨組織의 壞瘍을 呈하다가 化膿으로 變하고 下方으로 管을 形成하며 膿이 流出한다。患部인 脊椎에 鈍痛을 起하고 起立時에는 脊屈曲을 避하고 兩手로 膝部를 依持하여 身体를 伸한다。脊椎는 龜背로 變한다。

● **藥物療法**

(一) 螃蟹炒一斤 葶藶子 石古各四兩 爲末蜜丸梧子大하여 大人은 一回五十丸 小人은 十五丸乃至三十丸式 溫水에 空心服으로 一日三回服之면 特効가 現한다。

※ 註：螃蟹을 生으로 釜中에 入하여 炒하면 結局 乾燥된 後는 稍黃으로 變하고 分末하기에 適合할 時期까지 炒한 것。

(二) 保生散 今井遺方

鱶魚(상魚)肝 一斤二兩 赤何首烏 龍骨 各一斤爲末一回一錢五 式溫水服 小人은 一回에 五分乃至一錢式食遠服 一日三回服之면 完治可能하다。

※ 註：상魚肝臟을 一次水煎하여 乾燥하고 若干炒한 것。

● **鍼灸療法**

1、針은 對症療法에 不過하고 主로 灸療에서 完治可能하다。絶對로 安靜이 必要하며 所患脊椎兩傍 卽 橫突期間에 四穴乃至六穴에 愈病爲度로 施灸한다。治療는 施灸에 依하여 增加되는 白血球는 病原菌에 對抗하고 또 蛋白体 療法으로 奏効된다。

癲癇 (癎疾)

이 疾患은 遺傳 兩親飮酒 姙娠 頭部外傷 等에서 發한다。重症癲癇에 在하여는 全身强直性 痙攣으로 四肢는 伸展한다。

● **藥物療法**

(一) 定癎丸 間野遺方

蟾蜍炒八兩 馬의 肝臟一具를 燒存性하고 犀角四兩 龍腦三兩 朱砂二兩 巴豆霜一兩 麝香五錢合爲末하여 蜜丸桔子大하여 一回大人은 三十丸 小人은 十丸式 一日三回를 左記의 貼藥煎水에 服用한다。防風 羌活 天麻 天門冬 伏神 山棗仁 石菖蒲各一錢五分 甘草七分 爲一貼하여 二合水에 入藥하여 煎出一合三勺하고 三回分하여 右丸藥을 服用하며 灸療를 兼하여 一個月만 施灸하면 効

果는 確實하며 三個月 程度로 完治됨이 常例이다。但癲癎性 精神異常이 無한者에 限한다。

(二) 黃 丹 丸　　　濟南遺方

黃丹十兩 雉頭十個(雌雄半半)을 炒黑하여 爲末梧子大하고 朱砂衣하고 大人은 一回四十丸 小人은 十五丸乃至二十丸式 鉄奬에 送下空心服 한다。

【註】 火熱한 鉄을 冷水에 담그기를 患者의 年令에 依하여 行한것。即 十歲라면 十回담근물 此가 鉄奬임。

(三) 紫河車丸　　　大田東波

紫何車(人胎盤二具 猪心 도야지心장)一貝를 各陰乾하여 妙黃하고 爲末蜜丸彈子大하여 大人은 十丸 小人은 三、四丸式 一日三回 温水에 服用한다。紫河車를 生服하여도 亦可한다。此藥은 久服之時는 必히 得効한다。

(四) 琥 珀 服　　　忠州 安 太 浩

蓮實五斤 伏神三斤 琥珀一斤 爲細末하여 一日三回 一回三錢式 鉄奬에 嚥下하되 久服에 有効顯著하다。

● 鍼 灸 療 法

針治는 對症療法에 不過하고 主로 灸治에 依하여 可能하다。即 百會 上星 陶道에 豆粒大灸 一回에 七壯하면 有効하다。

書 痙 (手 顫 症)

本病은 書字의 過勞에 依하여 發함이 大部分이다。徐徐히 發하며 此를 三種으로 分한다。

1、痙攣 型이는 筋肉이 强直収縮하며 痙攣疼痛을 發한다。

2 震顫型 이는 作業을 試하면 右手의 震顫이 起한다。

3、麻痺型 이는 右手에 麻痺性 疲勞가 現하다。

● 藥 物 療 法

(一) 加味萬金湯　　　濟南遺方

續斷 杜沖 防風 白伏令 南星 草烏各一錢 牛膝 人蔘 細辛 桂皮 當歸 甘草各八分 全虫五分水煎服 此方은 痙攣性에 適當하다。

(二) 加味萬金湯　　　濟南遺方

人蔘(高血壓者는 沙蔘을 換代함)二錢 五加皮 續斷 杜沖 防風 白伏令 牛膝 細辛 桂皮 當歸 甘草各一錢 附子五分此方은 麻痺性 및 振顫性에 適當하다。

(三) 加味舒經湯　　　濟南遺方

蒼伏 香附子 烏藥 川芎 當歸 羌活 南星 半夏 威靈仙 薏苡仁 牛膝 木果 干黃 桂枝 甘草各一錢 草烏 七分 乾干五分水煎服 此는 通治方임。

●鍼灸療法

大端히 頑强한 疾患이다。

1、痙攣에는 肩井 肩髃 肩髎 曲池 三里에 各各 七分 刺針하여 最强刺 하고

2、振顫에는 同一한 穴에서 中度의 刺戟을 與하고 또 麻痺型에는 輕刺戟與 하다。

3、健側으로 刺針之時는 較的大한 針을 利用하고 또 强刺가 必要하다。

히스테리 (女子火病)

本症은 全神經系를 犯하는 大腦皮質의 官能的疾患으로서 其症候는 實로 千差萬別로 一一히 枚擧하기 困難하나 例하면 自己 또는 他人의 暗示에 依하여 左右되며 喜怒 哀樂과 心情變化가 無常하여 極端에 走하며 嗜好嫌忌의 差가 甚하고 自己의 境遇를 過大히 陳述하여 他人의 同情을 求함에 努力하고 思考力이 狹小하며 自己의 境遇를 悲觀하여 自殺하는 者도 있다。

●藥物療法

(一) 加味四六湯　辰井遺方

熟地黃 山藥 山茱萸 黃精 蓮實 鹿茸 澤瀉 木丹皮 白伏令 當歸 川芎 白芍藥 黃芪 麥門冬 黃蓮各一錢 甘草五分 作一貼水煎服。(大驗)

(二) 加味逍遙散　辰井遺方

熟地黃 川芎 木皮 遠志 白朮 白芍藥 白伏令 柴胡 當歸 別甲 各一錢 知母 黃栢 香附子 陳皮 甘草各七分 作一貼하여 水煎服。

(三) 鹿 赤 丸　大邱 許 旲

鹿茸下代 五兩 當歸 川芎 麥門冬 石菖蒲 連黃 各三兩 赤石脂 二兩 黃丹一兩 未蜜丸梧子大하여 朱砂爲衣하고 一回四十丸至五十丸式 一日三回空心服 하면 其効顯著하다。

(四) 蓮 子 散　山村遺方

蓮子三兩 黃精 麥門冬各二兩 甘草五錢爲末하여 一回에 二錢式 温水服 한다。長期 服之에 有効하다。

●鍼灸療法

1、針治는 百會 神庭에 斜刺一寸하고 大推 風池 內關에 七分 强刺한다。

2、灸治는 百會 身柱 膏肓 肩中俞에 各七壯式 米粒大로 施術한다。

神經衰弱

이 疾患은 精神過勞에서 發하는 一種의 神經過敏症이다。頭重 耳鳴 眩暈에 不眠多夢하며 記憶力 減退에 憤怒한다。

●藥 物 療 法

(一) 加味歸脾湯 濟南遺方

熟地黃二錢 白芍藥一錢五分 當歸 龍眼肉 酸棗仁炒 遺志 人蔘 黃芪 白朮白伏令 香附子各一錢 木香 五分 甘草 三分

(二) 加味歸脾湯 仝 上

乾地黃 天門冬 麥門冬 五味子 當歸 龍眼肉 山棗仁炒 遠志 人蔘 黃芪 白朮 白伏神各一錢 木香五分 甘草三分 水煎하여 朱砂末을 水飛取之하고 一貼水煎에 三分調服한다。

(三) 加味補心丹 濟州 左 基 鉉

乾地黃 白芍藥 黃連 山棗仁炒 伏神 各三兩 鹿茸 黃精 麥門冬 大棗肉各一兩 甘草五錢 爲末蜜丸梧子大하여 朱砂爲衣하고 一回四十九式 一日三回温水服 한다。久服에 完治 可能하다。

(四) 黃 連 散 仝 上

黃連五兩 苦蔘 薏苡仁 各三兩 甘草一兩 爲細末하여 一回一錢式 一日三回 空心服하면 久服에 有効하다。

●鍼 灸 療 法

1、針治는 干先 腦神經을 鎭定시키는 意味에서 天柱 風池 刺針六分하고 全胸椎橫突起問에 五分中度의 刺戟을 與한다。

2、灸治는 百會 道陶 神堂에 各七壯式 施灸하다。

流行性感冒 (毒感)

本症은 呼吸器性 消化器性 및 腦性으로 區分하고 그 症에 依하여 處方도 區分된다。

1、呼吸器性은 全身感冒 症狀에 鼻腔 喉頭 氣管枝炎을 兼하여 咳嗽 咯痰이 甚함。

2、消化器性은 全身感冒 症狀外에 惡心嘔吐 下痢腹痛 胃症 및 消化不良이 兼한다。腦性은 極甚한 頭痛關節痛 昏睡譫語에 頂脊部强直을 兼한다。

●藥 物 療 法

(一) 呼吸器性에 加味五積散 澤田遺方

蒼朮 二錢 陳皮 麻黃 沙蔘 吉更 半更 各一錢 原朴只

角 當歸 乾干 白芍藥 白伏令 各八分 川芎 白芷 桂皮 各七分 甘草 六分 薑三 葱二 水煎服。

(二) 消化器性에 加味五積散 仝 上

蒼朮 二錢 山香 神曲 兵郎 陳皮 麻黃各一錢 原朴 吉更 只角 當歸 乾薑 白芍藥 白伏令 各八分 川芎 白芷 桂皮 各七分 甘草 六分 薑三 葱二 水煎服

(三) 腦性은 大承氣湯 仝 上

大黃 四錢 原朴 只實 芒硝 各二錢 水煎服에 爲妙하다。

●鍼 灸 療 法

1、 針治는 主로 對症療法이 必要하니 各條下를 參照施針할 것이며 通治法으로는 百會 天柱 風池 大椎 및全脊椎兩方 橫突起開에 五分輕刺하면 그 効顯著하다。

2、 灸治는 主로 豫法에 屬한다。大椎 身柱 膏肓 百會에 米粒大로 一回에 七壯 九壯式 施灸하면 有効하다。

神經痛及神經痲痺類

●百會附近刺劇熱痛者 水原 金在鳳 先生

加 味 黃 芩 湯

熟地黃 當歸 川芎 白芍藥各二錢半 黃芩五錢 女貞實二錢 白芷一錢。

●原因不明頭痛 서울 尹柱鳳 先生

立 愈 湯

土伏苓一錢 當歸三錢 白何首烏四錢 天麻二錢半 防風二錢。

●飮酒後 當傷風因頭頂不擧者 水原 金在鳳 先生

加 味 葛 花 湯

當歸 川芎 白芍藥 熟地黃各二錢半 防風三錢 天麻一錢半 半夏 陳皮 白伏苓 良姜 甘草各一錢 葛花三錢 干三。

●頭 痛 仁川 申卿熙 先生

淸 上 如 神 湯

當歸 川芎 羌活 獨活 防風 蒼朮 白芷 麥門冬各一錢 黃芩酒炒一錢半 甘菊 蔓荊子各五分 細辛 甘草各三分 干三 召二。

治一切頭痛 片頭痛 左右正額 眉稜骨痛 頭頂痛 風入腦髓而疼痛者 皆效如神。

○左片頭痛加紅花酒炒 柴胡 龍膽炒 生地黃各一錢。
○右片頭痛加黃芪蜜炙 乾葛各一錢。
○頭頂痛加大黃 蒿本各一錢。
○眉稜骨痛加天麻二錢。半夏 山查 枳實各一錢。
○風入腦髓疼痛加麥門冬 蒼耳子 木瓜 荆芥各一錢。
○氣虛常有自汗加黃芪 人蔘 白芍藥 生地黃各一錢。

●風虫齒痛 서울 權寧俊 先生

加味雙和湯

倍雙和湯加玄蔘五錢 二ㅡ五貼을 服用하되 徐徐히 含服한다。

●肋間神經痛 洪鍾憲先生

一、左脇痛

治左湯

當歸 川芎 青皮 柴胡 桃仁 紅花 半夏各一錢。或枳芎散이 有效할 때도 있다。

二、右脅痛

加味推氣散

枳殼 桂心 姜黃各二錢 甘草一錢 半夏 陣皮各一錢半。

三、胸骨中心으로 左右脇肋骨痛

加減青龍湯

黃芪 麻黃 白芍藥 五味子 半夏各二錢 黃芩 細辛 杏仁 乾姜 各一錢。

四、上三方으로 無效者

加減四物湯

白芍藥五錢 熟地黃 當歸各二錢半 山茱萸 黃芪各一錢半 白芥子 甘草各八分 黑梔子三分 千-三 召二。

●腰痛(濕傷) 崔慶滿 先生

輕腰湯

薏苡仁 白朮各一兩 白伏苓五錢 防風一錢

●急性腰痛 서울 申東高 先生

朮湯

白朮七錢 東斷(續斷)三錢 杜冲二錢 羌活 獨活各一錢 防風八分。

○本方은 腎虛腰痛에는 無效하고 其他 諸腰痛에는 神效함。

●腎虛腰痛 清州 李錫珪 先生

加味地黃湯

熟地黃四錢 山藥 山茱萸 人蔘 杜冲各二錢 牧丹皮 白伏苓 澤瀉各一錢半。

一日二回 空心腹(晝夜 各一回) 輕者는 三五貼 重者十貼內外。

●尾閭骨痛(肛門上양양이뼈 即 臀尖骨痛) 大邱 金在誠 先生

加味四物湯

當歸 川芎 白芍藥 熟地黃各二錢 知母 黃栢 桂皮各少許。

一日二貼 空心服。

●坐骨神經痛 서울 李基淳 先生

一、神經炎 또는 打博損傷인 境遇

(處方) 蒼朮 南星 白芷各四兩 川烏 草烏各二兩 當歸 川芎 石斛 威靈仙 羌活 秦艽 桂枝 防風 防已 白何首烏 細辛 玄胡索 烏藥各二兩。

右細末 湖丸梧子大 一回十五―二十丸 一日三回服。

二、元氣不足 또는 勞傷인 境適

大防風湯

熟地黃一錢半 白朮 防風 當歸 白芍藥 杜冲 黃芪各一錢 附子 川芎 牛膝 羌活 人蔘 甘草各五分。

●坐骨神經痛 水原 葵世鎔 先生

薏苡仁 芡仁 白朮 枳實各二兩 水煎服。

針 公孫 三陰交 陰陵泉 小海 百會。

●顔面神經麻痺(口眼喎斜 및 口禁流涎) 서울 朱冕祐 先生

加味祛風散

鈎鉤藤三錢 羌活 白干蚕各一錢半 獨活 枳殼 青皮 陣皮 烏藥 桔梗 南星 半夏 天麻 川芎 白朮 白芍藥 荊芥 防風 白附子 全虫 甘草各一錢。

●顔面神經麻痺(口眼喎斜) 서울 尹圭哲 先生

(處方) 白朮 石菖蒲各五錢 白伏苓二錢 羌活 防風 甘草各五分。 虛者加人蔘一錢

●顔面神經痙攣 大田 趙忠熙 先生

加味益氣湯

黃芪蜜灸二錢 熟地黃 當歸身 白芍藥酒炒 川芎 白伏苓 人蔘 白朮 石菖蒲去毛 秦艽 羌活 防風 半夏 姜製 南星炮 天麻 白附子 麥門冬去心各一錢 桂枝 升麻 荊芥 甘草各七錢 柴胡五分 五味子二十粒 紅花酒洗三分 干三 召二。

●파―킨슨氏病(振顫麻痺) 서울 孟華燮 先生

(病症) 四肢가 떨리며 筋肉이 強剛하여지고 運動이 不自由하게 되는 病으로서 俗稱 手顫症이라는 病이다。

一、加味桂芍湯

白芍藥三錢 桂枝 葛根各二錢 生姜 大棗 天花粉 麥門冬各一錢半 甘草 釣鉤藤 白干蚕 木瓜 防風 竹茹各一錢。

二、振顫愈後患側無力症

加味建中湯

芍藥三錢 葛根 桂枝各二錢 當歸 黃芪各一錢半 生姜 大棗 人蔘 乾姜 麥門冬 木果 川芎 甘草各一錢。

●中風 서울 申泰亨 先生

(症候) 半身不遂、全身不遂。

芝 花 湯

生鹽附子法製 川烏法製 草烏法製各半斤 人蔘 龜板 覆盆子 五味子 枸杞子 桑椹子 白何首烏 黃精各五兩 防風 熟地黃各三兩 甘草二兩 雄鷄一首去頭羽足。

○右同煎服하되 먼저 左方 二三貼을 服用 發汗하여 經絡을 疎通하고 本方을 服用한다。 荊防敗毒散加 蘇葉三錢 麻黃 鶯束殼各二錢。

○灸關元穴 千壯尤效。

精神神經病類

●노 이 로 오 제　　忠武 廉鴻武 先生

(症候) 心腎二經 俱虛로 水火不濟者。

初次 建中龍蠣湯

白芍藥三錢 肉桂二錢 炙甘草 白伏神 蓮肉 龍骨 牡蠣粉各一錢 十五 召四。 黑糖一兩을 湯夜에 溶化하여 空心에 日再服함。

○先用本方 數貼하고 次用下方 久服하라。

再次 心腎雙補飮

當歸酒洗 遠志去心炒 白伏神 人蔘 黃芪蜜炙 白朮土炒 山藥微炒 山棗仁炒研 龍眼肉 便香付 蓮肉 肉蓯蓉 巴戟去骨酒炒 杜冲去糸各一錢 唐木香 甘草 陣皮 砂仁炒研各五分 干三 召二。食遠 日再服。

●腦神經衰弱　　仁川 申卿熙 先生

無 憂 解 鬱 湯

龍眼肉三錢 陣皮 半夏 白伏苓 竹茹 枳實 麥門冬 石膏各一錢半 酸棗仁炒 遠志各八分 人蔘 甘草各五分。 又治神經過敏症 即 心膽虛怯晝夜不眠症。

●히 스 테 리　　서울 金晩軾 先生

加 味 奔 豚 湯

葛根三錢 半夏二錢 當歸 川芎 白芍藥 甘草各一錢 桔梗 枳殼 柴胡各二錢 白伏苓 桂皮各一錢半 黃芩 人蔘 龍骨 牡蠣各一錢 大黃五分 干三 召二。(本方은 過度의 精神衝擊으로 失神狀態에 至하고 發作時는 角弓反張 呼吸困難 等 危急을 告하며 恢復하면 胸痞 胸痛苦惱者를 治한다。)

●精 神 病　　서울 許在淑 先生

一、狂 病 熱 症

(症候) 登高而歌 棄衣而走 見水而入 罵詈不絶 叫喊殺人之語不絶 舌如芒刺 飮水不休 肌色光亮 面如火腫。

先 用 定 狂 湯

玄蔘四兩 石膏二兩 麥門冬一兩二錢 白芥子 半夏各一

錢 知母 人蔘 甘草各三錢 竹葉六十片。 먼저 糯米四兩을 煎湯하여 去滓하고 三升을 取하여 本方을 煎하고 ·升을 取하여 渴을 呼訴할 때마다 마시게 한다。 服藥後 熟眠할 것이니 醒後呼水時에 下方을 服用케 한다。

玄 麥 湯

玄蔘八兩 麥門冬四兩 數次分服。 三日後에 下方을 繼用한다。

勝 火 妙 神 湯

玄蔘三兩 熟地黃 麥門冬各一兩半 山茱萸五錢 水煎服。

二、狂 病 寒 症

(症候) 罵詈喧雜 舌芒刺 口渴索水等이 없고 氣鬱不舒하여 怒氣를 發洩치 못하여 發病하는 것이니 先用下方하고 然後에 遠救寒狂湯을 使用한다。

安 神 祛 痰 丸

甘遂六錢 鏡面朱砂三錢五分 龍腦 眞珠各五分

右作末 猪心血同拌하여 猪心内에 넣고 棉과 濕紙로 一次씩 包裹한 後 火中에 煨熟하여 藥味를 取出하고 猪血에 作丸梧子大하여 大人은 毎回 一錢五分씩 猪心肉煎湯에 呑下한다。

救 遠 寒 狂 湯

人蔘 白伏神各五錢 白朮二錢半 半夏 南星 附子炮各五分 石菖蒲二分 水煎服。

三、狂 病 虛 症

(症候) 狂病이 久年不差한 것이니 或 칼을 들고 殺人하고저 하거나 或官을 보고 大罵하거나 親戚과 兒女를 不辨하거나 물을 보면 大喜하고、食을 보면 大辱하는 것은 心氣가 虛하여 熱邪가 乘之하고 痰氣가 浸之하여 成病이 됨이니 先用 安心祛痰丸 一次하고 化狂湯 十貼服用하되 約 十日後에 更用安神祛痰丸 一次하고 又用 化狂湯 十貼한다。

化 狂 湯

人蔘 白朮 白伏神各七錢 半夏 兎糸子各一錢 石菖蒲 甘草各四分 附子一分 水煎服。

四、癲 癇 寒 症

(症候) 忽然臥倒 作牛羊馬聲 口中吐痰涎如湧泉 手足痙攣 等의 症狀이 數分間 繼續하다가 停止되는 것이니 先用安神祛痰丸 一次하고 祛癲湯을 一日 一貼씩 三十貼을 使用한 後에 다시 安神祛痰丸을 一次 祛癲湯을 三十貼用之하면 永不再發 한다。

祛 癲 湯

白朮五錢 伏神 白芥子 人蔘各二錢半 半夏一錢半 肉桂
乾姜 陣皮各五分 石菖蒲 甘草各三分 水煎服。

五、呆 病

(症候) 終日默默 神昏如愚 等의 症狀이니 先用 安神祛痰丸 一次하고 五日後 又一次하고 次에 逐呆湯 四貼을 用之 한다。

逐 呆 湯

白伏神二兩五錢 人蔘一兩五錢 白朮一兩 白芥子 兎絲子 各五錢 半夏二錢半 白薇一錢半 鏡面朱砂一錢。上水二升 煎至八合 煎湯調朱砂末 一日二貼 連服。服藥中 倦怠睡臥 하거든 驚醒치 말도록 할 것이며、깬後에 繼續服用할 것이다。

●癲 癇 公州 盧載光 先生

加 味 通 拈·湯

草果 玄胡索 五靈脂 沒藥各二錢 檳榔 山査肉各一錢半 桂心一錢 唐木香 牛胆南星各一錢七分 龍眼肉二錢半 烏梅二枚 川椒三十粒。

○眩暈症에도 有效함。

●癲 疾 仁山 申卿熙 先生

一、祛痰定癇湯

白朮 白芍藥各五錢 半夏 人蔘 白伏神各三錢 陣皮 石菖蒲 甘草各一錢。

二、祛風定癇湯

眞沈香 益智仁 川烏各二錢 天麻 防風 半夏 附子炮各三錢 羌活五錢 當歸 白干蚕 元甘草各一錢半 獨活四錢。

治癇症 或困恐懼 發搦搐 痰涎有聲吐沫 嚼舌 目上視 項背强直。

●癇疾 (年久不差而遂成陰癇者) 群山 趙公衡 先生

(處方) 白朮一兩 人蔘 白芥子炒各五錢 半夏姜汁炒三錢 肉桂 乾姜 陣皮 甘草石菖蒲 全虫各一錢。右水煎 紫河車末一錢 調服 食遠日再服。

眩 暈 症 서울 廉泰煥 先生

澤瀉二錢半 白朮一錢。

●腦 膜 炎 서울 朴容模 先生

一、初 期

(症候) 突然寒熱 熱多寒少 欝悶昏睡 或背痛頭痛 胃呆嘔吐 頭項硬痛 等症。銀翅散을 服用하고 三十分 後에 太乙紫金錠을 日四、五丸 米飮에 呑下한다。

銀 翅 散

金銀花二錢 苦桔梗 蒲荷各一錢 竹葉 荆芥穗各五分 淡豆

鼓五分 牛方子一錢 煎服。

太乙紫金錠

山慈姑 五倍子各二兩 續隨子 紅芽大戟各一兩 射香三錢。

右 依法製作하여 作丸 四十丸 米飮下。

二、變症 二期

(症候) 頭痛而不能俯首 頭痛目裂 目畏光 耳畏響 頭被牽向上等症。銀翅羚羊散을 服用하고 太乙紫金錠을 日四、五丸 米飮에 呑下한다。

銀翅羚羊散

金銀花 連翅各二錢半 羚羊角一錢(無則石決明四錢 草龍胆一錢으로 代用) 鮮竹葉二錢五分。

三、變症 三期

(症候) 神昏譫語 角弓反張 迫背受累等症 安宮牛黃丸 日三回 每回二丸씩 米飮에 呑下한다。

安宮牛黃丸

牛黃 鬱金 犀角 黃連 朱砂各一兩 梅片(薄荷氷)二錢五分 眞珠五錢 射香二錢五分 山梔 黃芩各五錢。右藥末 金箔爲衣爲丸 每服一丸 日三服 白湯送下。

●腦膜炎

서울 韓祚海 先生

(處方) 胡黃連二錢 黃芩 赤芍藥各一錢半 辛荑花 滑石各一錢 當歸 川芎各七分 羌活 防風各五分。

消化器系病

食欲不振

原　因

脾胃虛弱

症　狀

飮食不進 面黃體瘦 胸痞 食不消化 或呑酸

處　方

養胃進食湯：蒼朮 7·5g、人蔘 白朮各3·75g、陳皮 厚朴 白茯苓 甘草炙各 2·625g、神曲炒 麥芽炒各 1·875g、干三 棗二

用　法

1日 3回 食遠服 或蜜丸梧子大 30丸式

孔德漢醫院　魚　淵

慢性胃腸病

原　因

氣血俱虛胃無力

治　方

人蔘 白朮 白茯 陳皮各5·625g、厚朴 山査肉 只實 白芍炒 肉豆久各 3·75g、元砂仁 神曲 麥芽 乾干 桂枝 青皮 甘草各 2·625g、川椒 1·875g、烏梅 一個 干二 召三

洪漢醫院　洪　慶　杓

急慢性食滯

處　方

蒼朮 7·5g、陳皮 厚朴各 5·625g、兵郎 香付子各 9·375g 只實 草果 神曲 山査 木香 乾干 甘草各 2·625g、干三

新光院漢醫院　辛　宗　薰

胃炎(肉滯)

處　方

蒼朮 黃栢各 15g、厚朴 甘草各 3·75g

用　法

水煎服 食後 1時間에 服用 1日 2貼

泰平漢醫院　林　貫　一

急慢性胃炎

胃痙攣 腹痛 泄瀉 胃酸過多 肝臟衰弱 惡心嘔吐 胃潰瘍 胃癌

處 方

任調胃散：蒼朮 750g、陳皮 525g、厚朴 375g、元甘草 225g、白茯苓 375g、丁香 草果各 187.5g、白芨茶 112.5g

用 法

上記藥을 粉末 或은 에키쓰製로 하여 1日 3回 每回 3~5g 정도로 服用함。

임덕성漢醫院 任 德 盛

慢性胃炎

處 方

加味白龍湯：白茯苓 草龍膽 白朮各 11.25g、川芎 7.5g 三稜 蓬朮 肉桂 青皮 甘草各 3.75g、貢砂仁 玄胡索 兵郎各 3g、丁香皮 乾干各 1.875g、葱 二莖 食遠服

濟元漢醫院 許 燕

食中毒(食滯)

原 因 肉類로 因한 牛·豚·鷄·犬 滯하였을 때

症 狀

處 方 加味行氣香蘇散

蘇葉 陳皮 蒼朮 烏藥 川芎 羌活 只角 麻黃 甘草各 3.75g、山査肉 2.625g

用 法

3~5貼、湯煎服用

이정재漢醫院 李 貞 載

食傷(胃炎)

症 狀

消化不良·胃酸痛

處 方

加味蔘朮健脾湯

香附子 蒼朮 7.5g、陳皮 白茯 厚朴 山査肉 當歸

各 3·75g、白芍 只實各 3·0g、砂仁 神曲 麥芽各 1·875g、海粉 3·75g、甘草 1·875g、干三棗二、10貼有効 滯氣甚 胃痛時加半夏元肉各 3·75g

윤봉윤漢醫院 尹 鳳 潤

消化不良症

處 方

麥芽 香附子 陳皮各 1200g、厚朴 蒼朮 只實 木香 砂仁 乾干各 600g

用 法

綠豆大로 製丸하여 1日 3回 每回 8~50丸式 適意使用함。

수정원漢醫院 宋 浚 亨

消化不良症

處 方

加味茯苓湯：白片豆 白茯苓各 7·5g 山査肉 當歸 麥芽 神曲 陳皮 人蔘 小茴香 薄荷 玄胡索各 3·75g、沒藥 甘草各 1·875g、食遠服

濟元漢醫院 許 燕

消化不良 및 酸過多 便秘

處 方

加味二陳湯

白茯苓 11·25 陳皮 半夏各 5·625g 只實 乃卜子 當歸 桃仁 麥門多各 3·75g、炙甘草 1·875g

東寶漢醫院 朴 一 洪

胃酸過多 胃潰瘍 十二指腸潰瘍

處 方

枯白杏 海螵蛸를 粉末 各等分

用 法

赤石脂를 연한 赤色이 나올 정도로 合하여 每食後 3·75g、7日~10日이면 쓰린 증상이 없어짐。

박성일漢醫院 朴 性 一

胃酸過多

處 方

製散湯：白芍藥 18·75g、 柴胡 7·5g、 山梔子炒 5·625g 蒼朮 陳皮 半夏 白茯各 3·75g 牧丹 7·5g 神曲 1·875g

用 法

食前服

報仁漢醫院 李 柄 國

嘔吐 嘔逆氣一切

(車、船、飛行機等暈、妊娠惡阻症)

原 因

肝、心、脾胃虛實、貧血、高血壓으로 因한 症等

症 狀

頭重眩 胸胃悶鬱 嘔逆氣

藥 治

藿香 蘇葉 青皮 只角 只實 陳皮 半夏干製各 3·75g 白芷 大卜皮 白茯 厚朴 白朮 桔梗 炙甘各 1·875g 干3 棗2

用 法

水煎服 重者는 6~10貼限服用하고 或 上記方量을 數倍하여 梧子大爲丸하여 1日 2~3回 每回 40~50丸式 年齡에 따라 適宜增減服用한다。

針 治

風池、頭維 內關 三陰交 留針 10分間 並脊椎橫起間 兪穴等瞬刺三分度、小兒엔 全身皮膚針이 可

홍일漢醫院 洪 淳 鶴

勞心吐血

處 方

茯苓補心湯이 神効(方見合編中九三)

用 法

本方加鹿角膠 枸杞子 五味子各 3·75g、 若有熱則 去人蔘代沙蔘生芐各 3·37

東和漢醫院 徐 學 鳳

酒 傷

原 因

飮酒過多로 滯

症 狀

飮酒後 泄瀉 및 腸風下血

處 方

加味對金飮子湯

加生黑丑 37·5g、葛根 7·5g、赤茯 神曲 砂仁各 3·75g

東局漢醫院 姜 鎭 春

酒毒 乾嘔

處 方

人蔘 225g、元良干 葛根各 150g

註

消化不良에 貢砂仁 37·5g를 加用한다。

用 法

上記藥等을 細末하여 常備하고 每用할 때 蜜湯에 1 匙式 타서 服用함。

홍漢醫院 洪 慶 杓

胃潰瘍 及 胃酸過多

處 方

千金廣濟丸：去射香加唐木香 112·5g 製丸

用 法

食後 50丸

松江漢醫院 尹 琁 基

胃 潰 瘍

處 方

白茯 白片豆各 7·5g、山査 神曲炒 麥芽炒 陳皮 當歸 人蔘 小茴香 薄荷 玄胡索 乃卜子各 3·75g、元砂仁 甘草各 1·875g、泄者加 牡蠣粉 7·5g、吳茱萸炒 3·75g

東濟漢醫院 徐 冠 錫

胃潰瘍

原　因

主로 過飮過食等 神經性 慢性 消化不良等으로 來한다。

症　狀

胃臂의 一部에 潰瘍을 形成하여 食後에 極甚한 胃痛을 發하여 出血이 有하며 食欲은 不變하고 眩暈 及 失神等이 現하며 惡性일 時는 往往 穿孔性腹膜炎을 誘發한다。

處　方

加味大健中湯：白芍藥 18·75g、當歸 黃芪 桂枝各 11·25g 神曲 麥芽各 7·5g、甘草 3·75g、干3 棗 2 黑糖2匙

用　法

每食後 1時間에 服用함。

東源漢醫院　尹　四　源

胃潰瘍

處　方

牡蠣粉 白朮 元肉各 11·25g、金銀花 白片豆各 5·625g、厚朴 木香 麥芽 神曲 黃芪 乾干 陳皮 砂仁各 3·75g、甘草 3·75g

有正漢醫院　吉　埈　賢

胃　痛

處　方

麥芽 37·5g、草烏法製 37·5g、白茯苓 貢砂仁 香附子各 37·5g

用　法

本方爲細末하여 1日 3回 食間服하되 每服에 0·75～1·125g式 服用함。

孔德漢醫院　魚　　淵

腹　痛

原　因

脾中에 血이 熱한 때문이라고 한 尹草窓의 학설、

症　狀

자주 呼訴하는 症으로 食事를 하면 特히 더운 飮食을 먹으면 수저를 놓자마자 배가 사르르 아프고 用便하지 않으면 않되리만큼 裡急後重하며 便所를 가는 사람을 볼 수 있다。

處　方

犀角地黃湯

生芐 11·25g、赤芍 7·5g、犀角 牧丹皮各3·75g

東一漢醫院 朴　寅　商

蛔腹痛

原　因

蛔虫

處　方

加味安蛔湯

苦楝根皮 18·75g、山査肉 11·25g 兵郞乾干各 7·5g、使君子 3·75g

東一漢醫院 朴　寅　商

蛔虫諸虫

處　方

練陳湯

白練根皮 26·25g、胡椒三十介 肉桂 乾干各 3·75g

用　法

練根은 必取內白者用하고 先用 猪肉灸而嗅하고 空心服 3貼 神効

處　方

木香丸

泌撥 良干 貢砂仁各 75g、蒼朮 56·25g、白朮土炒 白茯苓 陳皮 厚朴 澤舍各 37·5g、桔梗 神曲 麥芽各 26·25g、猪苓 30g、只實 乾干 甘草灸 18·75g

用　法

右細末煉蜜爲丸綠豆大 靈砂爲衣 一回 二十介服用

동창漢醫院 金　漢　經

胃痙攣

處　方

白朮 元肉7·5g、藿香 陳皮 玄胡各5·625g 半

夏 甘草各 3·75g、烏梅一介、泄瀉 加 肉豆久 5·625g、訶子 3·75g

東濟漢醫院 徐 冠 錫

胃痙攣

處 方

元肉 26·25g、肉桂 15g、半夏 陳皮 玄胡各 7·5g、兵郞 白茯各 3·75g、川椒 1·875g、空心服 干五片

弘益漢醫院 辛 潤 浩

胃痙攣

處 方

沙蔘 白朮各 7·5g、白苓茯 3·75g、陳皮 厚朴 只實各 5·625g、香附子 7·5g、藿香 3·75g、草果 7·5g、胡胡 7·5g、五靈脂 1875g 沒藥 蘇子各 3·75g、甘草 1·875g、只殼 3·75g

曠暉漢醫院 王 孝 仁

胃痙攣

原 因

胃冷

處 方

加味正氣散

藿香 5·62g 蘇葉3·75g 白芷 大卜皮 厚朴 白朮 半夏 陳皮 吉更 宝豆 白茯苓 灸甘各1·87g

有信漢医院 金 己 培

胃痙攣

處 方

加味和中湯

山査 苦練皮 干黃各 2·25g、白朮 桂枝 木果 烏藥各 7·5g、只實 兵郞 貢砂仁 使君子 玄胡 甘草各 3·75g、或加 人蔘 3·75~7·5g

用 法

雪糖 大一匙調服

延壽堂漢醫院 韓 熙 錫

胃痙攣 (胃虛冷者 食滯 胃痛甚 嘔吐症)

處 方

白芍炒 18·75g、乾干炮 桂枝 元肉 山査肉 白朮各 7·5g 藿香 玄胡索各 5·625g、陳皮 半夏 白茯苓各 3·75g、川椒 甘草 貢砂仁 白豆久各 1·875g、烏梅一個 英蘭 0·375g

用 法

1日 3回 水煎食後 2~3時間服用함。

東濟漢醫院 徐 冠 錫

胃痙攣

處 方

山査 18·75g、白芍 陳皮各 11·25g、元肉 7·5g、白朮 乾干 木香 靑皮 只角 玄胡索各 3·75g、甘草 1·875g

계신漢醫院 李 達 浩

胃痙攣症(가슴앓이)

處 方

蒼朮 7·5g、陳皮 厚朴 麥芽 只實各 5·625g、甘草 1·875g 神曲 茘枝核各 13·125g

註

1~2貼에 止痛

江山漢醫院 徐 在 洙

胃腸痙攣

原 因

腹腔이 虛冷

症 狀

胃腸筋에 間代性 痙攣痛을 發作하는 것으로 甚하면 冷汗이 流出하여 手足이 厥冷되며 或은 人事不省에 이르게 됨。

處 方

應急 治療方

神曲炒 3·75g、人蔘 京炮附子各 1·125g

用法

右藥을 混末하여 初服時는 本量을 2/4로 服用 30分內外 止痛이 되면 次服 1/4 量으로 隨症에 따라 量을 加減하여 1日 3、4回로 服用 恢復케함。

注意

斷食하고 過服하면 胸悶感이 생기나 數時後 消失됨

홍일漢醫院 洪淳復

胃痙攣 及 膽石症

處方

加味健理湯

白芍藥 元肉各 18·75g、桂枝 人蔘 白朮 乾干各 7·5g、小茴香 吳茱萸 玄胡索 全虫 胡椒 炙甘草各 3·75g、干3 棗2、黑糖1匙、3貼限

金星漢醫院 金長烈

暑中滯

處方

加味導滯湯

香薷 7·5g、白芍藥 白扁豆 當歸 大黃 東角各 3·75g、兵郎 肉桂 木香 槐花炒 甘草各 1·875g、燈心一團

東山漢醫院 尹柱善

暑月吐瀉 霍亂

原因

中暑

症狀

泄瀉 下痢 咳嗽

處方

加味六和湯

赤茯苓 香薷 厚朴 乾葛各 7·5g、藿香 白片豆 木香 砂仁 人蔘 半夏 杏仁 元肉 澤舍 車前子 甘草各 3·75g

補陽漢醫院 權寧訓

吐瀉 藿亂 消化不良 腹痛 赤白痢 食傷 胃痛 腹中諸疾

處　方

活命丹

藿香 厚朴 桂皮各37·5g 砂仁 泌發 草果 丁香 唐木香 神曲 白何首烏 草豆久川椒(去目炒) 良干 山查肉 乾干 白朮 胡椒 肉豆久 白豆久 白檀香 紫檀香 安息香 寶豆(醋浸4日 水浸6日) 各18·75g、川烏草烏(甘草水浸半日) 眞薄荷霜 眞龍腦各 11·25g、射香 5·625g

製　法

右細末 蜜丸 37·5g 作丸30丸赤石脂爲衣 神效

仁誠漢醫院　林　逸　圭

藿亂 (吐瀉過多 腸胃俱虛 乃至汗出 氣少 不語 其脈況伏 欲絕 手足四逆皆冷)

處　方

吳茱萸 細辛 通草 炙甘 葛根各 7·5g、當歸 桂心 芍藥各 5·625g、干五 水煎服

針　灸

合谷 曲池 足三里 太衡 左右皆針하고 兩足內踝上一尖骨灸 7壯

孔德漢醫院　魚　淵

單腹脹 鼓脹症 (肝硬變症)

症　狀

肝脹者 脇下滿而痛引小腹 腸間有水氣者 腹滿 口舌乾燥

處　方

上熟地黃 15g、山藥 山茱萸各 7·5g、澤舍 牧丹皮 赤茯苓各 9·375g、蓮子肉 7·5g、兎絲子 卜盆子各 3·75g、枸杞子 五味子 車前子各 3·75g、梔子 2·625g、神效

신명원漢醫院　姜　信　明

肝硬化

症　狀

腹水 大小便不通 腹滿 全身虛弱

處 方

白茯 澤舍各 11·25g、麥門多 忍多 大卜皮 陳皮各 5·625g、兵郞 木通 車前子各 3·75g、唐木香 元砂仁 蘇葉 青皮 木果 麥芽 神曲 白芍炒 登心各 2·625g、山査肉 7·5g

東済漢医院 徐 冠 錫

肝硬化症

處 方

六味五子湯：上熟芐 15g、山藥 山茱萸 澤舍 牧丹皮 赤茯苓各 5·625g、連子肉 7·5g、兎糸子 卜益子 枸杞子 五味子 車前子各 3·75g、梔子 2·625g、干3 棗2 特히 神效함。

信明院漢醫院 姜 信 明

肝硬化症 및 膵臟炎

處 方

白芍 56·25g、生地黃 白芥子各 5·625g、柴胡 甘草各 1·875g 桃仁五介 只角 0·75g

用 法

輕患엔 先用二劑煎服하고 後用一劑製丸服用하면 된다。重患엔 先煎用、後丸用을 數次 反復한다。1日 3回 空心服이 可하고 製丸은 蜜丸한다。

면목漢醫院 朴 英 善

肝臟膿瘍(肝癰)

原 因

外傷에 依하거나 胃潰瘍 橫隔膜下 膿瘍等이 肝膿瘍으로 利行되는 수도 있다。또 細菌의 血行感染과 또는 腸潰瘍 아메바 赤痢 心炎 膽炎等과 併發하는 수도 있다。

症 狀

肝의 實質組織이 肥大充血된다。肝部의 持續性疼痛이 있고 同時에 間歇性 高熱이 있으며 黃疸이 온다。肝肥大가 肺를 上壓하면 呼吸困難이 오며 胃를 上迫하게 되면 嘔吐 消化不良을 招來한다。 重症으로는 敗血症을 續發하는 경우도 있다。

處 方

仙方活命飮

金銀花 2·25g、當歸 7·5g、陳皮 黃芪防風 白芷 大黃 乳香 沒藥 穿山甲 皂角刺 天花粉 甘草 羌活 牛方子 半夏 貝母 赤芍各 3·75g、有熱時 柴胡 黃芩을 加한다。

강호漢醫院 姜 昊 景

肝臟炎(黃疸 流行性肝炎)

處 方

茵陳錢 11·25g、梔子 7·5g、赤茯 澤舍各 5·625g、木通 車前子 活石 猪苓 苦楝皮 白朮 山査肉 神曲 麥芽 青皮 柴胡 登心 半夏 甘草各 3·75g

洪漢醫院 洪 慶 杓

黃疸(肝臟炎)

處 方

茵陳湯：茵陳 2·25g、蒼朮 木通各 7·5g、山梔子 赤伏茯 澤瀉 猪苓 薏苡仁 車前子各 3·75g、燈心 1·875g

用 法

酒滯를 兼하였을 時는 葛根 3·75~75g加、食積이 있을 시 山査 神曲 麥芽 等을 加、便閉가 있을 경우에는 乃卜子 黃芩 等을 加味한다。二十貼이면 治療可能

誠心漢醫院 吳 祺 鏞

肝臟炎 及 膽石症

處 方

加味三禁湯：柴胡 白芷各11·25g、黃芩 乃卜子 人蔘 半夏 只角 唐木香 玄胡索 金銀花 甘菊 皂角 穿山甲 甘草各 1·875g g、食遠服

濟元漢醫院 許 燕

黃 疸

原 因

食滯 流行性 小兒先天的

症 狀

消化不良 肝浮腫 氣血俱虛

處　方

茵陳 11·25g、梔子 赤茯苓 澤舍各 5·625g、猪苓 車前子 木通 滑石 山査肉 神曲 麥芽 青皮 柴胡各 3·75g、 貢砂仁 甘草 燈心各 2·625g、 日黃連 2g

用　法

1日 3回 水煎食後 2~3時間服用

東濟漢醫院　徐　冠　錫

膽囊炎(右肋腫痛)

處　方

鬱金 滑石 神曲各 2·25g、當歸身 白芥 白茯 半夏 竹茹 川楝子 沒藥各 7·5g、陳皮 只角各5·625g 只實 甘草各 3·75g

舞鶴漢醫院　張　泰　榮

急慢性 膽石症

原　因

處　方

歸消湯

當歸 小茴香各 7·5g、白茯苓 11·27g、蒼朮 甘草各 7·5g、三稜 蓬朮各 7·5g、丁香 5·625g 肉桂 乾干 白豆久 兵郎 玄胡索 青皮各 3·75g、消化不良者加神曲 麥芽 元砂仁各 3·75、虛者加人參 3·75~7·5、g

洪漢醫院　洪　慶　杓

膵臟炎

處　方

托裡消毒飮

穿山甲 7·5g、 皂角刺 天花粉各 5·625g、金銀花 18·75g、 赤茯 玄參 蒲公英各 5·625g 山査 炒黑 唐木香 小茴香 大黃 芒硝 石膏 黃芩各 3·75、升麻 1·876g

洪漢醫院　洪　慶　杓

腹膜炎

症　狀

（實症 腹水 微熱 便秘 少便赤 喘症）柴胡 半夏 茵陳 玉蜀各 9·375g、黃芩 白芍各 5·625g、只實 大黃各 7·5g、大卜皮 澤舍 赤伏 青皮 甘草各 3·75g

東済漢医院　徐　冠　錫

盲腸炎

處　方

金銀花 薏苡仁 18·75g、牧丹皮 瓜蔞仁 當歸各 9·375g 桃仁 大黃各 3·75g

誠信漢醫院　金　義　光

盲腸炎

處　方

加味丹當湯

薏苡仁 牧丹皮 各 18·75g、金銀花 11·75g、大黃 當歸各7·5g、瓜蔞仁 桃仁各 5·625g、玄參 11·25~18·75g

延壽堂漢醫院　韓　熙　錫

急慢性盲腸炎

處　方

藿香正氣散本方에 小茴香 18·75g、沙蔘 11·25g를 加用한다。

用　法

水煎服、急性엔 2~3貼、慢性엔 1~2劑、空心服한다。

同友利漢醫院　申　昌　秀

急慢性 盲腸炎

處　方

蟠葱散 加 藿香 小茴香各 5·625g

松江漢醫院　尹　璇　基

急慢性盲腸炎

處　方

雙解散：大黃 黑丑炒各 7·5g、桂皮 白芍藥 澤舍 桃仁各 3·75g、甘草 2·625g、金銀花 海東皮各 9·375g、玄蔘 牛方子各 3·75g、干五

註

急性 2～3貼
慢性 5～10貼

朴鍾坤漢醫院　朴　鍾　坤

夏節流行性痢疾

處　方

山査 白芍藥各 7·5g、厚朴 白朮 木香 黃芩 黃連 各 3·75g 神曲 只角 乾干各 2·625g、地楡 甘草 各 1·875g

長安漢醫院　嚴　基　貞

痢　疾

原　因

細菌性 及 아메바性으로 來하며 區分한다。

症　狀

前者는 法定傳染病에 屬하며 發熱과 腹痛에 裏急後重症이 現하고 腸出血이 有하면 赤痢、無하면 白痢라 한다。

處　方

加味香砂平胃散：蒼朮 7·5g、陳皮 香附子各 3·75g、只實 藿香各 3g、厚朴 砂仁各 2·625g、木香 甘草各 1·875g、良干 檳榔各 1·875g、干三

用　法

每食後1時間에 服用 三貼程度

東源漢醫院　尹　四　源

痢疾(特方)

原　因

處　方

當歸 白芍各 18·75g、 檳榔 木香各 7·5g、 蘿卜子 乾干各 3·75g

弘益漢醫院 辛 潤 浩

痢疾

症 狀

泄瀉後 痢疾

處 方

加味養胃湯

蒼朮 7·5g、 厚朴 陳皮 半夏 赤伏 藿香 白芍 黃芩 神曲 只實 黃連 檳榔各 3·75g、 木香 人蔘 草果 甘草 各 1·875g、 干三 棗二

尹鳳潤漢醫院 尹 鳳 潤

痢疾(赤白區別없음)

原 因

處 方

良干 檳榔各 18·75g、 蒼朮 香附 陳皮各 3·75g、 只實 藿香 厚朴 砂仁各 3g、 木香 甘草各 1·875g

有情漢醫院 吉 埈 賢

赤白痢

處 方

加味當芍湯

當歸 白芍藥各 18·75g、 車前子 10·8g、 只角 檳榔 蘿卜子 木香 甘草各 5·625g

針 治

合谷 手三里

東一漢醫院 朴 寅 商

赤白痢疾

處 方

達原散：檳榔 柴胡 羌活 葛根 厚朴 黃芩 白芍 知母各 3·75g、 草果 甘草各 1·875g

註 挾滯에 山査 7·5~11·25g를 加用함。

用　法 水煎服 1日 3回 空心服이可。2~3貼限

朴鍾坤漢醫院　朴　鍾　坤

白　痢

處　方 厚朴 30g、乾干 15g、肉豆久 木香 檳榔各 7·5g

用　法 煎湯 空心服 一貼을 二回分服 二貼 有効 (通治方)

裕林漢醫院　尹　載　亨

赤　痢

處　方 厚朴 15g、乾干 7·5、黃蓮 木香 檳榔各 3·75g

用　法 煎湯空心服 二貼有効

裕林漢醫院　尹　載　亨

大腸炎(赤白痢)

處　方 白芍藥 11·25g、當歸 乃卜子 車前子各 7·5g、只角 檳榔 木香 滑石 甘草各 3·75g

濟衆漢醫院　金　鍾　寅

急性大腸炎(赤白痢)

症　狀 微熱

處　方 玄之草 白芍 地楡 葛根各 7·5g、當歸 肉豆久 訶子 澤舍各 5·625g、黃芩 黃蓮代(黃栢) 金櫻子 山

藥 陳皮 神曲 山査各 3·75g、 桂皮 檳榔 貢砂仁 甘草各 1·875g

長安漢醫院 嚴 基 貞

急性大腸炎

原 因

食傷

症 狀

赤白痢 微熱 腹痛

處 方

陳皮 白芍藥 地楡炒 葛根各 7·5g、 當歸 肉豆久 訶子 山査各 5·625g、 黃芩 日黃蓮 金罌子 陳皮 神曲各 3·75g、 檳榔 唐木香 甘草 貢砂仁各 2·625g

註

日黃蓮代黃栢

用 法

1日 3回 水煎食後 2~3時間服用

東濟漢醫院 徐 冠 錫

七情所致 大便不利 및 胸痞

處 方

忿心氣飮

蘇葉 4·4g、 炙甘草 2·625g、 半夏 只殼各 2·25g、 陳皮 靑皮、木通 大腹皮 桑白皮 木香 赤伏苓 檳榔 蓬朮 麥門多 桔梗 桂皮 香附子 藿香各 1·875g、 干三

用 法

3~5貼 限 煎服

東保漢醫院 朴 一 洪

腸出血

處 方

加味升陽湯 : 白朮土炒 7·5g、 黃芪 5·625g、 人蔘 3·75~18·75g、 神曲炒 3·75g、 當歸 炙甘各 2·625g、 升麻 柴胡各 1·125g、 黃芩 0·75g、 乾干炒黑 7·5g、 荊芥炒黑 3·75g

用 法

1日 3回 水煎空心服하는데 每服에 貫中炒黑末 3·75g 式을 調服함。 10貼功效

홍漢醫院 洪 慶 杓

扁桃腺炎

感冒等에서 發하며 急性은 惡寒疼痛에 扁桃腺은 發赤腫脹하고 嚥下困難하며 往往膿化한다。慢性은 그 治愈極히 困難하다。

●藥物療法

(一) 加味淸冷散 서울 金 時 用 提供

桔梗 一錢五分 치子 連翹 黃芩 防風 只角 黃連 當歸 乾地黃 黃栢 蜜炒 知母 天花粉 甘草 各一錢 薄荷 白芷 各五分

(二) 三寶散 서울 金 昌 浩 提供

五倍子 白번 全虫等分爲細末하여 腫脹部에 少量吹入하면 神効하다

鍼灸療法

1. 針治는 天柱 風池에 各五分 强刺하고 兩少商穴에 刺針出血 하면 有効하다。

咽頭炎

本病은 感冒및 飮酒等에서 發하며 咽候部는 異常乾操하며 疼痛嚥下困難症이 現하고 咯痰이 漸次增加된다 慢性에 在하여는 治療頑强하다。

●藥物療法

1。加味淸火湯 江原道 李 時 淵 提供

玄蔘 二錢 桔梗 甘草 各一錢 白芍藥 熟地黃 當歸 川芎 黃柏 童便炒 知母 天花粉 牧丹皮 金銀花 五加皮 大黃 白芷 各一錢 干[illegible]

(二) 硼砂吹入法 仝 上

硼砂 二錢 黃丹 靈砂 各二分爲細末하여 咽候內로 吹入하되 一日數次로 施藥하면 即時立効한다。

●鍼灸療法

1。針治는 天柱 風池에 五分强刺戟을 與하고 照海에 八分 最强의 刺戟을 與하면 神効하다。

食道痙攣症

主로 神經中樞疾患에서 來하며 其主徵은 嚥下困難과 食道狹隘의 感과 同時에 疼痛이 發하며 甚者는 食物의 送下을 不許하고 特히 婦人에 多現한다。

●藥物療法

(一) 加味淸火湯 和田遺方

玄蔘 二錢 白芍藥 熟池黃 薄荷 丁香 唐木香 當歸 川

芎 黃栢 知母 天花粉 吉梗 甘草 各一錢 水煎하여 龍腦 一錢 調服하면 神効하다。

(二) 吹 喉 散

硼砂 龍腦 辰砂 鷄内金…等分爲末하여 喉中에 吹入數次하면 神効하다。

●鍼 灸 療 法

針治는 天柱 風池에 六分 단중에 下斜刺一寸하고 合谷으로 各各 最强의 刺戟을 與하면 有効하다。

胃酸過多症

酒精濫用 精神感動等 連續되는 胃의 刺戟은 本病의 原因이 되며 食后呑酸嘈雜하고 疼痛을 發하며 舌苔는 無하다。

●診 斷

食後 一時間後 痛症이 發할時에 重炭酸 「나트륨」(소다)服用함에 疼痛은 即止된다。 然而諸胃疾患에 本症이 並發함이 常例로 되었다。

●藥 物 療 法

(一) 加 味 香 平 散

蒼朮 山査肉 二錢 陳皮 厚朴 乃卜子 香付子 半夏 砂仁 乾干 白芍藥 各一錢 丁香 木香 甘草 各五分。

(二) 安 氣 丸

草治四兩重을 鼠目太 一升(大升)과 同煎하고 다음 乾燥하여 二種이 合한데로 爲末糊丸 梧子大하여 一回二十丸乃至二十五丸式 一日三回 服用한다。 모든 慢性胃痛이 久服에 完治된다。

(三) 牡 白 散

牡蠣分 白朮 白豆久 意以仁 丁香 乾干 甘草 各一兩爲末하여 一回一錢式 一日三回服用。

●鍼 灸 療 法

1。 針治는 中脘에 一寸五分 最强刺하고 胃兪에 內下斜刺 一寸五分 輕刺한다。

2。 灸治는 慢性者에 限하여 脾兪 胃兪 三焦兪로 一回七壯式 施灸한다。

胃 炎

本病은 急性은 俗에 急滯라하고 慢性은 久滯라 하며 暴食에서 發한다。 그 症候는 惡心嘔吐에 噯氣疼痛하며 消化不良과 胃部膨滿症이 現한다。

●藥 物 療 法

(一)加味養胃湯

蒼朮 山査肉 二錢 陳皮 神曲 麥芽 檳榔 枳實 蘿卜子 砂仁 草果 厚朴 香付子 丁香 甘草 各一錢 薑三 棗二 水煎服에 有効하다。

(二)安 氣 丸

胃酸過多症部에 記録되였음。

●鍼灸療法

1。針治는 中脘에 一寸五分 手三里에 八分 最强刺戟을 與한다。

2。灸治는 胃兪 三焦兪 脾兪에 各各七牡式 施灸한다。

胃潰瘍

本病은 胃壁의 一部에 潰瘍을 形成하여 食後에 極甚 胃痛을 發하여 出血이 有하며 食慾은 不變하고 眩暈및失神等이 現하며 惡性일時는 往往穿孔性 腹膜炎을 誘發시킨다。

●藥物療法

(一)加味蔘朮湯 和田遺方

黃芪 三錢 鹿茸 人蔘 黃精 白朮 白伏令 神曲 麥芽 厚朴 陳皮 山査肉 只實 白芍藥 砂仁 甘草 各一錢 水煎服에 有効하다。

(二)入 白 散 仝 上

牡蠣 砂仁 各五兩 人蔘 白朮 意以仁 橘皮各三兩 草果 丁香 甘草 各二兩 爲細末하여 一回二丸式 空心服하면 有効하다。

●鍼灸療法

1。針治는 對症療法에 不過하고 灸治는 下胸部 華陀穴에 愈病爲度로 施灸하면 完治可能하다。

【註】此症에는 無刺戟性의 流動性으로 營養分이 充分한 食物을 攝取하며 上記藥物을 適當히 服用하고 또 施灸를 兼하면 確實히 目的를 達할수 있다。

胃痙攣

本病은 俗에 가슴앓이 라는것이며 胃部에 極甚한 疼痛과 冷汗이 流出하고 手足이 厥冷하며 往往人事不省에 陷한다。또胃部에 强壓을 加하면 疼痛이 稍緩 하고 慢性化되면 反覆發作이 起한다。

●藥物療法

(一) 加味大補湯 濟南遺方

附子炮 二錢 人蔘 黃芪 白朮 白伏令 熟地黃 當歸 白芍藥 川芎 肉桂 甘草炙 黃精 玄故索 各一錢 干三 召二 水煎服에 有効하다 此方은 慢性患者의 平素에 服用之劑요 發作時는 不可하다。

●鍼灸療法

1。針治는 中脘에 一寸五分 上三里 下三里및 梁丘에 八分各各 最强의 刺戟을 與하고 施術이 適切하면 可謂 百發百中이라 하겠다。此方은 發作時에 限한다。

胃下垂症

此症은 胃筋의 無力에서 發하며 胃部는 壓重하고 膨滿牽引하며 消化不良에 頭痛倦怠感이 있고 腹部를 振蕩하면 水音을 發하며 治療는 極히 緩慢하다。

●藥物療法

(一) 加味蒼朮煎 郡山 李榮根 提供

蒼朮 三錢 半夏 赤伏令 二錢 澤瀉 陳皮 人蔘 川芎 白朮 各一錢 干三 水煎服이면 胃中水音은 未現한다。

(二) 加味補益湯 仝 上

黃芪 山藥 一錢五分 人蔘 白朮 當歸 陳皮 熟地黃 澤瀉 赤伏令 甘草 鹿角膠 各一錢 丁音 只實 木香 各五分 水煎服하되 上記의 蒼朮煎을 二三日服用한後 此藥으로 補하면 有効하다。

●針灸療法

1。針治는 中脘에 一寸五分 輕刺戟을 與하고 不胸椎및 腰椎兩傍橫突起間에 五分單刺針을 施한다。

2。灸治는 下胸部 華陀穴에 愈病爲度로 施灸하면 有効하다。

胃擴張症

本病은 暴飮暴食에 依하여 神經性胃筋弛緩에서 發하며 食後胃部 膨滿하고 下腹은 壓重하여 胃部을 振蕩하면 水音을 發한다。

●藥物療法

(一) 加味健脾湯 伊允遺方

人蔘 白朮 各一錢五分 當歸 川芎 白伏令 藿香 附子 厚朴 陳皮 山査肉 乾干 肉桂 各一錢 只實 砂仁 白芍藥 神曲 麥芽 甘草 各七分 干三 召二 水煎服하면 有効하다。

(二) 加味補中湯 水原 金太五 提供

黃芪 山藥 各一錢五分 人蔘 白朮 當歸 陳皮 熟地黃

澤瀉 白伏令 甘草 鹿角膠 各一錢 丁香 只實 木香 各五分 水煎服。

(三) 健 中 散 仝 上

人蔘 鹿角霜 白伏令 丁香 乾干 桂皮 砂仁 意以仁 甘草 各二兩式 混合 爲末하여 一回一錢式 一日三回食遠服에 有効하다。

(四) 養 胃 丸 西 回 遺 方

人蔘 蒼朮 苦蔘 意以仁 丁香 桂炎 砂仁 陳皮 各三兩式 混合爲末하여 蜜丸梧子大하고 一回二十丸式 一日三四回食遠服하면 有効하다。

胃酸缺乏症

本病은 無力体質者 또는 모든 胃疾患에서 起하며 그 症은 胃部膨滿하고 消化不良에 便秘를 訴한다。 此疾患은 胃酸分泌神經이 弱化되여 그 作用이 不充分한데 基因한다。

●藥 物 療 法

(一) 加 味 地 黃 湯 今井遺方

山茱萸 三錢 黃精 二錢 熟地黃 山藥 澤瀉 白伏令 牧丹炎 當歸 白芍藥 川芎 菰蔞仁 乾葛 各一錢 水煎服에 有効하다。

●鍼 灸 療 法

1。針治는 中脘에 一寸五分 輕刺하고 梁丘에 强刺한다。

2。灸治는 下胸部 華陀穴에 長期施灸하면 完治可能하다。

【註】 爾餘의 胃疾患에는 各條下을 參照하고 適宜應用하면 可하다。

腸 炎

暴飮暴食과 腐敗의 食物等에서 發하며 下痢腹痛과 粘液便에 鼓腸이 有하고 漸次로 營養障碍에 陷한다。 區分하여 說明하면 十二指腸炎일 時는 不消化便이 排出되고 大腸炎일 時는 水瀉가 甚하고 直腸炎일 時에는 裡急後重으로 各各相異하게 現한다。

●藥 物 療 法

(一) 加 減 建 中 湯 今井遺方

白芍藥 三錢 陳皮 肉豆久 白伏令 黃蓮 束角 黃芩 厚朴 甘草 各一錢二分 水煎服에 即効。

(二) 加 感 六 神 丸 仝 上

肉豆久 破古地 乾干 人蔘 五味子 康木香 各二兩爲末

密丸梧子大하여 一回三十丸式 一日三回 空心服。

(三) 固 腸 散 兩 南 遺 方

人蔘 山藥 肉豆久 各五兩爲末하여 一回一錢式 一日三回食間服하면 久服에 完治可能하다。

(四) 安 氣 丸

久用하면 頑固한 腸疾患도 完治된다。

(方見胃酸過多症編)

●鍼 灸 療 法

1。針治는 水分에 一寸五分 最强刺하고 三焦俞 腎俞 氣海俞 關元俞에 一寸强刺한다。

2。灸治는 氣海 關元에 一回七壯式 長期施灸하면 頑强한 慢性일지라도 完治可能하다。其他冷積等에도 尤效하다。

腸 神 經 痛

中樞性과 末稍性으로 分하나 主로 食物積滯에서 發하며 또 腸寄生虫에 依한 腹痛도 이 疾患에 包含된다。發作時에 腹部를 强壓하면 輕快하며 疼痛이 極甚之時는 往往人事不省이 된다。

●藥 物 療 法

(一) 加 味 蟠 葱 散 今 井 遺 方

蒼朮 甘草 各一錢五分 草烏 三稜 逢朮 白伏令 靑皮 玄胡索 白芍藥 各一錢 砂仁 丁香皮 檳榔各 七分 官桂 乾干 各五分 葱白一

●鍼 灸 療 法

1。針治는 下三里 水分에 最强의 刺戟을 與한다。

2 .灸治는 慢性者에 限하여 氣海 關元에 七壯式 施灸하면 有效하다。

痢 疾

本病은 細菌性 및아메바 性으로 區分하며 前者는 法定傳染病에 屬하며 發熱과 腹痛에 裏急後重症이 現하고 腹出血이 有하면 赤痢 無하면 白痢라 한다。

●藥 物 療 法

(一) 加 味 養 腸 湯 濟 州 左 洙 珍 提 供

白芍藥 黃連 各二錢 甘草 陳皮 厚朴 木香 訶子 罌粟角 官桂 當歸 肉豆久 只實 各一錢 水煎服하면 即效가 現한다。

●鍼 灸 療 法

1。針治는 水分에 一寸五分 條口에 一寸 各各最强의 刺戟을 與한다。

2。灸治는 氣海 關元에 七壯式 施灸하면 有効하다。

盲腸炎

大便秘結 異物嵌入等에서 發하며 急性에 在하여는 便秘를 前驅하고 右腸骨窩에 劇痛및 腫脹이 發하고 高度의 發熱과 同時에 嘔吐煩渴이 起한다。

●藥物療法

(一) 當歸活血湯　　澤上遺方

大黃酒洗 一錢五分 當歸身 白芍藥 甘草節 黃芪 皂角刺 天花粉 穿山甲 金銀花 木香 靑皮 乳香 沒藥 各一錢 水煎服하면 不過三貼에 和解됨이 常例니라。

(二) 金銀花湯　　仝 上

金銀花 三錢 意以仁 木丹皮 浦公英 天花粉 白伏苓各一錢二分 桃仁十二枚 連交 小回香 車煎子 澤瀉 各一錢 肉桂 三分 全虫 三個 水煎服에 完治可能하다。

(三) 解 氣 散　　全南 李 榮 太 提供

玄胡索 乳香 沒藥 白伏令 大黃 各三兩爲細末하여 一回에 五分式 長久服用하면 再發하는 慢性症도 容易하게 解消된다。

●鍼灸療法

1。急性盲腸炎에는 三焦俞 腎俞 氣海俞 大腸俞 關元俞에 刺針一寸하여 置針一時間以上하되 一日朝夕 二回로 施術하면 可謂百發百中이라할 것이다。

2。灸法은 主로 慢性症에 限하여 有効하다。即 右側의 章門및 章門穴에서 脊椎를 向하여 二寸部와 또下로 向하여 二寸部에 合三穴을 取하고 一回九壯式 一日一回 施灸하면 有効하다。

常習便秘

腹筋肉의 弛緩에 依하여 腹의 蠕動力및 分泌物의 減小等에서 起하고 久時에 亘하는 便秘를 主徵으로 하며 頭痛및 眩暈이 發한다。

●藥物療法

(一) 加味四物湯　　서울 李 基 弘 提供

肉從蓉 三錢 薄荷 熟地黃 當歸 白芍藥 川芎 桃仁 大黃 各一錢 水煎服 한다。

(二) 加味通聖散

滑石 一錢七分 甘草 一錢二分 桃仁 薄荷 各一錢 石古 黃芩 吉更 七分防風 川芎 當歸 赤芍藥 大黃 麻黃連

交 芒硝 各四分半 荊芥 白朮 치子 各三分半 水煎服에 有効하다。

(三) 大黃散　　江原道 金基澤 提供

大黃 三兩 滑石 檳榔 沈香 木香 烏藥 各二兩爲末하여 一回一錢式 一日三回 服用하면 有効하다。

黃疸

胃및十二指腸加答兒 其他肝疾患에서 發하고 眼球結膜및 皮膚小便에 帶黃色하며 全身倦怠가 來한다。此症을 加答兒 性黃疸이라하고 膽주머니에서 十二指腸까지의 輸膽管內部의 炎症으로 管腔이 閉塞되는 故로 膽汁은 腸內의 下行을 不得하고 肝臟에서 直接 血液에 混入됨으로 發한다。

● 藥物療法

(一) 加味四苓散　　江原道 黃上雲 提供

茵陳 五錢 澤瀉 木通 各二錢五分 猪苓 赤伏苓 白朮 車前子 各一錢五分水煎服하면 有効하다。

(二) 加味胃令湯　　仝 上

人蔘 白伏苓 白朮 澤瀉 猪苓 藿香 大腹皮 蘿卜子 菌陳 大黃 車煎子 五加皮 甘草 各一錢 水煎服하면 有効하다。

(慢性에 用함)

● 鍼灸療法

1。鍼治는 肝兪 膽兪 脾兪 胃兪 三焦兪 腎兪 內斜刺一寸하여 中度의 刺戟을 與한다。

2。灸治는 中脘 肝兪 胆兪에 各各七壯式 施灸한다。(慢性에 限함)

肝臟炎

飮酒가 主因이되고 其他有毒物質에서 發하며 初期에는 消化不良症이 起하고 右季肋部下에 壓重緊滿하며 按壓에 疼痛을 感하다가 乃終에는 腹水를 兼함이 普通常例가 된다。

● 藥物療法

(一) 加味瀉肝湯　　慶南 尹一權 提供

白芍藥 草龍膽 當歸 川芎 柴胡 牧丹皮 乾地黃 치子 黃芩 黃栢 薏苡仁 玄蔘 五加皮 甘草 各一錢 水煎服에 有効하다。

(二) 消靑散　　濟州 漢峰遺方

草龍膽 黃連 大黃 蘆會 靑黛各等分爲末하여 一回一錢式 一日三回空心服에 有効하다。

(三) 加味瀉青丸　仝　上

秋石二兩 草龍膽 黃連 車前子 木果 치子 各一兩 爲末蜜丸 梧子大하여 一回三十丸式 一日三回服에 有効하다。

【註】肝硬化症等兩餘의 疾患에도 上述한 諸治方에서 適宜參酌하여 應用하면 有効하다。

腹 水

主로 肝患에서 門靜脉血行障碍로 發하며 腹水가 增量될時는 腹部는 壓重緊滿하고 橫隔膜이 擧上되여 呼吸 困難과 心悸亢進에 尿量이 減小된다。

●藥 物 療 法

(一) 加味藿苓湯　坡上遺方

澤瀉三錢五分 藿香 蘇葉 白芷 大腹皮 猪苓 白朮 赤伏令各一錢 厚朴 陳皮 半夏 吉更 甘草各五分 水煎服에 有効하다。

(二) 甘 遂 散　仝　上

甘遂 大戟各一兩 爲細末하여 大棗煎水에 一回五分式 一日三回服하되 細心注意가 必要하며 此方은 二三回服用에 限하고 後治는 下記의 加味地黃湯으로 主之한다。

(三) 加味地黃湯　濟南遺方

熟地黃二錢 山藥 山茱黃各一錢五分 木丹皮 白伏令 澤瀉 白芍藥 當歸 川芎 五加皮各一錢 黃芪 肉桂 人蔘 半夏 甘草各五分水煎服。

●鍼 灸 療 法

1。針治는 大腸俞 小腸俞 關元俞에 一寸強刺하고 全脊椎兩方橫突起間으로 五分輕刺하여 內臟機能을 促進시켜야 한다。

2.灸治는 腰部華陀穴에 七壯式 長久施灸하면 完治. 可能하다。

●急性胃炎(急滯)　大田 郭 錫 俊 先生

一、止 吐 瀉 方

滑石 赤石脂煆 甘草各等分、藿香 生姜汁 食鹽各等分。並炒爲末하여 和合하되 大人은 一回一匙式 使用한다。

二、正 中 湯

半夏 白朮 陳皮 厚朴 乾姜 黃連 藿香 木香 大黃 甘草(重量은 患者의 症狀에 依하여 定할것)

○治急性胃炎 又治藿亂中署 連日宿食(胃中停滯古食物) 夏季特效藥이다。

●急 慢 性 胃 炎　羅州 鄭 燦 玉 先生

加味瀉心湯

半夏 白朮各一錢 人蔘 白茯苓 陳皮 厚朴 乾姜 黃芩 白芍藥 山査肉各一錢 神曲 砂仁各七分 木香 檳榔 黃連 大黃 甘草各五分 召二。

金朮丸

鷄内金三兩 蒼朮二兩 桂皮七錢 黑丑一兩 麥芽 胡椒各五錢 乾漆三錢 綠礬一兩 巴豆霜五分 麝香三分。

右細末糊丸 梧子大 每服二十丸 空心 日三服。

○本方은 諸藥毒을 解하는데도 尤好하다。

●慢性胃炎 서울 李 根 英 先生

食鹽一、五G 麥芽末一、五G 滑石末三、〇G 右一日量分三包 食後三十分服。

●胃腸炎 서울 朱 冕 祐 先生

【主治】 胃腸加答兒 反胃症 嘔吐 泄瀉 胃潰瘍。

加味保胃湯

白朮三錢 白茯苓 黃芪 香附子 龍眼肉 陳皮 乾姜 木香 貢砂仁 白豆久 厚朴 草豆久 藿香 赤石脂 甘草各一錢。

●神經性胃炎(心神過勞食慾不進消 不 症)

滋陽飮 서울 金 東 悅 先生

熟地黃一兩 白何首烏五錢 濃煎空心服。

○右藥을 濃煎時에 精牛肉一兩을 同煎服則尤效。

●胃下垂症 서울 姜 丁 熙 先生

一、半夏瀉心湯

半夏 黃芩乾姜 炙甘草人蔘各一錢半 黃連一錢 干五 召一。

二、加味六和湯

香薷 厚朴 赤茯苓 藿香 白扁豆 木瓜 澤瀉 半夏 陳皮 杏仁 枳實 人蔘 草果 檳榔 黃連 甘草 肉桂 肉豆久各等分 滑石三錢 烏梅一介。

三、加味四君子湯

人蔘 白朮 白伏苓 桂枝各二錢 厚朴 半夏 附子各一錢半 甘草一錢 生姜一根。

○本方은 手足厥冷 恒常微惡寒하는 者에 有效함。

四、生姜瀉心湯

生姜三錢 人蔘一錢半 乾姜一錢 黃芩一錢半 半夏二錢。

五、加味瀉心湯

生姜三錢 白朮 白伏苓各二錢 人蔘 甘草 乾姜 黃芩各一錢 黃連五分 蓮實 澤瀉 半夏 枳實 仙卜花各七分 滑石二錢 厚朴一錢 烏梅二介(二十餘貼 使用함)。

六、加味四君子湯

人蔘 白朮 白伏苓各二錢 陳皮 甘草各一錢 干五 召二。

○豫後 長服을 要함。

七、安 中 散

玄胡索 良姜 砂仁 小茴香 桂枝 牡蠣粉 甘草各等分。
右粉末하여 每一錢重씩 食後 二時間에 溫水服하되 疼痛者는 間間 使用하고 久服은 不可하다。

●胃 攣(가슴앓이)　羅州 鄭 燦 玉 先生

〔主治〕積聚上攻心腹胃脘刺痛

加 味 建 理 湯

桂枝 乾姜炮各一錢五分 人蔘 白朮 白芍藥 白伏苓 當歸 陳皮 唐山査肉各一錢 神曲 砂仁 檳榔 青皮各七分 木香 甘草 川椒各五分 烏梅二介 干三 召二。

●胃 痙 攣　仁川 申 卿 熙 先生

鎭 痛 散

生地黃 當歸 白芍藥各五錢 梔子三錢 蒼朮 肉桂各二錢 良姜一錢 陳皮八分 三貼
○痛甚加乳香末三分調服

●胃 痙 攣　仁川 申卿熙 先生

香附子 玄胡索醋炒各三錢 蘇葉 烏藥 陳皮各一錢 竹茹 乾姜 甘草各五分。

●胃 痙 攣　서울 金 昇 起 先生

(處方) 龍眼肉七錢 肉桂四錢 半夏 陳皮 玄胡索各二錢 檳榔 伏苓各一錢 川椒五分 干五。
○熱에는 去肉桂 加柴胡三錢 黃芩二錢 梔子 青皮各一錢。
○虛에는 加人蔘三—五錢 白朮二錢。
○實에는 加龍胆草 大黃各一錢。
○蛔厥에 加苦楝皮三錢。
○痰厥에 加南星炒一錢。
○食厥에 加貢砂仁二錢。
○小腹痛에 加茴香一錢。

●胃 痙 攣　서울 金 晩 軾 先生

加味建中湯

白芍藥六錢 桂枝 黃芪 當歸 神曲三錢 甘草二錢 砂糖大一匕 干五 召四 二—三貼。

●胃 酸 過 多 症　서울 孟 華 燮 先生

消 食 清 鬱 湯

陳皮 半夏姜汁炒 白伏苓 神曲炒 山査去核 香附米 川芎 麥芽 枳殼麩炒 梔子炒 黃連姜汁炒 蒼朮米泔浸 藿香 甘草各七分 干三。

●胃 酸 過 多 症　公州 文 重 大 先生

(主治) 心服醋痛及十二脂腸潰瘍

加味和胃湯

牡蠣粉 鷄内金各二錢 神曲 白伏苓 白芍藥 梔子各一錢半 蒼朮 陳皮各一錢 川芎 便香附 半夏 元甘草 各八分 黃連 乳香 沒藥各五分。

一日 二三貼 食間服 一劑—二劑。

●胃酸過多症 서울 韓祚海 先生

赤白丸

枯白礬三兩 赤石脂一兩 右二味 共細末 鷄卵白清爲丸梧子大 每食後 温水服二十丸 日三回 五日痛止。

○本方은 胃潰瘍의 腹痛에도 亦效함。

●胃潰瘍 大田 李炳幸 先生

(處方) 山黃芪鹽水炒三—五錢 陳皮 金銀花各三錢 人蔘二—三錢 天花粉二錢 藿香 土防風 當歸 川芎去油 唐白芷 桔梗 厚朴(去皮姜製) 穿山甲炒黃 皀角刺 大黃酒蒸 香附子 白朮 蒼朮 甘草各一錢 木香 檳榔 白豆久各七分。

食遠 日兩服하되 一劑면 胃脘刺痛이 止하고、四五劑면 完治한다。但 飮食不注意면 無效이다。

●胃潰瘍 清州 卞榮卨 先生

加味二陳湯

半夏二錢 陳皮 白伏苓各一錢半 甘草一錢 黃芩酒炒 黃連 枳殼 桔梗 檳榔 木香 神曲 麥芽 砂仁各一錢。

○食不下 大便不通者는 先用通幽湯하여 通其幽門하고 前方을 限差爲度로 服用할것。

●胃潰瘍 羅州 鄭燦玉 先生

加味安中散

桂枝二錢 玄胡索 牡蠣粉各一錢半 當歸 白朮 小茴香 大黃皮 砂仁各一錢 黃芩 半夏 神曲 乾姜 良姜 甘草灸各五分 痛甚加沒藥五分。

●胃潰瘍 忠州 朴炳斗 先生

(症候) 呑酸 胃脘痛 反胃 嘔吐

四合湯

半夏姜製 陳皮 赤伏苓 枳殼各一錢半 青皮 香附子 桔梗 姜黃各一錢 甘草五分 干三。

○服藥中 酸鹹苦辛과 肉類를 忌함。

●胃潰瘍 서울 王熙弼 先生

螺絲殼散

螺絲殼火煆 右細末 日三回服。

●胃癌 서울 許在淑 先生

第一方 排氣解鬱湯

香附子三錢 龍眼肉二錢 陳皮 蒼朮 沈香 蘇葉 烏藥 川芎
山査 枳殼 神曲 檳榔 甘草各一錢 干三。

第二方 加味治中湯

人蔘三錢 乾姜炮 桂枝 龍眼肉各二錢 白朮 白芍藥炒 陳
皮 青皮 沈香各一錢 甘草五分。
以上 二方을 一日三貼씩 交替服用한다。

調理方 健理解鬱湯

人蔘三錢 乾姜炮 桂枝各二錢 蘇葉 烏藥 川芎 香附子 白
朮 白芍藥炒 沈香 枳殼 神曲 山査 檳榔各一錢 甘草五分。

●牛 肉 滯 斗庵家傳方

阿魏五錢水煎服

●牛 肉 滯 江陵 鄭 然 懋 先生

加 味 平 胃 散

龍葵五錢 蒼朮 山査肉各二錢 陳皮一錢四分 厚朴一錢甘
草六分 干三 召二。

●牛 乳 滯 서울 申 佶 求 先生

龍葵一兩 山査肉五錢 紫丹香二錢。
石 清水煎 取汁 茶匙로 每三分마다 一匙씩 服用케하여
以差爲度。 量兒大小하여 茶匙量을 增減한다。

●猪 肉 滯 華城 趙 智 行 先生

加 味 養 胃 湯

蒼朮一錢半 陳皮 厚朴 半夏各一錢二分半 赤伏苓 藿香各
一錢 人蔘 草果 甘草各五分。

●猪 肉 安養 具 泰 龍 先生

加 味 平 胃 散

蒼朮二錢 陳皮一錢二分 厚朴一錢 甘草六分 石膏五錢干
三 召二。

●狗 肉 滯 大田 趙 忠 熙 先生

紫丹香 杏仁各三錢 煎服即效

●鷄 肉 滯 江陵 鄭 然 懋 先生

加 味 平 胃 散

蘇葉五錢 蒼朮 山査肉各二錢 陳皮一錢四分 厚朴一錢
甘草六分 干三 召二。

●鷄 肉 滯 華城 趙 智 行 先生

(處方) 養胃湯加五味子三錢。

●諸 肉 滯 서울 申 佶 求 先生

加 味 内 消 散

龍葵五—七錢 陳皮 半夏 白伏苓 枳實 山査肉 神曲 香附
子 三稜 蓬朮 紫丹香 乾姜 蘿卜子各一錢 二—三貼。

●牛猪肉食中毒危重症 서울 韓 祚 海 先生

加 味 行 氣 香 蘇 散

蘇葉 陳皮 蒼朮 香附子 烏藥 川芎 羌活 枳殼 麻黃 甘

草各一錢 山査肉去核五ㅣ七錢。

●酒滯 서울 申信求 先生

(處方) 對金飮子 또는 平胃散에 오리나무細枝 또는 葉을 五錢ㅣ一兩加用한다。

●胃痛 三陟 黃桂先 先生

安痛散

葛根 海松葉 玄草 白朮各一兩 陳皮七錢 牡蠣粉 甘草各五錢。

石細末 一回八分 一日四五次 溫水 또는 冷水服。 便秘加大黃末一回二分。

●胃心痛 大邱 申鉉德 先生

白朮一錢半 人蔘 附子 白伏苓 乾姜各一錢 檳榔 靑皮 砂仁 使君子 木香各七分 桂皮 甘草各五分 烏梅一個。

●胃出血 水原 金在鳳 先生

(症候) 一日四五回吐血 吐血時咽喉痒 咳後吐血。

加味犀角湯

生地黃三錢 赤芍藥一錢半 牧丹皮一錢 犀角鎊七錢ㅣ一兩 地楡 莉芥炒 蒲黃炒各一錢。

一日二貼 空心服。

●瀉霍乱轉筋 大邱 金在誠 先生

木果湯

木果四錢 陳皮 藿香各三錢半 厚朴 吳茱萸各二錢 猪苓 澤瀉 小茴香 丁香 唐木香各一錢。

不過二貼而愈。

●暑滯 서울 白南道 先生

人蔘養胃湯合淸暑六和湯 三貼内外奇效。

●嘔吐症 서울 李基榮 先生

加減比和飮

人蔘五錢 白朮 白伏苓 神曲 白豆久各一錢 藿香 陳皮 砂仁 甘草各五分 陳米一合 干三 召二。

腸病

●慢性腸炎 全州 金昌軒 先生

活腸湯

金銀花 白芍藥 熟地黃 山藥 枸杞子各二錢 人蔘 麥門冬 當歸 香附子 黃連 地楡各一錢 烏梅一介。

●慢性腸炎(腎泄) 金正基 先生

加味眞武湯

人蔘五錢 熟地黃四錢 白芍藥酒炒 白伏苓 厚朴 乾姜炮各二錢 附子炮 肉桂 白朮 陳皮 吳茱萸各一錢半 破故紙 五味子 甘草各七分 貢砂仁五分 干三 召二。

一日三回(再湯包含) 食遠服(食後三時에 微温服) 忌
鷄猪酒麵 生冷物等。

●**腸 炎** 서울 李 昌 彬 先生

江芎藥 黃連 大黃各一錢半(他藥半煎以後再煎) 厚朴 木
香 檳榔各一錢二分 當歸尾 赤伏苓 桃仁泥各八分 滑石八
分 朴硝一錢二分調服。

●**일레우스(絞腸症)** 春川 潘 昌 均 先生

第一方 加味黃連湯

滑石 澤瀉 黃連各二錢 人蔘一錢半 半夏 乾姜 桂枝 羌活
各一錢 甘草五分 干三 召二。

第二方 加味生脈湯

麥門冬去心 人蔘各三錢 蓮子肉 白朮 龍眼肉各二錢 五
味子一錢 烏梅三枚 干五。

먼저 鍼으로 大腸正格(舍岩訣)을 쓰고、다음 備急丸
三丸으로 下泄케한後에 上方을 選用한다。

●**痢 疾** 서울 朴 一 洪 先生

(主治) 裏急後重 服痛이 甚하다가 痢疾化한者。
貢砂仁一兩 玄胡索二兩併炒。 石榴細末 一回三錢重 日
三回 空心 温水呑下。

●**痢 疾**(通 用) 大田 趙 忠 熙 先生

山査 檳榔 生姜各五錢 三五貼。

●**痢 疾**

蒼 樗 湯

蒼耳子 小白皮 訶子皮各三錢 陳皮 當歸 白芍藥炒 玄草
各二錢 干十五 召二十一 日二貼 食間空服 三-六貼。
○赤痢 白痢에 皆効함。

●**赤 白 痢** 서울 金 丁 柱 先生

加 味 三 白 湯

白芍藥三錢 白朮 白伏苓 山藥 烏藥 五味子各一錢 黃芩
黃連 地楡各五分 甘草三分。
甚者加小白皮一錢、或加虎尾草一握。

●**腸 出 血**(腸風下血) 서울 申 佶 求 先生

加 味 止 血 四 物 湯

龍芽草五錢 生地黃 當歸 白芍藥 川芎各一錢半 地楡 蒲
黃 阿膠 金銀花各一錢。

●**便 秘** 서울 許 在 淑 先生

潤 腸 湯

熟地黃五錢 當歸三錢 桃仁 陳皮 黑荏子炒各二錢 枳殼
麻仁碎 甘草各一錢 限十貼

●**便 秘**

甘遂一錢、蕎麥粉二錢。

右 加水調膏하여 臍中 또는 臍下堅處에 貼付한다。

●便 秘
서울 金 東 悅 先生

潤 腸 湯

當歸尾五錢 大黃三錢 牧丹皮三錢 枳實 甘草各一錢。

●便 秘
서울 陳 罡 先生

利 氣 丸

大黃 二十兩 黑丑十二兩半分生 黃栢六兩 良姜三兩二錢 木香 厚朴姜製 檳榔 陳皮 枳實 蓬朮 肉豆久各一兩六錢。右作末 糊丸梧子大 量人强弱 溫水下 三ㅣ四十丸。

○新久를 勿論하고 便秘에 通用하는데 服之二十日이면 永不再發한다。

●老人血燥便秘
서울 金 長 凡 先生

第一方 何首烏湯

金銀花五錢 赤何首烏三錢 白何首烏二錢 甘草五錢 限十貼。

第二方 加味四物湯

當歸 芎藥 川芎 熟地黃各二錢半 檳榔 枳殼 桃仁各一錢 草決明五錢 大黃一錢 或加肉蓯蓉二錢尤好。

第三方 消便湯

草決明一兩 大黃二錢 水煎服。

循環器系疾患

心臟 疾患에 對한 小考

心臟은 五臟六腑의 大主가되며 其組織이 堅固하야 邪氣가 容納치 못하나 心臟 機能이 弱化되어 邪氣가 容納된즉 心傷하고 心傷한즉 神去하고 神去한 즉 死亡한다고 하였다。

이같이 人身本에서 第一重要한 것이 文字 그대로 心臟疾患에 對한 筆者의 臨床經驗에서 얻은 知識과 經驗方을 소개하여 讀者諸賢에게 多小라도 참고가 된다면 甚幸 일가한다。

心臟의 機能은 左心과 右心으로 大別해서 診療하는 것이 漢方診療의 特色이라 하겠다。

左心은 大循環(一名 身體循環)을 主管하고 右心은 小循環(一名肺循環)을 主管하는 役割임으로 左心의 疾患과 右心의 疾患은 症勢가 相逢되어 따라서 治療에도 判異하게 다르다는 것은 臨床家로서 熟知의 事實일 것이다。

左室型急性 心臟內膜炎

原 因

① 傳染性熱病이나 産褥熱 化膿性 扁桃腺炎等으로 因한 化膿性병균이 心臟內部에 감염되어 心臟內膜이 完全 폐쇠되어 機能을 不可能케 되는 것이다。

② 僧帽辨에 傷處로 因하여 全身血液運行이 원활치 못하고 肺循環의 鬱血이 生起게 됨으로 他病誘發의 基因이 되는 것이다。

症 狀

이 病은 急性熱病과 같이 高熱이 계속되어 解熱劑를 使用 服用 하여도 退熱이되지 않고 症勢는 惡化되기가 常例인데 筆者는 高熱이 계속되는 患者에게 左室型急性心臟內膜炎으로 診斷을 내리고 小柴胡湯을 投藥하여 一週間服用 시킨바 증세가 好轉되어 卓効를 거둔 일이 있다。

處 方

小柴胡湯

柴胡11·25g、黃芩7·5g、人蔘 半夏各3·75g、甘草 2·8125g 干三 棗二

右室型急性 心臟內膜炎

原 因

肺에 血液을 循環시키는 部分이 右心인데 其中에 三尖辨이 病菌감염으로 急激히 內臟에 鬱血症狀이 일어나는 疾患이다。

症 狀

이 病의 本態는 前述한 左室型과 大同小異하고 病이 侵犯한 辨膜만 다를 뿐임으로 亦是 治療에서도 小柴胡湯本方에 桂枝 3·75g만 加한다。

處 方

小柴胡湯 加桂枝 3·75g

心臟辨膜病(左室及右室心臟辨膜)

原 因

普通 心臟病이라 칭하나 가장 主要한 原因은 急性心臟內膜炎이요 其外脈管硬化症 辨膜瘤、辨膜破裂 心臟衝擊等인데 其他 急性關節炎 류마지스 經過中에 起因하는 例도 있다。

症 狀

俗談에 손톱곪는 줄은 알아도 염통 곪는 줄은 모른다는 말과 같이 心臟의 肥大擴張의 度가 어느 限度에 達하기 까지는 顯著한 症狀이 없으나 心臟의 心筋機能이 이완됨에 心臟의 代償機能이 鈍化하게 되면 病者는 强한 心悸亢進 呼吸促迫을 하고 四肢는 紫藍色을 나타내는 일이 있으며 心尖搏動은 微弱하고 喘과 不正脈을 現하여 其外皮膚浮腫을 나타내며 即足背와 下腿部로부터 大腿部에 波及되며 점차 全身顏面까지 浮氣가 生起고 血液循環이 緩慢하게 됨으로 體溫이 下降하여 手足은 冷却되고 其他 腎臟 肝臟 肺呼吸器系統과 胃腸까지 鬱血症狀을 併發하게 되는 것이다。

※心臟代償機能障害의 原因은 心身運勞 暴飮 過食 房事過度 其他 妊娠分娩等이 最大의 原因이 되고 生活環境에 따르는 七情 即 喜·怒 憂·思 悲 恐驚의 急擊한 衝擊으로 오는 것이 또한 主要한 原因으로 보겠다。 이와 같이 血液循環이 緩慢하여 心臟에서 輸送되는 輸血能力이 弱化되는데 이 輸血不全의 狀態로 左心과 右心이 相逢되며 治療藥도 不同한 것이다

左室心臟辨膜病(眞武湯)

茯苓 白芍 生干各2·25g、白朮 11·25g(或脈이 沈細無力하면 人蔘7·5—11·25g을 加할 수 있다)

本方은 利用作用으로 全身浮腫을 除去하며 心臟을 補하는 同時 心臟衰弱을 回復시키는 効能이 顯著하다

右室心臟辨膜病(苓桂朮甘湯)

白茯茯 18·75g、桂枝15g、白朮 甘草 各 9·375g。

이 病은 全身浮腫이 特徵이다。 利尿와 發汗으로 心臟衰弱을 防止하고 過勞하지 않게 하는 處方이다。 輕한 心臟辨膜症이라 할 때는 平素本方을 用하면 浮腫을 예방하고 心悸亢進 呼吸促迫 心臟衰弱等을 未然防止할 수 있다。「지기다리스」製劑같은 强心劑는 心臟機能이 失調되었을 危機에는 不可缺 할 救急藥이지만 始終長期投藥할 때는 도리혀 心臟을 過勞시켜서 生命을 短縮시키는 結果를 招來할 우려가 있는 것이다。

醫學이 發達되어 人工心臟 이식에 成功하였다 하드라도 人間本然의 自然心臟機能을 健康하게 維持함에서 더 以上 좋은 醫學은 없을 것이다。

本苓桂朮甘湯은 基礎的인 根本으로부터 强心藥으로 長期投藥하여도 害毒을 끼치는 副作用은 全혀 없다。

其外에는 心囊炎 痼疾性心臟性喘息等의 다양한 疾患이 있으나 다음 期會로 미루고 끝을 맺인다。

성제漢醫院 崔 長 福

心臟辨膜症(脈結數 怔冲 不安 焦燥)

處 方

橘皮 11·25g、半夏 麥門多去心 桔梗 黃芪 人蔘 白茯苓 天門多 當歸 山棗仁 竹茹 菖蒲 白芍藥各 3·75g 燈心 熟芐 地骨皮 甘草各 1·875g 英蘭 0·375g 干三 棗二

用 法

1日 3回 水煎食後 2~3時間服用함。

東濟漢醫院 徐 冠 錫

血虛喘息(呼吸促急)

處 方

熟芐 30g、甘草 7·5g、當歸 11·25g、麥門多 五味子各 3·75g

用法

水煎하여 1日3回食間으로 服用한다。1〜2劑程度

大元漢醫院 卞 晙 燮

喘 息

處 方

白茯 18·75g、香付子 半夏 陳皮各 7·5g、竹茹 遠志 菖蒲 元肉各 5·625g、只實 甘草各 3·75g

有情漢醫院 吉 埈 賢

高血壓 神経性及 心臟熱火

處 方 加味正氣散

藿香 羌活 防風 烏藥 木果各5·625g 蘇葉 白芷 白茯苓 厚朴 白朮 陳皮 半夏 酸棗仁各3·75g 黃栢 日黃連 梔子各2·625g 大卜皮 吉更 甘草各 1·875g 英蘭 0·375g

※但 実者 南星 唐木香各3·75g 加하고 虛者 四物湯을 加함

東済漢医院 徐 冠 錫

高血壓(虛症 潮熱 後頭痛 疲勞多)

處 方

當歸 川芎 白芍藥 熟苄 黃芪 何首烏 希莶各7·5g、黃栢 鈎鉤藤 柴胡各 3·75g、英蘭 0·37g

用 法

1日 3回 水煎食後 2〜3時間服用함。

東濟漢醫院 徐 冠 錫

本態性高血壓症

處 方

熟地黃胡桃大 白何首烏 75g

用 法

上記藥 水煎하여 1日 4〜5次 分服함 (1週日정도 服用)

德壽漢醫院 南 完 洙

症候性高血壓症

處 方

槐花 蠶麥

用　法

上記藥同量水煎하여 1日 4～5次分服함。漸次降下(1週日정도可)

德洙漢醫院　南　完　洙

神經性高血壓

處　方

養血安神湯 生地黃 白茯神 白朮 山棗仁炒 當歸 川芎 白芍各 7·375g、陳皮 3·75g、日黃蓮 梔子仁 甘草各 3g

註

便秘에 大黃 黃芩各 1·875～3g를 加用

用　法

1日 3回 水煎服 每服에 朱砂(良好品)와 松脂를 細末하여 0·75～1·125g式 調服한다。一劑限 功效。

註

朱砂와 松脂는 前者를 2、後者를 1의 比率로 하여 爲末한다。

홍漢醫院　洪　慶　杓

神經性 및 腎性高血壓腰痛

原　因

腎虛或은 神經過勞

症　狀

後頭部 壓搏感(後頭痛) 兩肩胛痛 心悸亢進 食慾不進 便秘

處　方

四物安神湯合 煖肝煎 加牛膝 杜冲 遠志

東和漢醫院　徐　承　麟

低血壓

原　因

氣血俱虛

症　狀

眩暈頭痛 手足冷 消化不良 或手足에 痲痺氣가 發生하여 惡하게 되면 心臟痲痺 或은 中風症

處　方

加味四物湯

當歸 川芎 白芍 熟苄 荊芥各 4·96g、羌活 牛膝 防

風 人蔘 黃芪 柴胡 靑皮各 3·75g、神曲 7·5g、京炮附子 鹿茸各 1·875g、五倍子 1·125g、炙甘草 1·875g

注 意

喘急者忌 冷陰性者 附子加倍 鹿茸代用 上鹿角 18·75g

此方은 1劑 또는 2劑 內로 徐徐히 血壓正常이되며 完全體質改善됨。

홍일漢醫院 洪 淳 鶴

心 臟 瓣 膜 症

本症은 急性心内膜炎 急性關節 류마치스 및 動脈硬化症 等에서 發하며 心悸亢進과 心臟性喘息 및 心臟性 浮腫을 呈하고 또 遠隔器管에 血塞을 發하며 熱候는 無하다。

一、僧帽판 閉鎖不全이 되면 左心室의 血液은 左心旁에 反流되는 故로 大動脈中에는 血液收容量이 減少되고 左心房肺靜脈 및 全身靜脈系에 鬱血을 發하여 漸次로 全身浮腫을 起한다。

二、大動脈판 閉鎖不全이 되면 左心室의 開張時 一度 大動脈中에 射出되었던 血液은 反流됨으로 大動脈幹 및 枝別에 壓送되는 血液量은 減少된다。

●藥 物 療 法

(一) 加 味 腎 氣 丸 濟南遺方

兎系子 六兩 山藥 鹿茸 肉從蓉 人蔘 白伏神 白芍藥 川芎 麥門冬 五味子 石菖蒲 黃連 各二兩爲末하여 蜜丸 梧子大하고 黃丹爲衣하여 一回三十五丸式 溫水服 하면 有効하다。

(二) 龜 甲 散 漢峯遺方

龜甲炒 十兩 朱砂 赤石脂 各一兩爲細末하여 一回에 一錢式 一日三回 久服에 完治 可能하다。

(三) 心内膜炎으로 熱甚之時는 黃連末 三錢에 朱砂末五分 混合하여 一服하면 極妙하다。

(四) 心悸亢進이 極甚之時는 黃連 二錢 知母 五加皮 各一錢 當歸 白芍藥 熟地黃 麥門冬 酸棗仁 白伏神 遠志 各八分 棗二 水煎服에 有効하다。

(五) 慢性으로 百方에 無効之時는 人蔘 五兩 鹿茸 連子 各一兩爲細末하여 溫酒에 一回一錢式 數日服之에 有効하다。

【註】 上遠한 外에 心内膜炎 心囊炎 狹心 等이 有하나 適宜參酌하여 活用하면 有効하다。

高血壓症

各口遺方

本病은 老人性變化에 屬하며 酒精煙草肥滿 및 動脈硬化症에서 發하고 呼吸困難과 心悸亢進에 眩暈茸鳴하며 精神的機能 減退等이 現하고 往往腦溢血症을 招來시킨다。

● 藥 物 療 法

(一) 雲 母 丸

雲母 八兩 天麻 五加皮 蒼耳子 防風 唐木香 各四兩爲末 蜜丸梧子大하여 一回三十五丸式 一日三回 空心服長服에 그 効顯著하다。

(二) 稀 沈 散

稀薟 八兩 沈香 白干蚕二兩 爲細末 一回一錢五分式 空心服에 有効하다。

(三) 木 香 散

雲母 唐木香 苦蔘等分 爲末하여 一回二錢式 一日三回食間服 한다。 或作丸도 可하다。

● 鍼 灸 療 法

1、 針治는 全脊椎兩傍橫突起間으로 刺針五分輕刺하고 또 眉井下三里에 最强刺하고 甚者는 湧泉에 最强刺戟與한다。

● 高 血 壓

全北·扶安 鄭漢謨 先生

加 味 藿 香 正 氣 散

藿香一錢半 蘇葉一錢 白芷 大卜皮 白伏苓 厚朴 白朮 陳皮 半夏 桔梗 甘草灸各五分 紫丹香五錢 獨活一錢 澤瀉 山茱萸 南星各一錢 黃栢 知母並鹽水炒各五分 干三召二。

● 高 血 壓 虛 證

서울 金長凡 先生

加 味 四 六 湯

麥門冬五錢 白芍藥三錢 當歸二錢 川芎一錢 熟地黃四錢 山藥 山茱萸各二錢 白伏苓 牧丹皮 澤瀉各一錢半 黃栢 知母 釣鉤藤各五分。

● 心 臟 病

〔適應病〕 心臟擴大 肥大 萎縮 心房炎 心臟瓣膜炎 瓣膜屈曲 瓣膜腫大 等

加 味 温 胆 湯

白伏苓四~五錢半 香附子 半夏 陳皮各一錢半 竹茹 枳實

遠志 酸棗仁炒 龍眼肉各一錢 甘草七分。

○有熱時加川黃連一錢。

皮·泌·精·性病科

1、皮膚科

皮膚疾患

處　方　身薰劑 水銀 150g、乳香 沒藥 枯白礬各 11·25g 石雄黃 3g、黑鉛 1·125g、艾葉 3·75g、血蝎 7·5g。

用　法　上記藥等을 細末하여 1·125g 式약숙에 말아서 全身에 피운다。

處　方　鼻薰劑 紅靈砂 乳香 黃丹 石雄黃 眞珠 枯白礬 百草霜各等分。

用　法　上記藥等을 細末하여 담배와 같이 말아서 코에다 피운다。

한성漢醫院　金　漢　城

皮膚乾濕疹(全身痒症)

處　方　加味升葛湯：玄蔘 11·25g、當歸 7·5g、葛根 3·75g、升麻 甘草各 3·75g。

註
心火則加黃蓮
肝火則加梔子
肺火則加黃芩 麥門冬
用量適宜。

광제漢醫院　鄭　光　世

皮膚炎(濕疹)

處　方　滑石 玄蔘 苦蔘 金銀花 牛方子 生芐 當歸 山査 胡麻仁 白芍藥各 5·625g、黃芩 梔子 石古 荆芥 連交

防風 甘草 黃栢各 3·75g。

用 法

1日3回、水煎服 每食後 2～3時間。

東濟漢醫院 徐 冠 錫

蕁麻疹

原 因

食中毒

症 狀

微熱泄瀉

處 方

香附子 蘇葉 山査肉各 7·5g 蒼朮 陳皮 甘草 只殼 連翹 荊芥 防風 羌活 烏藥各 3·75g 貢砂仁 甘草各 2·625g 蟬退 1·875 胡麻仁 牛方子 金銀花 玄蔘各 5·625g 樺皮7·5g。

東済漢医院 徐 冠 錫

赤白癮疹

處 方

加味四物湯：牛方子 15g、白蒺莒 玄蔘 當歸 川芎 白芍 熟芐 元防風 蒼耳子各 7·5g、胡麻 樺皮 只實各 7·5g、金銀花 仙退各 3·75g、甘草 2·625g、6～10貼。

晟濟漢醫院 舜 千 福

風 丹

處 方①

芒硝 大黃 靑黛各等分

用 法

細末和醋付

處 方②

藿香正氣散에 赤加防風 11·25g 하고 白加 梔子 11·25g 함。

用 法

1日3回、水煎食間服 用 5～6貼神效。

孔德漢醫院 魚 淵

2、泌尿器科

小便不利症

處　方

加味導赤散

九麥 18·75g、白芍 川芎 木通 黃芩 白茯 澤舍 車前子各 5·625g、甘草 山梔各 3·75g。

廣振漢醫院　薛　用　得

老人小便難澁

處　方

加味地黃湯：熟芐 15g、山藥 山茱萸各 7·5g、白茯 牡丹皮各 3·75g、澤舍 7·5g、木通18·75g、車前子炒 7·5g 肉桂 附子炮各 1·875g。

註

虛熱口乾에 人蔘 麥門冬 陳皮各 3·75g、加用。

用　法

蜜丸梧子大空心溫酒或鹽湯下(50～70丸式適宜增減)或水煎1日3回服亦可。

孔德漢醫院　魚　淵

二便不通하여 下腹痛

便秘症

痔疾初期症

處　方

顚倒散

大黃 滑石各 18·75g、皀角刺 11·25g。

註

小便이 如常하면 滑石 11·25g、皀角刺 18·75g로 하여 使用하며 2～3貼에 見效。

用　法

水煎하여 1日3回、空心服한다。

계신漢醫院　李　達　浩

女子尿道炎

處　方

通水散：王不留行 牛膝 木通各 18·75g、 澤舍 活石 車前 子各 11·25g。

註

性病으로 因한 尿道炎일경우는 篇蓄 瞿麥各 5·625g를 加하여 쓴다。

用 法

水煎하여 服用하며 1日3回 空心服이 可하고 2~3貼에 見效한다。

계산漢醫院 李 達 浩

腎結石

症 狀

右側腰痛甚或惡心

處 方

當歸 芒草 海金砂 木通 車前子各5·625g 牛方子 虎杖根 滑石各 3·75g 甘草1·87g

有信漢医院 金 己 培

腎結石症

症 狀

右腰痛甚 惡心 小便數。

處 方

赤茯苓 11·25g、 白朮 牛膝 澤舍各 7·5g、 篇蓄 瞿麥 車前子 滑石 梔子 大黃 燈心 甘草 三稜 蓬朮 只實 紅花 黃栢 虎杖根各 3·75g、 英蘭 0·375g。

用 法

1日3回、水煎食後 2~3時間服用。

東濟漢醫院 徐 冠 錫

寒疝症類

(下腹痛·血尿 小便不利等腎肪胱結石症)

處 方

蒼朮 7·5g、 陳皮 厚朴 只角 桔梗 當歸 白芍 白茯苓各 3·75g、 川芎 白芷 半夏 桂皮各 2·625g、 甘草 1·875g、 山査 3·75g、 玄胡索 7·5g、 蘹香 木香 桃仁 紅花各 1·875g、 蓮交 金銀花各 7·5g。

用法

20貼限、10日間 1日3回、水煎空服。

신명원漢醫院 姜信明

浮腫

註

① 腰上浮腫은 宜取其汗하라。

② 腰下浮腫은 宜祛其濕하라。

處方

① 腰上浮腫 加味越脾湯：麻黃 白芍 半夏干製 石古各 5・625g、細辛 乾干 桂枝 五味子各 3・75g 棗3。

② 腰下浮腫 牡蠣澤舍湯：果蔞仁 澤舍 牡蠣 丁力子 商陸 海藻各等分 爲細末 1日3回、每回 1・875～3・75g 式服用。

천광漢醫院 千昌茂

腎臟炎

原因 元氣虛弱

症狀 香 木香 桃仁 紅

處方

木通大安湯(四象方)

生地黃 木通各18・75g 赤茯苓7・5g 澤瀉 黃蓮 車前子 羌活 防風 荆芥各3・75g

※비록 少陽人 浮腫處方이나 急用3～5貼後에 適当한 處方으로 再投藥하도록

有信漢医院 金己培

腎臟炎 및 肪胱炎(左結石症도可)

處方

赤茯苓 木通各 11・25g、黃栢 虎杖根各 3・75g、澤舍 地膚子 車前子各 5・625g、猪苓 3・75g、甘草 1・875g。

大東漢醫院 沈載勳

腎臟炎 腹水 慢性消化不良症

處方

加味補中治濕湯：沙蔘 蒼朮 白朮 山査各 7・5g、陳皮 只實 檳榔 當歸 麥門多 香付子 烏藥 黃芩各3・75g 木通 澤舍各 7・5g、車前子 地膚子 厚朴 白片豆各

7·5g、升麻 3·75g、燈心一團 甘草 1·875g。

延壽堂漢醫院 韓 熙 錫

腎臟炎 浮腫

處 方

益氣飮：赤茯 桑白皮各 7·5g、蒼朮 陳皮 蘿卜子 車前子 厚朴各 3·75g、只角 桔梗 靑皮各 2·625g、砂仁 神曲 大卜皮 地骨皮 澤舍各 1·875g。

用 法

5～10貼限有效 水煎하여 空心服可。

尹鳳潤漢醫院 尹 鳳 潤

腎臟炎(浮腫)

處 方

玉髮 蒲公英 11·25g、金銀花 11·25g、天花粉 皀角刺各 5·625g、當歸 川芎 柴胡 梔子各 3·75g。

有情漢醫院 吉 埈 賢

急性腎臟炎

原 因

外感後食滯

症 狀

腹水 消化不良 虛浮腫(全身)

處 方

實脾飮：蒼朮 白朮 白茯 薏苡仁 木通 山査各 5·625g、陳皮 厚朴 香付 澤舍 滑石各 3·75g、只角 大卜皮 貢砂仁 唐木香 燈心各 2·625g、英蘭 0·375g。

註

實者便秘 只角代 只實 大黃 檳榔各 3·75g。

用 法

1日3回、水煎하여 食後 2～3時間에服用함。

東濟漢醫院 徐 冠 錫

慢性腎臟炎

原 因

腎虛者

症 狀

下肢浮腫 腰痛 面黃 倦怠感 食慾旺盛 消化好者。

處 方

牛車腎氣湯：六味地黃湯에 加牛膝 車前子各 5·625g、麥門冬 7·5g、五味子 3·75g、英蘭 0·375g。

註

犯房을 忌함。

用 法

1日3回, 水煎食後 2～3時間服用。

東濟漢醫院 徐 冠 錫

慢性腎臟炎

原 因

腎虛

症 狀

下肢浮腫 腰痛 面黃 倦怠感 食慾旺盛 消化良好等。

處 方

加味地黃湯

熟芐15g 山藥 山茱萸 麥門多 澤舍各7·5g牧丹 白茯 牛膝 車前子 地膚子各 5·625g 五味子3·75g。

홍漢醫院 洪 慶 杓

急慢性腎臟炎

處 方

六味地黃湯本方에 白茯苓을 赤茯苓으로 倍入하고(11·25g)、牛膝 車前子 各 5·625g 加한다。

用 法

滯氣를 兼하여 腹部가 脹滿하였을 경우에는 熟地黃을 3·75～7·5을 減하고 厚朴 乃卜子 山査 地骨皮 大卜皮를 各 3·75g 加入한다。20貼 治療可能。

誠心漢醫院 吳 祺 鏞

睪丸浮腫(寒筋邱等、陰囊水腫)

處 方

治疝湯：香付子 白朮各 7·5g、陳皮 沙蔘各 5·625g 當歸 川芎 白芍 熟芐 桂皮 貢砂仁各 3·75g、靑皮 甘草各 1·875g、干三 棗二。

10貼完快。

德壽漢醫院 南 完 洙

囊腫

處方

澤舍 9·375g 赤茯苓 白朮 猪苓 5·625g 肉桂 1·875g 車前子 9g 小茴香 6g 沙參3g 葱白 4·5g。

用法

5—10貼 程度

沈在善漢醫院 沈在善

陰囊水腫

處方

(1) 右腫：拘杞子11·25g 当歸 白茯苓 烏藥 茴香 葵子各7·25g 木香 桂皮 各3·75g 升麻 1·87g

(2) 左腫：白芍藥 白茯苓 白朮 人蔘 茴香 破古紙 檳榔 香附子 貢砂仁 荔枝各3·75g 黃柏 澤瀉各 26·25g 玄胡索 木香 1·5g 升麻 甘草 各 0·72g

有信漢医院 金己培

陰囊水腫

原因

過勞(特히 下肢運動過後)

症狀

下腹痛 及 陰囊浮腫 引痛

處方

車前子 黃芩 澤舍 木通 生芐 當歸 沙蔘各 5·625g、小茴香 11·25g、梔子 草龍膽 赤茯苓各 3·75g 燈心 甘草各 2·625g、英蘭 0·375g。

註

安靜을 要함。

用法

1日3回、水煎食後 2~3時間服用。

東濟漢醫院 徐冠錫

3、精力門

勃起不能 早漏

(五勞七傷 大補回陽 神經衰弱 心身虛勞 肝腎衰弱)

處 方

精氣散：肉蓯蓉 1·2g、五味子 2g、兎系子 1·2g、遠志 1·2g、巳床子 1·6g、淫羊藿 1g、人蔘 2g。

用 法

本方은 1回量이며 1日2回、服用함。但 EX·P (에커스제 조분말임)。

임덕성漢醫院 任 德 盛

性神經衰弱 勃起不能

(早漏 心身虛弱)

處 方

熟地黃 37·5g、白朮 18·75g、山茱萸 15g、人蔘 枸杞子 各 11·25g、茯神 肉桂各 7·5g、巴戟 肉蓯蓉 遠志 杜冲各 3·75g。

大東漢醫院 沈 載 勳

精力減退 早漏 囊濕 早老等症

處 方

加味延齡固本丹：兎系子酒浸焙乾 肉蓯蓉酒洗各 150g、天門冬 麥門冬 志心 生地黃酒洗 熟地黃酒蒸 山藥 牛膝 元杜冲 干酒炒 巴戟酒浸 枸杞子 山茱萸酒蒸 白茯五味子 人蔘 唐木香 栢子仁各 75g、卜益子 車前子 地骨皮各 5·625g、川椒 石菖蒲 遠志 澤舍各 37·5g。

用 法

上方爲末好酒(淸酒) 打麵糊丸梧子大하여 1日3回、每回80~90丸式 空心에 溫酒로 服下 其効不可盡述。

神經院漢醫院 李 燮

陽氣不足

處 方

熟芐15g當歸 7·5g 山藥炒 山茱萸 枸杞子各 7·

陽氣不足(回陽)

●**處 方**

牡元湯：熟苄 兎系子法製 五味子酒洗各 15g、白茯苓山藥 山茱萸 巴戟各 7·5g、牧丹皮 澤瀉各 5·625g、杜冲去系 砂古紙酒炒 枸杞子酒洗 覆盆子 續斷桑椹子各 3·75g

●**用 法**

1日3回、水煎空心服하되 陽氣石 醋煆七次 7·5g 虎脛骨 37·5g、同末하여 0·75~1·125g式 調服한다。或蜜丸梧子大每服 20~30丸。

孔德漢醫院 魚 淵

陽氣不足症

此症은 陰委症과 近似함으로 治方만 記한다。

●**藥物療法**

(一)尾 髓 丸　今井遺方

牡牛尾炒五個(牛尾를 去皮하여 骨과 肉을 完全 乾燥한 後 骨節로 切斷하여 炒黃한 것) 龍骨三斤 肉從容 兎紗子 何首烏各二斤爲末 蜜丸梧子大하고 温酒에 一回六十丸式 一日三回 空心服하면 最妙하다。

(二)蜻 蛉 丸　伊雲遺方

蜻蛉乾燥炒百個 鹿茸二兩爲末하여 一回五分式 温酒에 一日三回 空心服하면 神效하다。

(三)牛 腎 丹　公州 申龍熙 提供

牛腎十個(牛의 陰莖을 乾燥炒한 것) 芡仁二斤 赤何首烏一斤 胡麻(黑참깨) 炒一升 合爲末하여 蜜丸 彈子大하고 一回五丸式 淸酒에 空心服하면 有効하다。

(四)加味補元煎　柳谷遺方

黃精 二錢 山藥 白伏苓 五味子 兎絲子 白子仁 芡仁 人蔘 肉從容 當歸 牛膝 杜冲 枸杞子 麥門冬 天門冬 肉桂 甘草各一錢 水煎服에 有効하다。

性病科

慢性淋疾

●**處 方**

加味地黃湯

熟苄15g 山藥 山茱萸各7·5g 牧丹皮 5·625g 澤瀉 7·5g 白茯 5·625g 鹿角霜(或代茸) 白何首烏各 18·75g 2~3劑完治。

科南漢醫院 鄭臨澤

慢性淋疾

●處　方

澤瀉 11·25g、山藥 山茱萸 各3·75g、生地黃 白茯苓 牧丹皮 各 5·625g、元琥珀 元海金砂 草龍膽 各 3·75g。

●用　法

水煎하여 1日3回 空心服이 可함。40貼完治。

大元漢醫院 卞晙燮

梅　毒

●處　方

大黃炒黑 柴胡 芒硝 川芎 乾干炒 川椒 茯苓 唐木香 乳香 沒藥 血竭 皂挾子(當皂角)皂角刺 唐白干蚕 蟬退炒黑 各 18·75g、巴豆霜 1·875g。

●用　法

上記諸藥爲末 糊丸梧子大 1日2回、每回 15丸式 土茯苓湯에 調服。

慶南漢醫院 金四甲

梅　毒

●處　方

通聖五寶丹：石鍾乳 1·125g、丹砂 0·75g、琥珀 片腦 各 0·075g、珍珠 0·09375g。

●用　法

上記 藥을 細末하여 服用時에 0·1875g式 輕粉炒 0·09375g과 같이 土茯苓湯에 調服하되 土茯苓 600g을 1종지 되게 달여서 土茯苓 달인물 1종지에 上記藥을 새벽에 服用하고 나머지 土茯苓湯은 盡終日 茶 代用으로 無時로 服用한다。卽 上記藥은 새벽에 한번만 服用하면 되고 이렇게 15日 程度 服用하면 症勢가 良好되고 藥効가 確認된다。

면목漢醫院 朴英善

●皮膚搔痒症

白蒺藜去尖炒黃三錢 玄蔘 白芷各一錢。

大田 趙忠熙 先生

●濕　疹

加 味 平 胃 散

扶安 鄭漢謨 先生

乾姜炮二錢 厚朴姜製一錢半 陳皮 蒼木 炙甘草各六分。

一日一貼 食間服(小兒 胎毒 胎熱等 頭部濕疹에 有效함)

●濕 疹　　大田 趙忠熙 先生

天花粉末 蓖麻子油 調合塗于患處神效。

●癮 疹　　仁川 徐廷鎬 先生

加味正氣散

桂皮三錢 藿香一錢半 蘇葉 山査肉 蘿卜子 浮萍草各一錢
白芷 大卜皮 蒼朮 白伏苓 陳皮 半夏 桔梗 甘草各五分。
○本方은 食中毒으로 因한 發疹과 赤白癮疹 및 濕疹에
有效함。

●白 癜 風　　斗庵家傳方

十 靈・散

京泡附子 川烏 草烏各一錢 朱砂 雄黃各五分 信石四分
硫黃 孩兒茶 胆礬各三分 射香二分。
右細末을 鷄子淸(계란흰자)과 混合하여 陰乾하고 使用
時에 長流水 姜汁 米醋 三味에 調合하여 局所에 棉布에
묻쳐서 塗擦한다。但 行動後 또는 夏節의 汗出後에 塗
擦하면 尤效하다。

●白 癜 風　　水原 蔡世鎔 先生

男子 雙金湯加薏苡仁三錢 水煎服。
女子 四物湯加薏苡仁三錢 水煎服。
針 陰谷補 大敦瀉。

●紅 斑　　水原 金在鳳 先生

十全大補湯加秦艽 南星 天麻 蘇葉各一錢 薏苡仁 牛膝各
二錢 水煎服。
針 陰谷補 大敦瀉 魚際瀉 大陵 足三里瀉 曲池補 支溝
少府 風市 百會。

●鵝 掌 風 (手足掌心腫)　　서울 金長凡 先生

糠 油 一 味 塗

(製法) 옹백이(陶器)에 두터운 韓紙로 封口하고 針으로
紙面을 숭숭 뚫어서 얼게미 바닥과 같이 만든 다음 땅
에 묻고 그 위에 왕겨를 싸놓고 불을 붙인다。그 겨가
五分之四쯤 타거던 겨를 除去하고 종이를 벗기면 옹백
이에 겨기름이 담겨 있다。
○이 糖油는 凍傷 마른버짐(쇠버짐) 무좀(水虫)에도 有
效하다 한다。

●水 虫 (무 좀)　　서울 金鵬南 先生

(處方) 玄草五錢 枯礬一錢。
○製粉混合하여 局所에 撒布함。

●丹 毒　　서울 金長凡 先生

消 毒 飮

牛方子 金銀花各三錢 葛根 桔梗各一錢半 荊芥 防風 黃

芩 枳殼 連翹 黃連 甘草各一錢 干三 呂二。

●火 丹 大田 趙忠熙 先生

化斑解毒湯

玄蔘 知母 石膏 黃連 升麻 連翹 牛方子各等分 甘草五分
淡竹葉十二片 水煎服。

栢葉散

側栢葉炒黃爲末 黃栢 大黃各五錢 赤豆 輕粉各三錢 新汲
水에 調搽。

●脫毛症 서울 李永培 先生

加味活血湯

當歸 桃仁 白蘇皮各三錢 紅花二錢半 川芎一錢半 赤芍藥
一錢 紅棗大者去核七個 厚葱 生姜各三錢。
水煎去渣 入好酒(正宗亦可) 調服 日再服。

●漆 瘡 서울 張載滴 先生

蟹汁 又는 蟹醬 塗布。

●漆 瘡 서울 崔奎晩 先生

海蟹를 삶아서 肉은 먹고 汁으로 洗한다。

●漆 瘡 斗庵經驗方

白茅根 二兩
右煎水로 隨時洗之 한다。

●疹瘡外用藥, 禹鍾春 先生

綠礬 白礬 硫黃各二兩 水銀一兩。
右末 一日二次 猪油調付。

●皮膚病外科藥 서울 申泰亨 先生

水銀一兩을 硫黃一兩에 죽여서 枯白礬 五倍子各五錢과
混和細末하여 眞油에 混拌하여 當處에 塗布함。

●皮膚癌 서울 金長凡 先生

第一方 加味開氣消痰湯

桔梗 香附子 白干蚕各一錢 陳皮 黃芩 枳殼各七分 前胡
半夏 枳實 羌活 荊芥 檳榔 射干 威靈仙各五分 木香 甘
草各三分 柴胡二錢 梔子一錢半 南星五分 猪苓 澤瀉 各
一錢半 茵陳二錢 車前子一錢。

第二方 柴胡通經湯

桔梗二錢 柴胡 連翹 當歸尾 黃芩 牛方子 三棱 甘草各一
錢 紅花一分。

第三方 加味開氣消痰湯

桔梗 香附子 白干蚕各一錢 陳皮 黃芩 枳殼各七分 前胡
半夏 枳實 羌活 荊芥 檳榔 射干 威靈仙各五分 木香 甘
草各三分 南星 甘遂各五分 柴胡 梔子各一錢半。

腎臟炎

主로 冷濕氣에서 發하며 主徵은 浮腫 및 蛋白尿를 兼하고 漸次로 排尿困難을 起한다。 慢性化되면 無熱로 經過하며 그 治療도 困難하다。

●藥物療法

(一) 加味五積散 — 和田遺方

急性期에 適當하다。 蒼朮二錢 澤瀉 桑白皮 黃栢 麻黃 陳皮各一錢 厚朴 吉更 只角 當歸 乾干 白芍藥 白伏苓各八分 川芎 白芷 半夏 桂皮各七分 甘草六分 干三片。

(二) 加減八味湯 — 忠南 李善太 提供

慢性에 適當하다。 熟地黃 山藥 山茱萸 澤瀉 木丹皮 白伏令 五味子 兎系子 肉從蓉各一錢 肉桂 白朮 鹿角膠各七分 當歸 白芍藥 甘草各五分 水煎服

(三) 陽起石散 — 朮浦 秋波 提供

陽起石 鹿角霜 栢子仁各五兩分爲末하여 一回一錢五分式 一日三回空心服 長服에 有効한다。

●鍼灸療法

1、 針治는 胃俞 三焦俞 腎俞 氣海俞 大腸俞 關元俞 및 築賓에 各八分强刺한다。

2、 灸治는 腎俞 氣海俞 大腸俞로 各九壯式 長期施灸한다。

陰萎症

脊髓疾患과 神經衰弱等에서 起하며 初期에는 不勃起에 早漏症이 現하다가 病進에 全然勃起 不能하고 陰慾도 減退된다。

●藥物療法

(一) 秋石丹 — 東波遺方

秋石 梔子 山茱萸 五味子 巴戟 肉從蓉 陽起石各三兩 破古地 木香各一兩爲末하여 蜜丸梧子大하고 一回四十丸式 溫酒에 一日三回 服하면 神効하다。

(二) 加味腎起丸 — 仝上

山茱萸三兩 山藥 白伏令 百子仁 蓮子肉 木丹皮 白芍藥各二兩 唐木香 花蛇鹿角膠 何首烏 甘草各一兩爲末하여 蜜丸梧子大하고 一回四十丸式 一日三回 服用한다。

(三) 淫羊藿散 — 東元遺方

淫羊藿一斤 花蛇一兩炒하여 細末하고 一回二錢式 葡萄酒에 嚥下하면 甚妙하다。

●鍼灸療法

1。針治는 三焦俞 腎俞 氣海俞 大腸俞에 一寸 輕刺戟을 與하고 八髎에 二寸中度의 刺戟을 與한다。

2、灸治는 胸部 및 腰部華陀穴에 長期로 施灸하면 有効하다。

淋 疾

漢醫學에서는 五淋으로 區分하였으며 그 中에는 腎石 膀胱 尿道疾患 等의 非淋菌性이 包含되였다。그러나 現代의 淋疾이란 必히 淋菌性을 指稱한다。

●藥 物 療 法

(一) 加 味 通 利 湯 　各口遺方

澤瀉五錢 白芍藥 玄胡索 赤伏令 各三錢을 四合水에 武火로 煎出三合하고 黑砂糖一兩을 藥水에 溶解服用하면 急性症에는 極히 有効하다。

(二) 奇 妙 丸 　서울 李時用 提供

斑猫 一兩去足翅하고 玄胡索 眞米 各一兩을 合하여 同炒하되 眞米가 黃色으로 變할 程度로 炒한後 眞米는 除去하고 斑猫와 玄胡索 二味만 取하여 細末糊丸 梧子大하고 實者는 七丸 虛者는 五丸式 溫水에 空心服하면 極妙하다。

遺 尿 症

本症은 四五歲로부터 十四五歲의 小兒에 多現하며 稀有하게 大人에도 볼수 있는 夜間遺尿症을 云한다。

●藥 物 療 法

(一) 加 味 鷄 腸 丸 　車坡遺方

鷄腸五具 닭의 멀터구니 猪의 膀胱 各五具를 乾燥한後 燒存性하고 牡蠣粉龍骨末 各六錢을 混合하여 糊丸梧子大하고 每夜臨臥에 人蔘 黃芪湯에 服用한다。(卽 人蔘黃芪各五錢임)

●鍼 灸 療 法

1、針治는 四五歲以下의 小兒에는 皮膚針을 全身에 接觸的으로 輕하게 施術하면 非常한 効果가 現한다。

2、年長兒 및 大人에는 三焦俞 腎俞 氣海俞 關元俞에 八分 八髎에 二寸强刺戟을 與하면 神効하다。

3、灸治는 五六才此上의 兒童및 大人에는 宇氏穴(母趾의 第三側에 向한 面에서 中節조금後 下部陷中)中灸(豆粒大) 五壯施灸하면 그 効奇妙하다。

泌尿器·生殖器病

●**腎臟炎** 水原 金在鳳 先生

加味地黃湯

熟地黃二錢 山藥 山茱萸 各一錢半 白伏苓 牧丹皮各一錢 澤瀉二錢 知母 黃栢並鹽水炒各一錢 女貞實二錢。

一日二貼 空心服。

●**腎臟炎** 公州 全炳泰 先生

加味健胃湯

山查二錢 燈心一握 白朮 枳實各一錢半 厚朴 陳皮 半夏 蘿卜子 檳榔 草果 麥芽 神曲 赤伏苓 藿香 猪苓 澤瀉 車前子 甘草各一錢 烏梅一介。

●**慢性腎臟炎** 서울 鄭福成 先生

(症候) 時時浮腫 脈數無力 口燥 氣逆上沖 尿蛋白 高血壓等症。

(處方) 六味地黃湯加伏苓三錢 車前子 通木各二錢 黃連三分。

●**四肢浮腫** 서울 廉泰煥 先生

防已伏苓湯

防已 黃芪 桂枝各一錢半 伏苓三錢 甘草一錢。

●**腎臟結石** 서울 安基範 先生

乾姜四錢 家芍藥 元甘草 澤瀉 鹿角或當歸各二錢 人蔘一錢半 川椒一錢。

煎湯水에 水飴四錢을 溶化頓服。

●**腎石症** 서울 王熙弼 先生

除淋湯

當歸 硝石 海金砂各一錢半 牛膝 虎杖根 滑石一錢 甘草五分。

○本方은 久淋 莖中大痛에도 神効함。

○服五貼하되 腎莖大痛에는 又二貼連服하면 莖大破하여 鳥卵大物이 나온다。

●**腎臟結石** 光州 朱中悳 先生

一、增減五積散

金銀花 白芍藥各五錢 白伏苓三錢 當歸 蒼朮各二錢 澤瀉 山茱萸各三錢 阿膠 滑石各二錢 陳皮 厚朴 玄胡索各一錢 大黃二錢 桔梗 枳殼各八分 川芎 白芷 半夏 桂枝 甘草各七分。(腎臟部位의 腫脹 發赤 疼痛 便秘 等의 症候가 있는 境遇에 使用한다)

二、加味大柴胡湯

柴胡三錢 半夏二錢 黃芩 芍藥 大黃各一錢半 枳實一錢二分。金銀花五錢 桂枝三錢。(急性으로서 寒熱往來 胸脅

苦滿이 있는 者에게 使用한다。)

三、加 味 地 黃 湯

熟地黃 澤瀉各三錢 山藥 山茱萸各二錢 白伏苓 牧丹皮 阿膠各一錢半 竹葉 白芍藥 當歸 生地黃各一錢 草龍膽 梔子各七分 黃芩 黃連 車前子 黃栢各五分 升麻 柴胡 甘草炒各三分。(慢性 또는 無熱症狀에 使用한다。)

四、加 味 小 柴 胡 湯

柴胡三錢 半夏二錢 黃芩 人蔘各一錢半 黃連 乾姜 甘草各一錢 十三 召二。(惡寒發熱 嘔吐 頭痛 口渴을 目標로 使用한다)

五、加 味 五 苓 散

蒼朮二錢 澤瀉一錢半 伏苓 猪苓 桂枝 黃芩 黃連 黃栢 梔子各一錢 阿膠一錢半。(血尿가 甚할때 使用한다。)

● 腎 石 疝 痛

서울 李炳幸 先生

白芍炒一兩 梔子 蒼朮各三錢 貫衆 柴胡各二錢 甘草 乳香 沒藥各一錢 水煎服。

○二三貼으로 鎭痛은 되나 後에 根治를 目標로 左方을 使用하라。

旋覆花二兩。

右 根治爲度로 久服한다。

● 血 尿 症

大田 趙忠熙 先生

淸 腸 湯

生地黃二錢 阿膠珠一錢半 黃連 赤芍藥 久靑 扁蓄 鬱金 山梔子炒 赤伏苓 小薊 麥門冬去心 黃栢各一錢 甘草 知母去毛 木通各七分 燈心一團 烏梅一個。

加 味 淸 心 蓮 子 飮

蓮子肉 小薊 唐萆薢 赤伏苓各一錢半 黃芩 人蔘 黃芪 益智仁 杜冲 木香 久靑 萹蓄 車前子 麥門冬去心 地骨皮 木通各一錢 甘草七分 燈心一撮。

○本方은 血尿後 尿澁感에 使用한다。

● 血 尿 症

서울 朱晃祐 先生

加 味 淸 腎 湯

璉珠花三錢 黃芪 生地黃各二錢 白芍藥 當歸 川芎 山梔子炒 黃連 赤芍藥 滑石 黃栢 石竹花 赤伏苓 木通 扁蓄 知母 麥芽 燈心 甘草 乳香 沒藥各一錢。

● 淋 疾 速 治 方

서울 金祚錫 先生

蜈蚣二十五條를 水一碗半에 入煎하여 煎至半이어든 去渣 五次分服하되 每次服分에 鷄卵 三個式 入煎하여 鷄卵만 嚼食하면 如何한 淋疾이라도 百發百中함。

● 淋 疾

서울 申泰亨 先生

〔主治〕 五淋通治(陳久淋疾의 抗生物質로도 得効치 못한 頑固한 不治症)

通 淋 湯

當歸三錢 大黃二錢 川椒 乳香 沒藥 川黃連 穿山甲各一錢半 連翹 金銀花 木通 車前子 白干蚕 皂角刺 全虫 天花粉 牛膝各一錢 大蜈蚣三條。

○陰廉穴을 刺五分하고 灸七壯後에 本方을 服用하면 不過 五貼에 得効함。

●**淋疾痛治方** 서울 崔眞皓 先生

子 母 丸

大黃一兩 滑石 乳香 寒水石 白礬各三錢 常輕粉五分。

右爲末 牟麥糊和丸綠豆大 空心服 初次七丸 每日加一丸至十五丸 長服時 牟麥湯呑下。

●**囊疝** 漣川 金光涉 先生

一、加 味 蕩 疝 丸

蓽澄茄 檳榔各二兩 黑丑頭末 破故紙炒 小茴香炒 川楝子炒各一兩 蓬朮 木香 肉桂各四錢 青皮 陳皮各三錢。

右極細末 酒糊和丸梧子大 每空心 温酒或白沸湯 下六〇~八〇丸。

○本方은 散劑로 하여 每回二錢~四錢重을 温酒나 白沸湯에 送下한다。

二、水 蟬 散

(處方) 물 매 미 不拘多少微炒。

右作細末 每回二錢重 空心 温水呑下 二三回에 即効。

○水蟬散은 加味蕩疝丸은 比하여 速效가 있으며 加味蕩疝丸은 服後에 體質과 病症에 따라서 若干 差異는 있으나 陽氣가 衰退하여지는 일이 있다。그러나 服藥을 中止하면 即時回陽이 된다。

●**疝症** 서울 金晚軾 先生

(症候) 陰囊腫大如拳 疼痛不忍。

海 藻 湯

海藻 香附子 小茴香各四錢 枸杞子 薏以仁各三錢 當歸 白伏苓 烏藥 呉茱萸 乾干 桂皮 甘草各一錢。

(注意) 本方을 使用하며 氣衝穴(左右)에 各灸七壯한다。

●**男子陽痿** 서울 許在淑 先生

(主治) 男子陽衰不擧 女人不感症。

(處方) 倍双和湯加枸杞子五錢 白何首烏三錢 五貼内外必効。

●**陽痿** 全州 金昌軒 先生

(症候) 精力不足 早漏 夢泄 犯房疲勞。

肝胆病

● 肝 臟 炎　　　　水原 金在鳳 先生

加味化肝煎

白芍 黃芩各二錢 貝母 青皮 陳皮各一錢半 柴胡 牧丹皮 梔子各一錢 葛花三錢 木通大卜皮各二錢。

水煎 空心服。

● 肝 臟 炎　　　　仁川 申卿熙 先生

三禁養胃湯

柴胡三錢 黃芩 龍膽炒各二錢 茵陳一錢半 蒼朮 陳皮 厚朴 半夏製 赤伏苓 藿香 枳實各一錢 人蔘 草果 甘草炙各五分 山査肉一錢 烏梅一介 干三 召二。(兼治肝臟癰腫寒熱往來)

● 肝 臟 炎(肝臟腫大)　　　　서울 洪性初 先生

山査八錢 貝母三錢(一日量 三回分服)、右를 牡蠣粉一兩 煎湯에 煎用한다。

● 肝 臟 炎　　　　서울 金長凡 先生

加味小柴胡湯

柴胡三錢 黃芩二錢 人蔘 當歸 川芎 白芍藥 蒼朮 青皮 龍胆草各一錢 半夏 甘草各五分 白伏苓三錢 白偏豆一錢 黃芪 山査 神曲 麥芽 陳皮 蓮肉 葛根 草決明各一錢 薄荷三分 梔子 澤瀉各一錢。

● 肝 臟 炎　　　　서울 金東悅 先生

加味茵朮湯

茵陳二錢 蒼朮一錢半 青皮 赤伏苓 厚朴 神曲 砂仁 木香各一錢。

○胃弱消化良者加山査二錢 麥芽 檳榔各一錢。

○肝臟炎施鍼法

第一日 合谷 太冲 上下三里 中脘 强刺。

第二日 前記穴外에 天柱 風池 肩井 肩中俞 肩外俞 强刺하고 腎俞를 輕刺二十回 함。

肝臟炎 및 肝硬化　　　　斗庵經驗方

一、實 證

〔症候〕 脈弦實數 便秘 舌苔黃 또는 厚白。

加味柴胡湯

柴胡二錢半 半夏二錢 黃芩 芍藥 枳實各一錢半 大黃二錢 芒硝一錢半~二錢 甘草一錢 干三 召二。

二、虛實中間證

〔症候〕 脈弦數 便後重 或粘液便 또는 泡沫便 舌苔薄黃 또는 白。

加味四逆散

柴胡二錢半 半夏二錢 黃芩 枳實各一錢半 芍藥一錢八分

大黃一錢半 甘草一錢半 干三 召二。

三、虛 證

〔症候〕脈弦細 便無異常 舌苔白。

加味解勞散

柴胡二錢 芍藥一錢八分 枳實一錢二分 甘草 黃芩 別甲 伏蔘 川楝子 青皮 檳榔 香附子各一錢 干三 召二。

○以上 三方으로 肝臟炎 및 肝硬化症의 約九十% 以上이 治癒되는 것이다。 要는 證의 把握이 確實해야 하고 다시 細部的인 症候群을 參酌하여 口渴 熱甚에 石膏를 加用하고 虛甚에는 人蔘을 加用하는 等 處方運用의 妙를 體得하여 비로소 萬全을 期할 수 있는 것이다。

●肝 硬 變 仁川 申卿熙 先生

龍膽茵陳湯

龍眼肉三錢 龍膽炒二錢 茵陳一錢半 白朮 乾姜 人蔘 白伏苓 山査肉 白豆久 檳榔各一錢 烏梅二介 花椒三十粒。

(兼治肝臟機能不全及膽汁分泌障碍、膽石症、膽道炎)

●肝 硬 變 서울 申佶求 先生

(處方) 對金金子 또는 平胃散 二陳湯 四物湯에 오리나무細枝 또는 葉五錢ー一兩 加用한다。

●肝臟性腹水 仁川 申卿熙 先生

甘苓湯

澤瀉二錢半 甘遂二錢 龍膽草二錢 赤伏苓 白朮 猪苓各一錢半 蘿卜子 半夏 白芍藥各一錢 甘草五分。

(兼治水腫浮腫諸症)

●胆 囊 炎 金奉圭 先生

加味人蔘養胃湯

山査肉二錢 神曲 檳榔 木香 使君子 川椒 烏梅各一錢 蒼朮一錢半 陳皮 厚朴 半夏各一錢二分半 赤伏苓藿香各一錢 人蔘 草果 炙甘草各五分 或加枳實一錢尤妙。

●黃 疸 大田 宋貢鎬 先生

加味柴胡湯

柴胡二錢半 半夏二錢 黃芩 人蔘各一錢半 甘草一錢 伏苓 牡蠣 枳實 山査 桂枝 芍藥各一錢半。

○虛實中間症에 使用한다。

加味建中湯

桂枝二錢 芍藥三錢 甘草一錢 柴胡 地骨皮各一錢半 膠飴一兩 生姜 大棗各二錢。

○虛症에 使用한다。

●膽 石 症 金奉圭 先生

加味大柴胡湯

石膏一錢 柴胡四錢 黃芩 白芍藥各二錢半 大黃二錢 枳實一錢半 半夏一錢。

●膽 石 症　　金暎植 先生

大柴胡桃仁承氣合方

柴胡四錢 白芍藥 黃芩各二錢半 大黃二錢 枳實一錢半 半夏一錢 桂心 桃仁 芒硝各二錢 甘草一錢。

●膽 石 症　　蔚珍 金炳斗 先生

加味柴陷湯

柴胡 半夏 瓜蔞仁各二錢 黃芩 黃栢 靑皮 姜黃 人蔘 白朮 白伏苓 檳榔 厚朴 桂枝 枳實 白芍藥 甘草各一錢 干三召二。

●胆石症及胆道炎　　仁川 申卿熙 先生

加味理中湯

龍眼肉三錢 龍胆二錢 白朮一錢半 人蔘 山査 神曲 檳榔 枳實各一錢 乾姜 白伏苓各七分 丁香五分 烏梅二介 川椒三〇粒。又治脾胃虫皆效。

寄生虫 및 其他

●蛔 虫　　서울 李昌彬 先生

雷豆煎

苦練皮七錢 使君子四錢 檳榔二錢 元肉一錢半 雷丸 山査肉 三稜 陳皮各一錢 蓬朮 烏梅 巴豆各一枚。水煎 空心服 不過一二貼而盡滅。

●蛔 積　　華城 甄永鍾 先生

定蛔湯

苦練皮五錢 使君子 檳榔各一錢半 陳皮 半夏 山査肉各一錢 貫衆七分 雷丸五分 川椒四十粒 烏梅二介。水煎 入蜜一匙 空心服。

●蟯 虫　　柳炳業 先生

苦練皮五錢 使君子 雷丸 鶴蝨各二錢 檳榔一錢 胡椒三十粒 小兒半減。

●蟯 虫　　서울 金容福 先生

一、비누물 또는 「글리세린」으로 灌腸하고

二、石雄黃五分 爲末 眞油에 溶解하여 灌腸하면 即差한다。

●蟯 虫　　大田 趙忠熙 先生

萹蓄一兩重 水煎空心服。

○肛門濕痒症에도 有效。

●寸 白 虫　　서울 張載湳 先生

狼牙草(집신나물)

右早春에 採取하여 細末하고 每回 二鉞重씩 米飮에 調

服한다。二ー三回에 根治。

●十二指腸虫(菜毒)　　仁川 申卿熙 先生

保和湯

白朮二錢半 陳皮 半夏 赤伏苓 神曲 山査各一錢半 連翹 香附子酒炒 厚朴 蘿卜子酒炒各一錢 枳實麥芽 黃連酒炒 黃芩酒炒各五分。

●十二指腸虫 및 蛔虫　　서울 金容福 先生

香楝煎

苦楝皮三錢 檳榔 陳皮 半夏各一錢半 使君子 枳殼 桂心 各一錢 唐木香七分 川椒三分。右煎湯 榧子肉二錢 爲末調 空心服。

●肝디스토마(土疾)　　崔慶滿 先生

香附子 青皮 益智仁 肉桂 檳榔 藿香各四錢 黑丑頭末(卽 一斤에서 먼저 四兩重을 取한다。)二錢半 雷丸 大黃 三稜 使君子各二錢 附子一錢 百草霜三錢。右末糊丸梧子大 每三四十丸 一日三回 食間温水下。

●肝디스토마　　서울 崔秉道 先生

加味不換金正氣散

蒼朮二錢 陳皮 厚朴 藿香 半夏 甘草各一錢 黃連 黃芩 梔子各五錢。

●腹膜炎　　水原 金釘泰 先生

加味分消湯

蒼朮一錢半 陳皮 厚朴 大腹皮 枳實 澤瀉 砂仁 白伏苓 香附子 猪苓各一錢 蘿卜子 山査 神曲 麥芽 肉桂各五分 半夏一錢 木香 藿香 牛膝 甘草 黃栢各三分 燈心一握 干三。

●腹膜炎　　大田 趙忠熙 先生

敗醬 紫花地丁各四錢 澤瀉三錢 青皮 木通 車前子 牛膝 各二錢 赤伏苓 猪苓各一錢半 大卜皮一錢 限五貼煎用。

●콜레라(吊脚症)　　서울 蔡且出 先生

一、初發症

(處方) 鮮藿香葉一〇片 貢砂仁末五錢 杜冲炒 陳皮各一錢半 唐木香五錢 甘草三分。

○本方은 胸前이 不快한 者에게 使用한다。

○胸前이 不快치 않고 泛泛한 者에게는 半夏製五錢 乾姜炒六分을 加用한다。

○腹痛에는 呉茱萸四分 川椒三分을 加用한다。

○手足厥冷에는 桂枝五分 薄荷一錢半을 加用한다。

○頭痛畏寒에는 桂枝五分 蘇葉一錢半 杏仁三錢을 加用한다。

二、初　期

解毒活血湯

連翹 葛根 當歸各二錢 柴胡三錢 生地黃五錢 赤芍藥三錢 桃仁八錢 紅花五錢 枳殼一錢 甘草二錢。

○本方은 汗多 肢冷 塌眼에는 禁用이다。

○本方을 使用함과 同時에 尺澤穴을 針刺出血케 하면 尤效함。

三、厥逆期

急救回陽湯

人蔘八錢 附子八錢 乾姜四錢 白朮四錢 甘草三錢 桃仁 紅花各二錢。

○本方은 吐瀉後 全身虛羸 身冷 汗多에 使用한다。

●콜레라 　河靄峰 先生

四香神應散

藿香 唐木香 陳皮各三錢 白丹香 胡椒 蒼朮 沈香各二錢半。右七味를 大生姜 一升을 濃煎去滓한 汁에 濃煎하고 去滓한 後에 白鹽五合을 加入하여 다시 煎縮하면 成이 되나니 이를 細末하여 大人은 每服一~二錢 小兒는 半減한다。

○豫防劑로 使用할 때는 每朝 空心에 三~五分씩 服用한다。

●毒버섯中毒 　서울 廉泰煥 先生

黃連 甘草 乾姜 桂枝 大棗各一錢半 人蔘一錢 半夏三錢。腹痛과 嘔吐를 目標로 한다。

●草烏毒 　大田 趙忠熙 先生

馬鈴薯汁一碗 服之神效。

新陳代謝病患

糖尿 및 婦人帶下

處 方

金鎖正元丹：五倍子 白茯苓各 30g、巴戟 胡蘆巴 肉從蓉各 60g、補骨脂 37·5g、硃砂 龍骨各 7·5g

用 法

上記藥을 酒糊丸梧子大하여 1日 3回 每回 20丸式 空心服하되 술을 할줄아는 男子의 경우는 따끈한 溫酒로 調服하고 술을 할줄 모르는 女子의 경우는 따끈한 鹽水로 調服이 可하다。本方 1劑에 功效한다。

면목漢醫院 朴 英 善

甲狀腺炎

原 因

症 狀

處 方

十六味流氣飮

加希蘞 11·25g 梔子 5·625g 牡蠣 3·75g 3劑 効

박성일漢醫院 朴 性 一

甲狀腺炎

處 方

夏枯草 18·75g、柴胡 梔子 赤茯 川芎 當歸 牛蒡子 青皮 烏藥各 5·625g、香付子 吉梗 只角各 3·75g、甘草 1·875g

有正漢醫院 吉 埈 賢

●糖尿病 大邱 金在誠先生

滑石二兩 寒水石 甘草各一兩 石膏五錢 人蔘二錢半。
爲末每一錢 溫水下。

●糖尿病 崔慶滿先生

中消丸

人蔘 石菖蒲 遠志 赤伏苓 地骨皮 牛膝酒洗各等分。
爲末 蜜丸梧子大 每七八十丸 食遠溫水送下。
本方은 消渴病 中消症의 胃中熱結하여 善食而瘦者를 治한다。

●甲狀線腫大 서울 蔡且出先生

(湯劑) 十六味流氣飮 依本方。
加靑皮一錢 牡蠣粉二錢 金銀花 天花粉各一錢半～二錢。
(丸劑) 消核丸
橘紅 赤伏苓 大黃 連翹 黃芩 梔子 半夏麯 玄蔘 牡蠣童便浸煆 天花粉 瓜蔞仁 桔梗 白干蚕 甘草節 爲末 蒸餠和丸 白湯下 八九十丸 日二回。

●脚氣水腫 서울 金晩軾先生

牛膝湯

牛膝一兩 桃仁五錢 木通三錢 川芎二錢 牧丹皮 玄蔘各一錢半 知母 白朮 金銀花各一錢 或加猪苓 澤瀉 赤伏苓 蒼朮 車前子各一錢 赤小豆一撮。

●脚氣 斗庵經驗方

加味檳榔湯

蒼朮 檳榔各二錢 厚朴 桂枝 陳皮 蘇葉各一錢半 甘草 大黃 木香各五分。
○水腫加 呉茱萸五分 赤伏苓二錢。

結核性 膝關節炎

結核性 膝關節炎은 결핵균이며 其誘因은 타박 과로등에서 생기며 관절염의 종류는 허다하나 膝關節炎을 例擧하여 參考에 資한다。

●藥物療法

(一) 加味大羌活湯

急性發熱時에 極히 有効하다。羌活 升麻 南星 荆介 防風 獨活 蒼朮 防已 威靈仙 白朮 當歸 赤伏令 澤瀉 甘草 各一錢 水煎服하면 有効하다。

(二) 加味保元丹 大南遺方

黃芪 五兩 白芷 天花粉 木別子 大黃 乳香 沒藥 各三兩 爲末一回一錢式 温酒에 一日三回服하면 完治可能하다。

(三) 蒼朮散 釜山 金君鉉 提供

蒼朮 薏苡仁 防已 南星 金銀花 各等分爲末하여 一回一錢二分式 一日三回服하면 有効하다。

●鍼灸療法

1、針治는 原來根本療法에는 不當하나 他療法에 協助的으로 晋行하면 可하다。即 患側의 染丘 血海 陰陵泉 下三里 陽陵泉等에 各八分 最强의 刺戟을 與한다。

2、灸治는 本疾患의 根本療法으로서 偉効을 呈한다。即 内外膝眼과 膝蓋骨 上緣中央陷中에 大灸로 約三個月以上 繼續하면 必히 完治된다。

류마치스性關節炎

1、急性으로 極甚症은 漢方에 白虎歷節風이라 하며 그 症은 惡寒發熱하며 四肢關節이 腫脹에 不可屈伸 하고 適當한 治療를 不得하면 畸形을 呈하다。

2、慢性症은 歷節風이라 하며 順次的으로 모든 關節이 腫脹疼痛을 發한다。

3、此症이 心部에 侵入時는 衝心性이라 하며 心臟麻痺라는 危險性이 内包된다。

●藥物療法

(一) 蒼朮復煎散

此方은 急性에 限한다。蒼朮四兩을 水四合에 煎出二合하고 黃相三錢 柴胡 升麻 古本 澤瀉 羌活 白朮各五分 紅花二分을 先其 蒼朮煎水에 入하여 再煎服用하면 最妙하다。

(二) 加味乳香散

此方은 慢性에 適當하다。草烏五兩 木丹皮 五靈脂 乳

香 投藥 骨碎補二兩 爲末糊丸 梧子大하여 一日一回 食間에 七八 丸式服用 長期에 亘하면 完全根治 된다。

●**藥物療法**

(一) 薏苡仁散

薏苡仁五斤 骨碎補二斤 威靈仙一斤 爲末一回一錢式 一日三回 熱湯에 溶解하여 空心服 長久服用에 完治된다。

●**鍼灸療法**

1、 針治는 上肢關節일 時는 肩井 肩髎 三里에 八分刺針最强刺하고 下肢 關節일 時는 環跳 下三里 三陰交 風市에 一寸最强刺 한다。

2、 灸療는 主로 慢性에 限하여 針治穴에서 適宜取捨選擇하여 施灸한다。

糖 尿 病 (上消渴)

膵臟의 랑게루한스氏島에 機能變化에 依하여 煩渴과 同時에 多尿症이 規한다。 尿中에는 多量에 糖分이 排泄된다。

●**藥物療法**

(一) 加味地黃湯

麥門冬二錢 五味子 熟地黃 山茱萸 山藥 澤瀉 木丹皮 白伏令 當歸 白芍藥 用芎各一錢 烏梅三枚 水煎服에 有効하다。

(二) 加味三消丸

天花粉五兩 黃連 苦蔘 烏梅肉各二兩 爲末蜜丸梧子大하여 麥門冬煎水에 一回 四十丸式 一日三回 空心服한다。

(三) 鹿 茸 散 依 金 有 澤

鹿茸 蓮子 梅肉各等分 爲細末하여 一回一錢式 一日三回 麥門冬煎水에 空心服한다。

(四) 龍 鳳 元 依 李 基 元

山藥 兎糸子各二兩 鹿茸一兩 爲末蜜丸梧子大하여 麥門煎水에 一回四十丸式 一日三回 空心服에 最妙하니라。

●**鍼灸療法**

(1) 膵臟의 랑게루한스氏島의 機能을 旺盛시키는日的下에 胃俞로 內下 方二寸斜刺하고 三焦俞로內上方二寸斜刺하고 胸椎 및 腰椎兩房에 廣汎하게 散針을 施한다。

(2) 灸治는 脾俞 胃俞 三焦俞 下三里로 施灸하며 針治를 並行之時는 相當한 効를 得한다。

바세도氏病

精神感動 身体過勞에서 發하며 바세도氏에 依하여 發見되었다。 本症은 四主症이 有하니 即 眠球突出 甲狀

腺腫 心悸亢進 震顫을 呈한다。

● **藥物療法**

(一) 加味十六味流氣飮　　全南 李 致 松 提供

沈香 二錢 蘇葉 一錢半 人蔘 黃芪 當歸 各一錢 三芎 官桂 厚朴 白芷 防風 烏藥 檳榔 白芍藥 只角 木香 甘草 各五分 吉更三分 水煎하여 白礬一錢을 溶解하고 服用하면 久服에 解消한다。

(二) 黃 白 丸

黃蠟二兩을 鐵器에 入하여 加熱하면 溶解된다。其時에 白번 末四兩을 混合 和勾하고 冷却되기 前에 衆手로 作丸梧子大하여 三十丸式 一日二回 食後服하면 最妙하다。

(三) 俗方 海藻 昆布 等分爲末하여 塩水에 一回一錢五分式 一日三回 食遠服하면 長服에 得効한다。

● **鍼灸療法**

1、針治는 主로 對症療法을 施하며 天柱 風池 陶道 肩井 上三里에 六分 中刺하고 背部 및 胸部에 廣凡한 單刺針을 施하면 有効하다。

2、灸治는 大椎 缺盆 壇中에 九壯式 愈病爲度로 施灸한다。

關節炎類

● **膝關節炎**(鶴膝風)　　坡州 吳 世 鵬 先生

至 龍 散

良姜一兩 石菖蒲 南星各六錢 草烏 白芷 赤芍藥各四錢 官桂二錢 大黃二錢 梔子四錢 右硏末 温酒調付한다。局所에 熱이 甚할때는 술을 使用하지 말고 麥飯을 搗爛調付한다。

● **膝 關 節 炎**(鶴膝風)　　서울 洪 鍾 起 先生

米糠과 亂搗靑葱을 適宜히 混合하고 다시 米飯 一匙를 亂搗加調하여 患部에 貼付하되 浮氣가 減하거든 左方을 使用하라。

健骨除濕湯

黃芪一兩 芡仁 薏苡仁 白芍藥各五錢 人蔘 白朮各三錢 半夏二錢 防風 紫胡 肉桂各一錢 陣皮五分。水煎服 多用한다。

● **下脚關節炎**　　서울 金 長 凡 先生

加味四物湯

當歸 川芎 白芍藥 熱地黃各二錢半 亀板三錢 秦艽一錢半 十貼。

耳鼻咽喉眼齒科

1、耳 科

耳痛成膿耳

原 因

風邪乘少陰(腎)之經入耳內熱氣聚則痛腫生膿日久或聾

症 狀

內耳腫痛或鳴或膿聾

處 方

加味荊芥連交湯：荊芥 連交 防風 當歸 川芎 白芍 柴胡 只殼 黃芩 梔子 白芷 桔梗 羌活 蔓荊子 澤舍各 3・75g、甘草 1・875g、薄荷少許。

用 法

1日3回 水煎食後 2時間溫服함。

孔德漢醫院 魚 淵

荊芥連翹湯 (一貫堂方)

當歸・芍藥・川芎・地黃・黃連・黃芩・黃柏・梔子・連翹・荊芥・防風・薄荷葉・枳殼・甘草 各一・五—白芷・桔梗・柴胡 各二・五

〔應 用〕 一貫堂 森道伯翁의 經驗에서、一貫堂流의 所謂 解毒症體質(四物黃連解毒湯을 基礎로 한 藥方에 依하여 體質改善을 圖謀하는 一種의 肝臟機能低格症) 또는 腺病性體質을 改善하는 藥方이다。本來는 蓄膿症・中耳炎等에 쓰여졌던 것이며、萬病回春의 耳病門・鼻病門의 荊芥連翹湯의 加減方이다。이 特有한 體質者에 發한 諸病에 應用된다。

卽、本方은 主로 青年期腺病體質의 改善・急性慢性中耳炎・急性慢性上顎洞化膿症・肥厚性鼻炎等에 쓰고또 扁桃炎・衄血・肺浸潤・面疱・肺結核(增殖型의 것)・神經衰弱・禿髮症等에 應用된다。

〔方 解〕 四物湯 黃連解毒湯을 合方한 溫淸飮에 荊芥·連翹·防風·薄荷·枳殼·甘草·白芷·桔梗·柴胡를 加한 것이다。

四物湯은 養血·補血의 劑이며、臟器에 對하여는 補肝의 作用이 있고、肝機能을 補强하는 것이다。 黃連解毒湯은 瀉肝의 作用이 있으며、柴胡를 加하여 다시 肝의 熱을 淸凉하게 하는 것이고 그 結果 肝機能이 旺盛해진다고 解釋된다。 白芷는 藥効를 上部에 作用시키고、防風과 짜서 頭痛을 去하며、荊芥·連翹·桔梗等과 協力하여 上方의 頭部에 停滯하고 있는 鬱積을 풀고、化膿症을 抑制하는 것이다。 荊芥·防風·薄荷·枳殼은 頭部와 顔面의 風熱을 治하고、桔梗·白芷를 가지고 顔面의 風을 쫓으며、特히 排膿을 꾀한다。

〔加 減〕 萬病回春耳病門의 荊芥連翹湯은

荊芥·連翹·防風·當歸·川芎·芍藥·柴胡·枳殼·黃芩·白芷·桔梗 各二·五 甘草一·〇

鼻病門의 荊芥連翹湯은 右方中의 枳殼을 去하고、薄荷、地黃을 加한 것이다。

卽 一貫堂의 荊芥連湯翹은、枳殼을 去하지 않고 黃連과 黃柏을 加한 一七味이다。

〔主 治〕

萬病回春(耳病門)에、「兩身 腫痛하는 者를 治한다。 腎經에 風熱이 있는 것이다」라고 있으며、

同(鼻病門)에는、「鼻淵、胆熱을 腦에 옮아감을 治한다」고 있다。

著者는 「漢方後世要方解說」에 있어서、「이 方의 主治는 原方과 같으나、耳病·鼻病에 限하지 않고 解毒症體質의 改善藥으로서 널리 應用된다。 淸熱·和血·解毒의 作用이 있으며、靑年期에 있어서의 腺病體質者에 發하는 諸症에 써서 좋다。 一般으로 皮膚 淺黑하고 光澤을 띠며、手足의 裏에 油汗이 많고 腹腹 共히 緊張이 있으며、主로서 上焦에 發하는 鼻炎·扁桃炎·中耳炎·上顎洞化膿症等에 쓰여진다」고 述하였다。

2、鼻 科

蓄膿症 肥厚性鼻炎

處 方

加味防風通聖散：蒼耳子 辛荑各 7·5g、 活石 6·375g、 甘草 4·5g、 石古 黃芩 桔梗各 2·625g、 防風 川芎 當歸 赤芍各 2·25g、 大黃 麻黃 薄荷 蓮交 芒硝 毛黃蓮 各 1·875g、 荊芥 白朮 梔子各 1·5g、 干5 40貼限。

神經院漢醫院 李 燮

蓄膿症

原 因

副鼻腔炎이라고도 하며 細菌의 感染으로 본다。

症 狀

副鼻腔에 炎症이 와서 蓄膿한다。

處 方

辛荑散：辛荑 白芷 升麻 枯白礬 防風 川芎 細辛 木通各 3·75g。

用 法

上記方을 細末하여 1日3回 每回食後服함。

한성漢醫院 金 漢 星

蓄膿症

原 因

因外感

症 狀

鼻塞 頭痛

處 方

羌活 防風各 7·5g、 川芎 白芷 黃芩 蒼朮各 5·625g、 半夏 赤茯苓 陳皮 梔子 蓮交 桑白皮 桔梗 荊芥 辛荑各 3·75g、 薄荷 細辛 甘草各 1·875g、 蒼耳子 5·625g。

用 法

1日3回 水煎服 每食後 2~3時間。

外用藥

대(竹)나무를 적당한 크기로 잘라서 水蛭 食鹽 桑白皮등의 藥物을 適當히 순서대로 넣고 대통 한쪽을 진

흙으로 막고 새끼줄로 감은후 진흙을 묻혀 불에 오랫 동안 구어 대통이 完全히 타도록 한다。內容物이 炒黑 된것을 龍腦 又는 麝香少量을 넣고 研末하여 鼻腔에 불어 넣는다。

東濟漢醫院 徐 冠 錫

鼻中生瘡

處 方

黃芩 7.5g、五味子 天門冬 麥門冬 杏仁各 3.75 g、甘草 1.875g。干五

沈在善漢醫院 沈 在 善

鼻出血

處 方

加味地黃湯

生地黃 赤芍藥 茅根 犀角各 7.5g、黃蓮 黃芩 黃栢 茜根各 3.75g、某종합병원에서 鼻動脈이 터져(破裂)서 出血하는 것이니 手術해야한다。하므로 來院 上記 2貼特効 以後特効方으로 계속愛用 老人性을 除하고는 一切失敗 없음。

백제漢醫院 李 相 元

一切止血(嘔血 衄血 喀血 下血)

處 方

六味地黃湯에 加薄荷 3.75g、干汁 2匙。

信光漢醫院 辛 宗 薰

蓄膿症(鼻淵症) 서울 羅 基 成 先生

(**處方**) 印堂穴에 金針刺入。

○ 服藥不要 一回施術로 完治。

○ 基他 鼻病一切 前頭痛 弱視症에도 特效。

蓄膿症 서울 姜 永 哲 先生

辛 荑 散

辛荑 黃芩 薄荷 甘菊 川芎 荊芥 桔梗 防風 生地黃 赤芍藥 甘草 蒼耳子各七分。

蓄膿症 大田 趙 忠 熙 先生

故紙六錢 蕪荑四錢 煎服。

○ 聤耳症에도 神效함。

蓄膿症　서울 李聖宿先生

一、急 性

加味葛根湯

葛根三錢 麻黃 桂枝 芍藥各一錢半 甘草一錢 辛夷二錢

干三 召二 十貼―十二貼。

二、慢 性

加味補益湯

黃芪二錢 人蔘 白朮 甘草各一錢半 當歸身 陳皮各一錢

升麻 柴胡各三分 辛夷二錢 一劑―二劑。

扁桃腺炎　鎭安 朴南錯先生

一、實症 高熱 咽痛

加味半夏湯

半夏二錢 桂皮 柴胡 甘草 桔梗各一錢 石膏二錢。

二、虛 症

半夏散料

半夏二錢 桂枝 甘草各一錢。

扁桃腺炎　仁川 申卿熙先生

引火湯

熟地黃 玄蔘各一兩 白伏苓五錢 山茱萸 山藥各四錢

白芥子三錢 肉桂二錢 五味子一錢

○又治卒啞失音。

扁桃腺炎　서울 孟華燮先生

加味破陰湯

桔梗五錢 白芍三錢 玄蔘 甘草各二錢 薄荷 黃芩 白干蚕

荊芥 防風 天花粉 山豆根各一錢 黃栢七分。

○外邪甚者加 羌活 柴胡各一錢。

○腫甚者加金銀花 牛方子各一錢。

咽喉腫痛　서울 金丁柱先生

새우젓炒黑爲末 吹入則神效。

3、咽喉科

咽喉炎

處 方

金銀花 18·75g、甘草 11·25g、桔梗 7·5g、荊芥 牛方子 貝母各 5·625g、薄荷 1·125g、3貼 有効。

舞鶴漢醫院 張 泰 榮

咽喉腫痛

原 因

風熱客心

症 狀

咽喉腫 痛甚 嚥下困難 寒熱頭痛。

處 方

必用方甘桔湯 桔梗 7·5g、甘草 荊芥 防風 黃芩 薄荷 玄蔘各 3·75g。

用 法

水煎徐徐服 1日3回 牛方子 酒蒸研 竹茹各 3·75g、加用則尤妙、

孔德漢醫院 魚 濶

嚥下痲痺

原 因

酒多하여 腎虛

症 狀

嚥下痲痺 食則反出 痰盛咽喉閉鎖 口眼喎斜 半身不遂 精神有 人識別。

處 方

半夏 11·25g、附子 3·75g、梔子 11·25g。

用 法

티스픈으로 한순갈씩 먹음 1日1貼。

針 治

天突 合谷 少商瀉 曲池 膻中

우선 연하마비를 풀목적으로 상기藥 上記針治함 3~4日 정도면 미움죽入。

東和漢醫院 徐 學 鳳

扁桃腺炎

原 因

外感 過勞

症 狀

約 3~4日後 痛甚者 惡寒發熱 肢節痛 便秘 實症者

處 方

梔子 黃芩 柴胡 蓮交 金銀花 羌活 只殼 大黃 桃仁各 3·75g、薄荷 甘草各 2·625g、桔梗 石古各 11·25g、干3

用 法

1日3回 水煎食後 2~3時間服用。

東濟漢醫院 徐 冠 錫

扁桃腺炎(乳哦或喉痺)

原 因

喉頭部의 疾患은 心臟熱(少陰君火)과 肺胞熱(三焦少陽相火)이 內結하면 그熱로 因하여 扁桃에 炎症이 生起게되며 염증이 過甚하면 痲痺症이 併發한다。

또한 전염성 병균에 依하여 氣管이나 胃腸등에 炎症熱이 原因이되거나 또는 冷熱的刺戟 藥物刺戟 化學的刺戟에 依하여 發病된다。

症 狀

扁桃腺이 赤紅色으로 腫脹되며 嚥下困難 呼吸困難 咽喉痛이 오며 炎症이 膿瘍으로 되면 咽喉膿瘍部에 灰白色의 苔가 끼며 漸次 그部位組織이 潰死되며 出血과 發熱 全身障碍가 온다。

處 方

驅風解毒湯(1號方)

防風 5·625g、荊芥 羌活各 3·625g、連翹 牛方子各 5·625g、甘草 桔梗各 5·625g、石膏 7·5g。

加味小柴胡湯(2號方)

柴胡 7·5g、黃芩 5·625g、人蔘 半夏 甘草各 2·625g、荊芥 防風 金銀花 牛方子各 3·75g、桔梗 玄蔘各 7·5g。

강호漢醫院 姜 昊 景

急性扁桃腺炎

(但慢性일 경우는 治療안 됨)

先 治

少商穴을 三陵鍼으로 刺針하여 赤豆大以上 出血하고

母指 第2節外側을(屈指하여 中央極上陷處)刺針。

註

① 上記穴 施針時 患側과 反對便에 取穴刺針함(即右患左鍼 左患右鍼한다)。

② 母指第2節外側이란 母指爪甲直後 첫屈節處이며 外側이란 指背側임。此穴은 三稜針刺針이 아니며 一般針刺針이며 出血하지 않는다。

後 治

大蒜(마늘) 一片을 다져서 끓는 白沸湯(대접으로 한그릇정도의 물)에 投入하여 1分以內로 煎하여 그熱氷로 漱水器一盡度後에 取汗하면 能食한다。

註

漱水一器盡度란 마늘다린물 한그릇이 다할때까지 물을 입에 물고 목을 축여 양치질하듯함。

禁忌 冷飲食。

동제漢醫院 沈 泰 奉

驅風解毒湯 (萬病回春·咽喉門)

防風·牛蒡 各 三·○ 連翹 五·○ 荊芥·羌活·甘草 各 一·五

(右에 桔梗 三·○ 石膏 五·○을 加하여 含嗽한다)

「痄腮(扁桃炎·앙기나·耳下腺炎) 부어서 아픔을 治한다。」

咽喉腫痛에 半은 服用하고 半은 含嗽用으로서 쓰면 좋다。

桔梗、石膏를 加한즉 効果를 增大시킨다。

앙기나(카다루性·腺窩性·濾胞性)·扁桃周圍炎·耳下腺炎等에 應用된다。

吳茱萸湯 (傷寒·金匱)

吳茱萸 三·○ 人蔘 二·○ 大棗 四·○ 乾生姜 一·五

〔目 標〕 裏에 寒이 있고 胃에 寒水가 있으며、氣의 動搖가 甚하고 興奮狀態를 呈하는 者이다。虛證이며 冷症이고 嘔吐、頭痛、煩躁 等을 主症으로 하며、지금 곧 죽을 듯이한다。心下部의 壓重感、涎沫을 吐、下痢等이 있으며、脈은 沈細遲、心下部 若干 膨滿하고 或은 陷沒하며、胃內停水、拍水音이 있는 일이 있다

4、眼　科

視力衰弱

原　因　脾腎虛

症　狀　消化作用잘되고 눈동자에도 아무 이상없이 침침하고 잘안보일 때。

處　方　加味理陰煎 熟苄 18·75g、當歸 11·25g、乾干 7·5g、肉桂 甘草各 3·75g、石決明 草決明各 7·5～11·25g、10貼服用。

東局漢醫院　姜　鎭　春

角膜炎(눈에 肉이 生기는것)

處　方　벽정향 分末(참새똥) 百發百中

재생漢醫院　金　容　運

麥粒腫

治療穴　後谿(反對側、約 20分强刺戟) 準頭穴(皮膚鍼出血 出血을 많이 하면 좋다)

東濟漢醫院　徐　冠　錫

麥粒腫(눈다락기)

處　方　芫皮(물푸레나무) 37·5g、大黃 1·875g。

用　法　水煎服 1日3回、2歲 1日1貼 2～3貼限。

泰平漢醫院　林　貫　一

視力減退症　忠州 鄭積福 先生

(症候) 限界不明昏暗하여 別로 腫또는 病이 없는 者。

加減四六湯

熟地黃二錢 山茱萸 山藥 當歸身 枸杞子 兎系子 菊花各一錢 牧丹皮 川芎 澤瀉 白伏苓各八分。

不能近視　　蔚珍 金炳斗先生

發火明目湯

巴戟去心 當歸 熟地黃各五錢 白伏苓 蕤仁研各二錢半
麥門冬去心 山茱萸 枸杞子各一錢半 甘菊一錢 肉桂
五味子 甘草各五分 柴胡三分。

水泡性結膜炎(삼눈)

濟星湯

(症候) 삼눈으로 日久不差者。 驪州 金桂煥先生
當歸五錢 靑皮三錢 甘菊 靑葙子各一錢。

眼生翳　　扶安 鄭漢謨先生

加味四物湯

熟地黃 當歸 川芎 白芍藥各一錢 鹽朮(蒼朮
食鹽各等分淡水調炒)三錢。 서울 朴一洪先生

眼生白翳

(處方) 蠐螬(굼벵이) 三尾를 淡鹽水에 浸하여 一夜經宿
하고 蠐螬를 洗浄하여 그 汁液을 取하여 累回 點眼
하면 卽效함。

淚囊炎(老人多淚)　　서울 金光鉉先生

(處方) 當歸 芍藥 川芎 熟地黃 防風各一錢半 木賊 蒺藜
夏枯草各一錢 煎服。

流淚不　　서울 金光鉉先生

(處方) 荊芥 防風 獨活 黃連 川芎 木賊 菊花 薄荷
夏枯草 熟地黃各一錢 水煎服。

麥粒腫(다라키)　　서울 羅甚成先生

(鍼治) 準頭穴을 瀉血一二次한다。
○ 浸潤期는 一夜卽消하고 潰瘍期는 易潰完治한다。

5、齒科

虫齒痛

處方

巴豆去皮(去油하지 않음)、川椒去目(씨를 버리고 殼만)。

用法

上記藥各 等分爲末하여 솜에 適當量을 싸아 虫齒子멍에 충진하면 止痛과 同時에 治癒된다。

註

注意할點은 藥이 살에 닿지않도록。

성가漢醫院 韓相虎

風齒痛

處方

倍雙和湯：加玄蔘 18·75g。

舞鶴漢醫院 張泰榮

齒痛

原因

風齒

症狀 惡寒 頭痛 浮腫 脈數

處方

滑石 石古 白芍藥各 7·5g、當歸 川芎 生芐 玄蔘 升麻 細辛 元防風 黃芩 桔梗 梔子 大黃 白芷 桃仁 紅花各 3·75g、薄荷 荆芥 甘草各 2·625g。

用法

1日3回、水煎食後 2~3時間服用。

東濟漢醫院 徐冠錫

齒痛(特方임)

處方

加味雙和湯：白芍 18·75g、黃芪 當歸 川芎 熟地黃各 7·5g、桂皮 甘草各 3·75g、川椒 11·25g。

국도漢醫院 盧尙福

齒痛(一切痛)

處 方
白芍藥 細辛 川椒 升麻各 5g、防風 2g。

用 法
水煎하여 1日3回 食間服한다。

大元漢醫院 卞 晙 燮

桂枝五物湯 〔吉益東洞〕

桂枝・黃芩・桔梗・地黃 各 四・〇 茯苓 八・〇

出典不明이나마 東洞의 經驗에 依하여 齒牙의 疼痛、口舌糜痛、齒齦炎等에 쓴다。

卽 本方은 比較的 實證의 齒痛・齒齦炎・口舌糜爛・齒槽膿漏・口內潰瘍等에 應用된다。

甘露散 〔和劑局方・積熱門〕

枇杷葉・熟地・乾地・天門・麥門・枳實・茵蔯・石膏・甘草・黃柏 各 二・五(或은 山茵・黃柏 各 二・〇을 加한다)
(淺田家는 熟地를 去하고、方輿輗는 天門・熟地를 去한다)

「胃中略熱、口氣、齒齦腫爛、때로는 膿血、口舌生瘡、咽喉腫痛하는 者」(中略)

脾胃 卽 消化器系에 濕熱이 있고、裏에 瘀血이 있으며、그리고 또 胃腸이 弱하고 虛症을 呈하며、口舌、咽喉齒齦等 腫脹糜爛하여 膿血을 내는 者에 좋다。(大塚敬節氏、漢方의 臨床 一一卷二號)

略野史郞氏(漢方의 臨床 一二卷三號)의 治驗發表가 있다。

口內炎・口內潰瘍・齒槽膿漏・壞血病・루-도윗슈 안기-나(口腔底蜂窩織炎)・舌癌・베-쳇트病・齒痛・黃疸等에 應用된다。

三黃瀉心湯 〔金匱要略〕

大黃 三・〇 黃芩・黃連 各 一・〇

一合을 五勺으로 煎하여 頓服한다。(皇漢醫學)

黃의 字를 갖고 있는 三種의 藥으로써 이루어지고 心熱을 푸는 것이므로 三黃瀉心湯이라고 이름지었다。

金匱에서는 單히 瀉心湯이라고 한다。出血이 있을 때는 冷服하는 便이 좋다。

雜病

瘰瀝 (頸部淋巴腫大)

이疾患은 血液및 淋巴液으로 結核菌이 所屬淋巴腺을 通過時에 淋巴腺에서는 病源菌에 內侵을 抑留함으로서 淋巴腺이 腫大된다。이를 瘰瀝이라한다。

●藥物療法

(一) 啁牛膏　　今井遺方

啁牛乾燥(집없는달팽이)二十個 福魚알(食之則殺人者임) 乾燥 爲細末하여 와세린(洋藥局에 在함)에 軟膏程度의 濃度로 攪拌混合한後 그藥을 腺体表面에 貼付하여 一日一回式換付하면 一週日內에 消散됨이 常例이다。

(二) 腺体化膿에 依하여 穿皮膿出될 時에는 福魚알 分末을 脫脂綿에 混付하여 그 瘻管入口에 充塡시켜 두었다가 一日一回式 交代하면不日內로 膿包가 拔本된다 其後에는 合創劑로 貼付治療한다。

(三) 加味夏枯草散　　仝　上

夏枯草 天花粉 各四兩 白芷 甘草 各八錢 爲末하여 一回二錢式 食間溫水服한다。久服에 能治된다。　輕刺하고 三陰交 陰陵泉에 一寸强刺한다 施灸도可

帶下症 (俗稱冷症)

此症을 大別赤 白二症으로 區分할수 있다 白帶下症이란 生理作用에서 分泌되는 液体가 多少過多함을 云한것이요 赤帶下症이란 病的症候로서 子宮內膜炎 膣炎및 潰瘍等에서 發하는 液体를云함이라 古方에서는 赤者는 熱이 小腸에 入하고 白者는 熱이 大腸에 入한 것이라 하였다。

●藥物療法

(一) 加味芍藥湯　　柳東遺方

白芍藥 二錢 當歸 香附子 各一錢五分 黃栢 樗根白皮 白朮 乾地黃 鹿角霜 白芷 白伏令 시호 천련자 甘草 各一錢 水煎服。

(二) 加味當歸丸　　仝　上

當歸 一斤 良干 附子炮 各十兩 香附子 地楡 山藥 玄胡索 各五兩 琥珀 甘草 各一兩 爲末蜜丸梧子大하여 朱砂爲衣하고 一回五十丸式空心服

●鍼灸療法

(一) 針治는 八髎 二寸深刺하고 三陰交로 一寸强刺한다。

(二) 灸治는 關元 中極兩傍二寸部 一回七壯式 施灸한

다。

痔疾

痔疾에는 內痔및 外痔로 區分되였다 即 肛門內와 肛門外에 發生된것을 말한다 또痔核은 俗에 雄痔라하며 核이外部로 突出한者요 痔瘻는 雌痔라하며 深部로 膿이 瘻管을 通하여 流出한다。 그原因은 結核菌의 所致가된다。 또 肛門周圍가 裂創된者를 痔裂이라 한다。

●藥物 및 灸療法

(一) 灸治는 痔核尖端에 大灸(豆粒大) 一回五壯式하면 初期에는 五六日內消散된다。 慢性者라도 繼續施灸하여 그部에 化膿되면 膿汁이 流出함에 依하여 完治可能하다。 이는 白血球旺盛과 蛋白体療法利用에 依한것이라고 思維된다。

(二) 俗 方

痔瘻로 膿汁이 流出하는者는 脫脂線과 오끼시후루로 膿汁을 掃除한後 鰻油(뱀장어油)에 福어알粉末 (乾燥末)을 少量混合하고 그油에 加熱하여 脫脂線에 油侵시키고 痔瘻內部에 充塡하였다가 一日一回式交替한다。 交替할때마다 藥油에 熱을 加하여 따끔할程度에 熱感이 있어야 한다。

(三) 蛇 蜂 散 濟州 金 致 立

蛇退 露蜂房을 等分하고 燒存性하여 膿汁을 掃除한後 脫脂線球에 貼付하여 內部에 充塡시킨다。 一日一回式交替하면 不日內로 膿管이 拔本된다。 後治는 硼酸軟膏로 合創시킨다。

(四) 無痛注射療法 金 錫 煥

구르랄(抱水)六〇% 監酸부로카—잉 四〇% 蒸溜水 一〇〇% 合二〇〇% 製劑하여 注射器로 痔核根部下部에 五瓦程度式兩側으로 注射 一日一回式行하면 四五日內로 拔本된다。 또 上記監酸부로카—잉을 略하고 구로랄과 蒸溜水만으로 使用하면 그治効는 더욱 良好하나 痛症이 甚하다。

此方은 現在巷間에서 所謂專門家라고 自處하는 無免許醫術者의 擧皆가 이方法이며 實로 百發百中이라할만한 偉効를 發揮한다。

諸疔疽

此症은 擧皆가 細菌性으로 顔面에 發하는 面疔과 後頭部發하는 所謂髮際라는 疔疽等은 그內部組織이 病的變化에 依하여 漸次로 硬固하여 容易하게 化膿되지 않으며 治療時日이 極히 長久에 亘하고 惡性일時는 往往死亡을 招來시킨다。

●藥物療法

(一) 加味消毒散　　金龍成

當歸 金銀花 天花粉 各二錢 大黃 芒硝 連翹 黃芩 赤芍藥 皂角刺 壯蠣 各一錢 酒水相半煎服。

(二) 福어알散　　李時用

腫脹한 疔疽가 慢性化되여 그尖端이 潰瘍될時는 絆創膏에 福어알 粉末을 散布하고 또潰瘍된 創面에 小量을 散布하여 貼付하면 神効하다。

●鍼灸療法

1、灸治는 初發時에 其尖端에 五壯施灸하면 神効하다 初期에 限함。

霍乱

此症은 主로夏節에 暑氣의 侵入으로 發한다。 腹痛에 吐瀉를 兼하는 者를 濕 乱이라하고 無吐瀉而腹痛者를 謂之乾霍亂이라하며 病在上焦則吐하고 病在下焦則瀉하고 病在中焦則吐瀉並作이라하였다。

●藥物療法

(一) 加味回生散　　濟南遺方

藿香 橘皮 各五錢 沈香 玄胡索 各一錢 水煎服하면 最妙하다 暑氣에 基因者는 香薷 白扁豆 各二錢 加味하고 食滯에 基因者는 山査 神曲 只實 各一錢 加味하여 用한다。

●鍼灸療法

1、針治는 中脘에一寸五分 置刺하고 左右湧泉에 七八分 最强刺하면 即効된다。若泄瀉가 甚할時는 水分에 一寸五分並刺한다。또吐가 甚할時는 天柱 風池에七分强刺한다。

關格

關格症은 主로心神過勞와 精神興奮에서 發한다。 그러나 漢醫學說明에 依하면 關格者는 上下不通을 謂함이

니 此는 痰隔中焦也라 關者는 不得大小便이요 格者는 吐逆이니 即甚한寒氣가 胸中에隔하여 食物이 不下者를 格이라하고 또熱氣가甚하여 下焦에 塡塞되여 大小便의 不出者를 關이라한다。故로 上不入下 不出者를 關格이라 云한다。

●**藥物療法**

(一) 加味承氣湯 濟南遺方

大黃 四錢 厚朴 枳實 芒硝 各二錢 甘草 一錢 水煎服。

(二) 加味二陳湯 仝 上

半夏 二錢 陳皮 赤伏令 枳實 川芎 蘇子 瓜蔞仁 砂仁 香附子 甘草 各一錢 水煎服。

●**鍼灸療法**

1、針治는 本症에 最適應症으로써 可謂百發百中이라할것이다。大概는 四關(合谷太衝)으로 六分置針하면 緩解됨이 普通이다。그러나 極甚한危症일時는 그外에 中脘三陰交에 一寸五分 陰陵泉 太谿에七分 最强刺하면 必히 目的에 達한다。

耳聾症

本症은 中樞性으로는 腦疾患에依한 聽神經의 異常에서 發하고 末梢性으로는 外傷等에서 鼓膜의破裂로 發한다. 漢醫學上으로보면 左耳聾者는 婦人이 多有하니 忿怒故也오 右耳聾者는 男子가 多有하니 色慾故也라하니다。

●**藥物療法**

(一) 加味龍膽湯 板上遺方

黃連 黃芩 치子 當歸 陳皮 草龍膽 荊芥 香附子 石菖蒲 玄蔘 木香 各一錢 白芍藥 乾地黃 甘草 各七分 水煎服。

(二) 加味地黃湯 仝 上

此方은 腎氣虛로因한 耳聾症에 屆하나니 熟地黃 山藥 山茱更 各二錢 當歸 川芎 白芍藥 牧丹皮 澤瀉 白伏令 石菖蒲 遠志 知母 黃栢 各一錢 水煎空心服。

●**鍼灸療法**

1、針治는 聽會 翳風 各八分 合谷에 六分强刺하면 神効하다。

久嗽

久嗽라면 모든 慢性咳嗽疾患을 指稱한다。
即 慢性氣管枝炎 喉頭炎및 氣管枝喘息 其他 慢性肺疾患에서 發하는 기침症이다。

●藥物療法

(一) 加味除嗽湯　　谷柳遺方

款冬花 紫菀 麻黃 陳皮 石膏 吉更 半夏 桑白皮 枳角 烏梅肉 栗殼 各七分 人蔘 杏仁 薄荷 甘草 各五分 五味子 九粒 干三片 細茶一撮水煎하여 鳳凰衣末 一錢重을 調服하면 極妙하다。鳳凰衣는 鷄卵殼中內의 白皮를 乾燥粉末한것。

●鍼灸療法

1、針治는 天突에一寸內下斜刺하고 孔最左右兩穴에 七分各各 最强刺한다。

2、灸治는 大杼 風門 肺俞兩側六穴로 愈病爲度로施灸하면 得效可能하다。

流涙症 (風涙)

本症은 大概中年以上의 婦人에 多發하여 主로 婦人의 諸風上攻의 一分症으로 發한다。西醫學에서는 涙腺性과 鼻涙管性의 二種으로 區分한다 甲은 涙腺自体가 興奮하여 涙液分泌가 過多한것이며 乙은 涙腺에는 異常이 없고 涙液을 鼻腔으로 引導하는 涙管이 閉塞되는데 基因하다。

●藥物療法

(一) 加味消風散　　서울 尹誠求

荊芥 木賊 香附子 夏枯草 甘草 各一錢 沙蔘 白伏令 白干蚕 川芎 防風 藿香 蟬退 羌活 各五分 陳皮 厚朴 各三分。

●鍼灸療法

1、針治는 攢竹에七分 下斜刺하고 糸竹空에 五分直刺하고 陽白에 横刺七分하고 頭維에 下斜刺一寸하여 各强刺戟을 與한다。

弱視症

이疾患은 漢方에 依하면 肝氣는 通於目하니 肝和則 能辨五色하며 肝虛則 䀮䀮하여 無所見하며 肝受血而能視라하니라。

現代醫上으로는 視神經弱化되였거나 眼底網膜의 血行不順에서 發하는 것이다。

即目得血而能視라는것을 알게된다。

●藥物療法

(一) 加味地黃湯　　谷柳遺方

熟地黃 二錢 山茱萸 山藥 枸杞子 甘菊 白伏令 澤瀉 牧

丹皮 當歸 柴胡 地骨皮 五味子 甘草 各一錢 水煎服。

(二) 加味補肝散　　仝　上

黃精 二兩 羚羊角 防風 各一兩 人蔘 赤伏令 各八錢 羌活 車前子 細辛 玄蔘 黃芩 夏枯草 各四錢 爲細末하여 一回二錢式 食遠服한다。

●**鍼灸療法**

1、針治는 睛明에 直刺四分 目窓에 一寸斜刺하고 太淵에 五分 各强刺하면 有効하다。

眼球充血症(眼赤)

이疾患은 內經에 云熱이勝하면 目이 暴赤腫起하나니 是는 皆火熱之所爲也라하며 又曰 大凡眼之爲患은 多生於熱이니 其治法은 淸心 凉肝 調血 順氣로 爲先이라 하였다。

●**藥物療法**

(一) 加味消風散　　서울 尹誠求

熟地黃 當歸 川芎 白芍藥 荊芥 甘草 知母 黃栢 各一錢 沙蔘 白伏令 白干蚕 防風 藿香 蟬退 羌活 各二分 陳皮 厚朴 各三分 水煎服。

●**鍼灸療法**

1、針治는 神庭 上星 百會各斜刺一寸强刺하고 手三里六分하고 膻中에 下斜刺一寸强刺한다。

2。灸治는 左右 角孫및百會에 各七壯式 施灸하면 有効하다。

風齒痛

齒疾患을 大別하여 風齒및虫齒로 區分하고 風齒에는 風熱痛및風冷痛等의 種類가 有하다。 그러나 虫齒以外의 모든 齒痛의 總稱을 風齒라할것이니 即齒槽炎및 齒槽神經痛等을 指稱함이요 虫齒는 即齒質自体가 損傷하는 齲齒을 云함이라

●**藥物療法**

(一) 加味淸胃湯　　漢峰遺方

石膏 升麻 牧丹皮 當歸 乾地黃 細辛 乾干 白芷 連交 苦蔘 黃連 川椒 吉更·甘草 各一錢 水煎服하면 風虫齒를 莫論하고 有効하다。

(二) 虫齒痛으로 齒上而或은 齒根部에 有孔而極痛者는 其孔內에 阿片을 充塡시키면 即止된다。 또枯白礬과 石雄黃末을 等分하여 그孔內에 充塡하여도 眞痛된다。 加子帶(가지꼭지) 燒存性하여 其孔內에 充塡하면 痛症

은 即止된다。

(三) 齒牙痛方　寶鑑遺方

雄黃 沒藥 各一錢 細辛半錢 爲細末하여 若在齒患이면 小量을 右鼻腔內에 投入하고 또右耳內에 吹入하며 若右齒患일時는 그反對로 使用한다고 하였다 然而實驗結果에 依하면 若右患이면 右鼻및 右耳 若左患이면 左鼻및 左耳에 使用한 則極妙之効가 現하였다。

●鍼灸療法

1、針治는 風齒나 虫齒나 療法은 同一하다。上齒痛일時는 下關에 不斜刺一寸 太谿에 八分 太淵에六分 最强刺하고 下齒痛일時는 頰車에一寸二分 斜刺合谷 三里에 七分最强刺한다。

膿耳 (化膿性中耳炎)

人門에云邪氣가耳門에入하여 熱이不散하면 腫痛이 生하고 化膿하며 日久에膿汁이 流出則 謂之膿耳라 하니 即中耳炎이 慢性으로 化膿됨을 말한다。

●藥物療法

(一) 蔓荊子飮　漢蜂遺方

蔓荊子 前胡 荊芥 連交 防風 黃芪 柴胡 鼠粘子 當歸 黃今 玄蔘 升麻 赤芍藥 甘草 各一錢 水煎服。

(二) 明礬散　仝上

枯白礬 五錢 黃丹末 二分 混合研磨하여 耳內膿汁을 除去한後 紙管으로 耳內에 一日一回式 耳內에 吹入하면 約七日內로 完治된다。吹入은 極少量이 必要하며 大量일時는 耳內에서 結塊을 成하여 耳塞症이 生한다。往往再發이 有하나 再次使用하면 根治되며 可謂百發百中일것이다。

●鍼灸療法

1、針治는 翳風에九分 聽會에一寸 合谷에 五分强刺한다。耳腫痛時도 治法은 同一하며 天柱 風池로 六分强刺를 加하면 尤好하다。

偏頭痛

此症은 神經体質者인 婦人에게 多發하며 또充血頭痛과 血虛頭痛의 二種으로 分한다。

即 患側의顔面은 潮紅灼熱하고 結膜充血等이 現함은 充血性이니 所謂交感神經麻痺性 偏頭痛이라하고 此에反하여 患側顔面은 蒼白厥冷等이 來하는것은 貧血性이니 交感神經痙攣性 頭痛이라한다。

●藥 物 療 法

(一) 加味通聖散　　漢峯遺方

滑石 一錢七分 甘草 一錢二分 玄蔘 南星 黃芪 細辛 古本 石古 黃今 各一錢 吉更 七分 防風 川芎 當歸 赤芍藥 大黃 麻黃 薄荷 連交 芒硝 五分 荊芥 白朮 치子 各四分 水煎服한다。

(充血性)

(二) 加味順和湯　　仝 上

此方은 貧血性에 用한다。黃芪 蜜炒 一錢半 人蔘 白朮 當歸 白芍藥 熟地黃 川芎 陳皮 各一錢 升麻 柴胡 各五分 蔓荊子 細辛 白芷 各三分 水煎服에 妙하다。

(三) 加味濕健湯　　仝 上

白朮 一錢五分 陳皮 半夏 白伏令 當歸 白芍藥 乾地黃 天麻 防風 荊芥 人蔘 各一錢 白伏神 來門 遠志冬 各五分 川芎 甘草 各三分 水煎服한다。

●鍼 灸 療 法

針治는 充血性에는 頸部를 絞하여 頭部에 充血시킨 後 藥針으로 乱刺瀉血하면 即効하다。 또貧血性에는 風池 百會 神庭 合谷에各七分 輕刺한다。

面 皮 風

모든臟의 積熱 特히胃熱에서 現하는 一種의 皮膚疾患이며 靑春男女에 多發하는 惡性여드름等을 指稱함이며 極히 頑强한 疾患이다。

●藥 物 療 法

(一) 加味胃氣湯　　春光遺方

升麻 二錢 甘草 一錢五分 白芷 一錢二分 天花粉 大黃 黃連 當歸 乾葛 蒼朮 各一錢 麻黃 五分 柴胡 古本 美活 黃栢 草豆久 各三錢 蔓荊子 二分 水煎服하되 施針을 兼하면 不踰一劑에 得効한다。

●鍼 灸 療 法

1、 針治는 百會 神庭을 爲始하여 全頭部 頸部要穴에 散針을 施하고 面部에는 輕한 皮膚針을 施하면 偉効를 得한다。

腋 臭 症

(겨드랑이냄새)

이病은 誰何를 莫論하고 腋臭는 防散된다。 그러나 極甚者는 一種의 病的으로 볼수있고 또本症에 依하며 社交上의 不利는 姑捨하고 甚至於는 往往夫婦間의 不和를 招來시키는 例가 許多함으로 現代治法은 그 發源地인 腋部

를 手術하고 있다。

●**藥物療法**

(一) 加味蠟礬丸　　今井遺方

白礬 二兩 露峰房 五錢 爲末하여 黃蠟 四兩을 鉄器에 入하고 加熱하면 熔解한다。그때에 右二種의 藥末을 混入和하고 衆手로 作丸梧子大하여 一回二十丸式 一日三回服之에 有効하다。

洋方藥으로는 훼루말링이 有力하다。

(二) 外治法　　仝上

白礬 半斤을 約五合程度의 熱湯에 溶解하여 卵大의 脫脂線球에 侵入하고 臨臥時에 腋部에 挾置하여둔다。그러면 惡臭는 그時부터 없어진다。

乳腫 (乳腺炎)

乳汁이 豊富한 產母에 多發하는 乳腺炎이면 그原因은 乳汁门体가 濃厚하거나 또는 乳汁分泌管이 塞滯함으로 乳腺內에 停滯된 乳汁에 依하여 腫脹하며 또 時日이 經過되여 化膿이되면 所謂 乳癰이라한다。

●**藥物療法**

(一) 加味敗毒散　　東南遺方

此症은 初期惡寒發熱할時에 用한다。

金銀花 二錢 玄胡索 香附子 烏藥 各一錢五分 柴胡 前胡 羌活 獨活 川芎 赤伏令 只角 吉更 甘草 各一錢 干三 水煎服이면 不過二貼에 緩解된다。

(二) 加味芷貝散　　仝上

此方은 慢性化되여 稍化膿時期에 用한다。天花粉 金銀花 各二錢 黃芪 陳皮 川芎 白芷 貝母 皂角刺 川山甲炒 當歸尾 菰蔞仁 甘草節 各一錢 酒水相 半煎服하면 不過半劑에 得差効한다。

●**鍼灸療法**

1、針治는 亶中에 下斜刺一寸 太陵 少澤 合谷에 各五分 強刺한다。

乳汁不足症

此症은 氣血虛盛에도 關係됨은 事實이다。그러나 主로 遺傳体質에 多現하며 血虛에 基因된 者는 補血强壯으로 根本的 恢復이 可能하다。体質에 基因된 者는 根本的 恢復은 자못無望하다。

●**藥物療法**

(一) 加味通乳湯　　石山遺方

鹿茸 二錢 來門冬 痛草 王不留行 各一錢 五分 山藥 澤瀉 牧丹皮 川芎 當歸 川山甲 黃芪 甘草 各一錢 水煎服에 有効함。

●**鍼 灸 療 法**

1、針治는 亶中下斜刺一寸 太淵左右穴六分 復溜에 八分 强刺한다

2、灸治는 亶中 身柱에 長期施灸하면 有効하다。

脫肛症

本病은 大人에 在하여는 痔疾에 兼症으로 發現함이 常例이며 小兒에 在하여는 体質虛弱者 또는 慢性腸疾患에서 發함으로 治療原理는 体質및腸神經의 强壯에 目的을 둔다。

●**藥 物 療 法**

(一) 加味蔘芪湯　　仁川 安承佑

人蔘 黃芪蜜灸 各二錢 何首烏 當歸 乾地黃 白芍藥酒妙 白伏令 白朮 各一錢五分 升麻 肉柱 陳皮 乾干 附子炮 甘草 各一錢 水煎服하면 極妙하다。小人은 一日一貼을 三回服한다。

(二) 加味五倍子散　　仝 上

五倍子 二兩 龍骨 訶子 槐花 各一兩半 爲末하여 溫酒에二錢式 一日三回 空心服한다。

●**鍼 灸 療 法**

1、針治는 百會斜刺一寸 長强에 內上刺一寸五分 間使에 八分 强刺한다。

2、灸治는 大腸俞 小腸俞및氣海에 各七壯式 施灸하면 有効하다。

象皮症

此病은 文字그대로 皮膚表面의 異常 變質로 因하여 色素凝集으로 色은黑하고 皮質은 厚하고 硬하여 咪치象皮狀을 呈함으로 此名이 有하다。以外에 神經性및 細菌性等이 있으나 其治法에 在하여는 大同小異함으로 煩雜을 避하고 一括하여 記하여둔다。

●**藥 物 療 法**

(一) 加味通聖散　　濟州 在 君 玉

滑石 一錢七分 甘草 一錢二分 牛方子 白蘇皮 樺皮 玄蔘 金銀花 五加皮 各一錢 石古 黃芩 吉更 各七分 川芎 當歸 赤芍藥 大黃 麻黃 薄荷 連交芒硝 各五分 荆芥 白朮 치子 各四分 水煎服한다。

(二) 加味花蛇丸　　仝　上

若蔘 荊芥 各一斤 槐花 白斂 天花粉 各半斤 白花蛇 三兩 甘草 一兩 爲末하여 糊丸梧子大하고 一回四十丸式 一日三回 空心服하면 有効하다。

●**鍼灸療法**

1、針治는 肩髃 曲池 膝眼 合谷 三里 崑崙 後谿等에 施針한다。그러나 確實한療法은 全患部表面으로 輕한皮膚針을 廣汎하게 一日一回式 施術하면 約三週前에 完治됨이 普通이다。

多汗症및偏身發汗症

이病은 內經에曰 氣虛則自汗이요 陰虛則盜汗이라 하니 自汗은 生理的以上의 發汗 即多汗이요 盜汗은 睡眠中의 發汗이니 即自身의不知 發汗이다。發汗中樞는 延髓에在하고 末稍中樞는 脊髓兩旁에 在하여 發汗에 過不及이없도록 作用하게되였다。然而多汗는 其作用을 抑制치못한 것이니 原因은 氣虛에 있다하겠다。또偏身發汗은 其偏側의 中樞에 均衡이 取하지못한것이니 基因된것이다。

●**藥物療法**

(一) 加味益氣湯　　濟南遺方

桂枝 二錢 黃芪 白芍藥 防風 各一錢五分 人蔘 白朮 當歸 甘草 各一錢 陳皮 柴胡 升麻 乾地黃 麥門冬 澤瀉各五分 水煎服한다。

●**鍼灸療法**

1、針治는 合谷 復溜等의 治方이있으나 現今은 天柱및胸椎兩 橫突起間에 各五分最强刺하여 若奏効가 未現時는 五時間以上置針하면 반드시 止汗된다。

小便不通症

이症은 俗方에 下焦熱하면 小便이 不通이요 冷하면 不禁이라하니 即膀胱의 作用이 病的으로 太過하여 痙攣을起하면 熱이生하여 小便이不通하고 또 其反對로 膀胱이 麻痺가되면 寒冷하여 小便不禁症이 現한다。

●**藥物療法**

(一) 加味禹功散　　香悟遺方

滑石 車前子 燈心 陳皮 半夏干製 赤伏令 猪苓 澤瀉 白朮炒 木通 條芩 山치子炒 各一錢 升麻 三分 甘草 二分 水煎服에 有効라。

(二) 俗方에 蚯蚓(身小하고赤者可) 三十四를 取하고 亂打取汁하여 一回服之에 即通한다。

●鍼 灸 療 法

1、針治는 陰陵泉에 一寸 腎兪에 八分 氣海에 一寸二分 最强刺하면 有効하다

小便不禁症

經에曰 下焦之氣가 虛寒하면 小便이 頻數하며 夜間에는 陰氣가盛함으로 愈甚하다。本病은 主로腦脊髓疾患에서 來하는 膀胱括約筋麻痺로 現하여 年老한 婦人에게 多發한다。

●藥 物 療 法

(一) 加味蔘芪湯　　仝 上

人蔘 黃芪蜜炒 白伏令 當歸 熟地黃 白朮 陳皮 附子 肉桂 牛膝 各一錢 升麻 乾干 各五分 甘草 三分 水煎服한다。

(二) 加減地黃湯　　仝 上

熟地黃 二錢 山藥 山茱萸 牧丹皮 益智仁 白伏令 五味子 牛膝 各一錢半 知母 黃栢 各五分 水煎服한다。

●鍼 灸 療 法

1、針治는 中極 腎兪 陰陵泉 各八分 輕刺戟을 與한다。

大便不通症

大便不通이라함은 常習便秘等을 말함이아니고 腦性및內腸 疾患等에서 發하는 急激한 症을 表示함이다。內經에曰 下焦에 熱氣가 塡塞하면 大便不通이요 下焦에 冷氣가 厥甚하면 大便을 不禁이라하니라。

●藥 物 療 法

(一) 大承氣湯　　仝 上

大黃 四錢 原朴 枳實 芒硝 各二錢이니 먼저 厚朴 枳實을煎하여 그半에 至하면 大黃을 入하여 煎出하고 去渣한 다음에芒硝를入하여 또一沸한다。

●鍼 灸 療 法

1、針治는 承山 照海 下三里 湧泉에 各八分强刺하고 左腹結로 一寸二分 輕刺한다。

肝디스토마 (肝土質)

이症은肝장이 漸次 肥大된다。虫의 刺戟에 依하여 胆囊炎

이되면 黃疸을 並發하며 全身浮腫이된다。이病은 食物에依하여 肝디스토마菌이 胃腸을 經過할때에 胆管을通하여 肝에侵入하여 發한다。

●藥 物 療 法

(一) 加味瀉肝湯　　和 田 遺 方

苦蔘二錢 天花粉 靑皮 草龍膽 柴胡 澤瀉 各一錢 木通 車前子 赤伏令 乾地黃 當歸 山치 黃芩 甘草 各五分 水煎服。

●鍼 灸 療 法

1、針治는 肝臟에 充血과 欝血을 發散시키는 意味下에서 脊椎兩方및肪胱經에 第一行第二行의 要穴에 散針으로 施術한다。

2、灸治는 肝兪 膽兪 脾兪에 施灸七式 長期로 施術을 要한다。

肺 디 스 토 마 (肺土質)

이症은 淡水魚의 生食에서 肺디스토마菌이 肺에 侵入하여 發한다。初期에는 不分明하나 咳喇와咯痰이 發하고 痰에血液이 混하며 때로는 多量의 咯血이 有하기도한다。

●藥 物 療 法

(一) 烏 梅 膏　　和 田 遺 方

梅實 大根 (무우) 各各二貫을 取汁하여 入缸하여 太陽直斜下에 約一個月可量 置之하면 黑色의 成膏가 된다。거기에 款冬花五味子末을 二兩式合하여 亂打作 丸彈子人하고 一回三丸式 一日三回服하면 有効하다。

●鍼 灸 療 法

1、針治 大杼 風門 肺兪 厥陰兪 膏肓에 七壯式施灸한다。針術은 全身循環을 可良케하기 爲하여 全身要穴에 施術한다。

便 血 症

便血이라함은 卽血糞症이니 이를 腸出血과 肛門出血로 二分한다。

一、腸出血은 腸疾患에서 發하는 症으로서 血液은 大便과 잘混合되여있고 暗黑色을 呈하며 肛門部에는 疼痛이 없다。

二、肛門出血은 肛門部의 疾患卽痔疾等에서 發하며 大便과 充分한 混合이되지 않고 또色은 鮮紅色이고 肛門部의 多少痛症을 感하게 된다。

● 藥物療法

(一) 加味四物湯　　仁川 李萬用

乾地黃 當歸 白芍藥 川芎 黃連 地楡 側栢葉 粟殼蜜炒 槐花 厚朴 阿膠珠 黃芩 陳皮 訶子 甘草 各一錢 水煎服有効。

● 鍼灸療法

1、針治는 大腸兪 小腸兪 各八分 下三里에 一寸五分 最强刺한다。

2、灸治는 臍에서 腰椎에 水平線에 該當當處 卽臍와 直橫線에 當하는 腰椎部와 左右 心兪間에 該當되는 胸椎部에 一穴合上下二穴에 一日十四壯式 施灸하면 甚妙함。

3、年久한 慢性일時는 氣海關元으로 一日七壯式 愈病爲度로 施灸한다。

尿血症

여기에 尿血이라함은 非淋菌性을 말한다。그原因은 腎膀胱및尿道의 疾患에서 發한다。內經에는 膀胱이 熱한則 尿血이라하고 仲景은熱이 下焦에 在한則 尿血이라하였다。

● 藥物療法

(一) 加味淸熱湯　　濟州 左七峰

乾地黃 麥門冬 치子沙黑 玄蔘 牧丹皮 各一錢 當歸 川芎 赤芍藥 知母 黃栢 白朮 陳皮 白芷 甘草 各七分하고 作一貼하여 五合水에 入하고 煎三合하고 黑砂糖約一兩重을 煎出한 藥水에 溶解하여 服用하면 神効하다。

● 鍼灸療法

1、隱白 太陵 神門 太谿에 各七分 最强刺戟을 與한다。

2、灸治는 三陰交 曲骨에各九壯式 施灸하면 有効하다。

不姙症

여기서 不姙症이란 生殖器에 先天的및後天的으로 來하는 特殊한器質的 疾患을 除外하고 모든 生殖器에 別異常이없고 月經不順이나 冷症等에 基因되는 것을 말한다。

● 藥物療法

(一) 桂附四物湯　　春元遺方

炮附子 三錢 熟地黃 白芍藥 當歸 川芎 香附子 肉桂 乾干 各一錢 知母 黃栢 各五分 水煎服이면 極甚한冷症

도 解消되고 目的을 達成한다。

(二) 加味種玉湯　　仝　上

熟地黃 香附子炒 各一錢半 麥門冬 杜冲 當歸身 吳茱萸 川芎 阿膠珠 各一錢 白芍藥 白伏令 陳皮 玄胡索 牧丹皮 乾干炒 各八分 官桂 熟艾 各五分 水煎服함。

(三) 加味調經丸　　仝　上

熟地黃 兎糸子 各四兩 樗根白皮 五靈脂 白朮炒 白芍藥 酒炒 杜冲炒 鹿角霜 川椒 各三兩 當歸 川芎 甘草 各一兩 爲末蜜丸彈子大하여 一回三丸式 一日三回 温水에空心服하면 有効하다。

●鍼 灸 療 法

1、針治는 腎兪 三焦兪로八分 八髎로 深刺하여 直接子宮에 輕한 刺戟을 與한다。

2、灸治는 中極및中極兩旁三寸部 또는 關元및 關元兩旁二寸部에 一日七壯式長期에 亘하는 施灸가必要하다。

多 產 症 (婦人多子)

姙娠은 三年에 一回가 常例이며 年年生은 多產이다。如斯한 多產과 또 家庭形便上 不適當한 時機의 姙娠을 適宜調節하는 方法을 云한다。

●藥 物 療 法

(一) 延 產 法　　中山遺方

螃蟹(빵게足) 二兩 玄胡索 一兩 神曲 麥芽 各五錢 爲末하여 月經後七日로 十日까지 一回에一錢式 一日一回服用하면 有効하다。

●鍼 灸 療 法

1。針治는 石門一寸五分 三陰交에 一寸 各最强刺戟을 與하면 有効하다。

延 經 法 (月經을延期시킴)

月經의 來潮는 通常四週日에 一回가되였다。然則此時機에 旅行 運動試合 其他 事情에 依하여 月經의 延期를 必要로할때 用한다。

●藥 物 療 法

(一) 延 經 產　　中山遺方

膀蟹足 玄胡索 各一兩 茅根 五倍子 側栢葉 各七錢 甘草 二錢 爲末하여 月經來潮 二·三日前 一回一錢 式一日三回服하면 神効。

●鍼 灸 療 法

1、針治는 中髎에 深刺하여 一時間置刺하고 腎兪에

七分 强刺戟을 與한다。

産後腹痛

産後下腹部에 移動性의 硬物이 發起되여 疼痛이 甚하게되면 이를 所謂兒枕痛이라 한다。生理學的으로 말하면 擴大되였던 子宮이 急速하게 收縮되는 作用에서 發起하는 疼痛이니 即生理的으로 子宮이 常態에 復歸되는 좋은 現象이라 할것이다。

●**藥物療法**

(一) 加味芎歸湯　　中山遺方

當歸 川芎 玄胡索 各三錢 五靈脂 浦黃 澤蘭 白芷 白芍藥 甘草 各一錢 水煎服에 即効한다。

(二) 加味三聖散　　仝上

當歸 玄胡索 桂心 蓬朮 各等分하여 一回二錢式 一日三回服之하면 神効하다。

難産症

本症은 卵子와 精子가 合体가되여 即受胎卵이 되여서 輸卵管을 通하여 子宮腔으로 下來하고 適當한 條件下에 子宮壁에 着床하게 된다。그리하여 最後月經後 四十適 即二百八十日로 成熟되는 이期間을 妊娠이라하고 成熟된 胎兒가 母体外로 排出될때 胞兒의 長大 逆産및 母体虛弱等等에 依하여 順産되지 못하고 呻吟하는 狀態를 難産이라 한다。

●**藥物療法**

(一) 加味佛手散　　惠庵遺方

當歸 六錢 川芎 四錢 水煎하여 鹿茸末 一錢 調服에 神効하다。

(二) 滑胎散　　仝上

蛇退一條 蟬退 十四個 産兒父에 頭髮 鷄卵大 石三種藥을 燒存性 爲末하여 溫酒에 二回에 分服하면 神効하다。

(三) 難産에 遭遇하여 氣盡脈盡할 時는 鹿茸上代 五錢—一兩 水煎服 또는 爲末溫水服하면 最妙하다。

●鍼灸療法

1、針治는 合谷 太衝에 八分 中度의 刺戟을 與하고 三陰交로 一寸 最强의 刺戟을 與한다。若目的에 達치못할 時는 獨陰(足第二趾下橫紋中央) 左右穴에 强刺戟을 與하면 神效하다。

急滯

俗言에 急滯라 함은 急性으로 來하는 胃病을 말함이니 肝氣가 太盛하고 胃氣가 極히 弱하여 진다。即 肝은 木에 屬하고 胃는 土에 屬하니 木이 盛하면 木克土로 胃에 作用을 極度로 抑制하게 된다。그러면 胃에 運化作用은 衰弱하여 食物은 胃部에 停滯됨으로 疼痛 및 脹滿症이 發하게 된다。上記의 理論으로보면 于先肝氣를 弱化시키면 土氣는 自活하는 것이니 遠因인 金氣를 旺盛시켜 金克木으로 治療의 目的을 가져야 할 것은 自明之理라 하겠다。

●鍼灸療法

1、四關에 八分强刺하면 大体로 緩和된다。그러나 四關으로 目的이 達成치 못할 時는 中脘에 一寸五分 및 梁丘에 八分 最强刺戟을 與하면 完全히 鎭制되며 施術

이 適切하면 可謂 百發百中이라 할 것이다。

【註】四關이란 合谷太衝四穴이 된다。然而太衝穴은 肝經에 屬하기 때문에 胃經이 陷谷穴이 正常하다고 主張하는 者도 許多하다。筆者는 四二九二年 九月 漢方醫學會 主催로 中央公報館에서 學術講演을 連三日間 開催되었을때 本人은 神經學的으로 보는 針術에 對하여서라는 題目으로 講演을 하여 달라는 付託을 받고 出演途中 聽衆에서 四關을 經絡學的으로 解說하여 달라는 要求에 따라 說明하였더니 其때 成文化시켜 달라는 要求였다。그러나 時間關係上 다음 期會로 約束한 以來 于今未發表而 左에 略記하여 둔다。

一、木克土로 弱化된 脾胃의 作用은 肝經이 太盛하기 때문이며 그 遠因은 金經이 弱하여서 金克木이 안되기 때문이다。

二、經에는 陰陽兩經으로 區分되었다。陰經은 靜的 沈降的 鎭制的 即 陰的 作用으로 陽經은 動的發揚的 興奮的即 陽的作用을 營爲한다。

三、其遠因이 되는 金經의 作用을 發揚시키라면 肺經은 金의 陰經이 되고 大腸經은 金의 陽經이 되는 故로 大腸經의 許多한 穴中에도 上肢의 關門이 된 合谷兩穴에 刺戟을 與함으로써 金經의 作用은 增加된다는 原則

이다。

四、近因이 되는 木經에도 亦是 陰陽兩經으로 區分이 되었다。即 肝經은 陰的作用을 營爲하고 膽經은 陽的作用을 營爲하게 된다。故로 興奮된 自經을 鎭靜시키려면 여기서는 陰經인 肝經에서 脚部의 關門에 在한 太衝兩穴로 刺戟을 與하면 肝經은 抑制가 된다。

五、上述한바 金經이 興奮되고 木經이 抑制되어 所謂 金克木이 調和되면 土인 脾胃의 氣는 自活되고 胃의 運和가 잘 됨으로서 急滯가 鮮消된다는 것이다。

酒滯

酒滯란 愛酒家의 알콜刺戟으로 胃의 內部는 多少腫脹을 起하고 疼痛 및 嘔吐가 兼하며 그 疼痛은 飮酒에 依하여 稍緩된다。古來로 酒滯는 不治의 症이라 함은 愛酒家의 禁酒는 不可能하기 때문이다。然則 本症의 治方은 禁酒가 先決問題가 된다는 것이다。

●藥物療法

(一) 加味對金飮子 漢峰遺方

陳皮三錢 乾葛二錢 赤伏令 砂仁 神曲 只實 藿香 香附子 各一錢 厚朴 蒼朮 甘草 草豆久 各七分 干三 水煎服에 有効함。

(二) 加味健脾丸 仝上

乾葛一斤 蒼朮 人蔘 白伏令 厚朴 陳皮 山査肉 只實 白芍藥 砂仁 丁香 神曲 麥芽 甘草 各八兩 爲末蜜丸梧子大하여 一回五十丸式 一日三回에 空心服하면 長期에 有効하다。

●鍼灸療法

1、針治는 中脘에 一寸五分 上三里에 一寸 各各强刺戟을 與하며 禁酒를 斷行하여야 함。

2、灸治는 脾兪 胃兪 三焦兪로 愈病爲度로 施灸하면 有効하다。

尿崩症

本症은 煩渴과 함께 頻尿 및 多尿를 主症으로하여 마치 糖尿病과 症候가 近似함으로 漢醫學에서는 此等의 疾患을 一括하여 消渴症이라 한다。然而病理學的으로 論하면 消渴症은 膵臟 호르몬의 産出缺乏에 基因함에 反하여 此症은 腦下垂体 後葉의 所胃抗利尿 홀몬이 前葉의 利尿作用을 牽制치 못하는데서 惹起되는 慢性疾患이 된다。臨床上 檢尿에 本症은 糖分이 無함에 反하여 糖尿病은 多量의 糖分이 尿中에 含有되어 있다。

●藥物療法

(一) 加味八味湯　柳谷田遺方

五味子 熟地黃 各二錢 山藥 水茱萸 烏梅肉 麥門冬 牧丹皮 澤瀉 白伏令各一錢 肉桂 附子 各五分 水煎服에 有効하다。

(二) 加味鹿茸丸　仝上

鹿茸 五兩 熟地黃 黃芪 鷄의 膍胵(닭멀더구니) 乾炒 麥門冬 肉蓯蓉 各三兩 山茱萸 破古紙 牛膝 人蔘 白伏令 地骨皮 玄蔘各五錢 爲末蜜丸梧子大하여 一回五十丸式 一日三回 空心服하면 有効하다。

●鍼灸療法

1、針治는 金津 玉液에 刺針瀉血하고 左右湧泉穴에 八分 最强刺한다。

「註」金津 玉液兩穴의 取穴法은 舌捲하여 舌下兩側紫脉上에 在하니 左側을 金津 右側을 玉液이라 한다。

胎動下血症

此症은 原來 胎元이 弱한 者에 多現하며 往往 肉体的 動搖나 精神的 苦痛에서도 發한다。症候는 通常 腹痛에 下血症이 兼하고 姙娠 三個月 以後에 多現한다。

●藥物療法

(一) 加味芩朮湯　濟南遺方

條芩(黃芩之稍) 白朮炒 各五錢 人蔘 甘草各一錢 水煎服에 即愈

(二) 加味安胎飮　仝上

白朮二錢 人蔘 條芩 當歸 白芍藥 熟地黃 砂仁 陳皮 香付子 阿膠珠 各一錢 川芎 蘇葉 甘草各八分 水煎服에 有効함。

(三) 加味八珍湯　仝上

海蔘五錢 熟地黃 當歸 川芎 白芍藥 白朮 白伏令 甘草 陳皮 砂仁 各一錢 水煎服에 最妙하다。

●鍼灸療法

1。針治는 合谷에 瀉하고 三陰交에 補하고 照海에 補한다。

蛇咬毒

蛇類에는 種類가 許多하여 有毒 및 無毒으로 區分되며 그 中 第一 猛烈한 毒性의 保持者를 毒蛇라 하여 그 形은 体少하고 茶黑色에 頭部는 匙形으로 偏廣하며 四個의 長牙가 備置되었다。이 毒蛇에 咬傷을 當하면 往往重態에 陷한다。

● 藥 物 療 法

(二) 五 靈 脂 散　　谷口遺方

五靈脂五錢 雄黃三錢 五倍子二錢 甘草五分 爲末 一回二錢式 一日三回 服하면 神効하다。

狂 犬 毒

犬毒도 亦是 普通犬毒은 大端치 않으나 狂犬咬傷을 當하면 往往生命에 危險을 준다。

● 藥 物 療 法

(一) 斑 猫 散　　谷口遺方

斑猪去頭足翅炒 二錢 玄胡索 蕫以仁各五錢 大黃三錢爲末하여 一回에 一錢式 一日三回 溫水服

(二) 塗 布 藥.

黃栢皮 五倍子 白礬 等分爲末貼布한다。

打 撲 및 捻 挫

打撲傷이란 身体表面으로 强打된 것을 말함이니 强打된 其 部位는 內部의 細少한 血管 및 淋巴管이 損傷되어 血液이 流溢함으로 其 部分은 多少 發赤腫脹된다。

● 藥 物 療 法

用藥法은 大体로 同一하며 欝血 및 充血을 消散시키고 新陳代謝와 吸收에 便케한다。

加 味 當 歸 散　　中山經驗方

當歸二錢半 赤芍藥 烏藥 香附子 蘇木 玄胡索 白芷 大黃各一錢 紅花 桃仁 桂心 甘草各八分 酒水相半煎服에 最妙함。

● 鍼 灸 療 法

1、腫脹이 甚할 時는 刺針瀉血이 治療의 原則이 되어 있다。그러나 古方에 依하면 打撲된지 三日이 經過된 者에 限하여 瀉血을 行한다 하였다。病理學的으로 考察하면 組織內의 毛細血管이 破裂되었기 때문에 血液이 流溢된다。故로 滿三日이 經過되어야 傷한 血管이 愈着되는 時期라 하여 이 時期를 利用함이 가장 適當하다 하였다。三日後에 瀉血하면 一、鮮紅色 一、暗赤色 一、黃色으로 各各 流出한다。鮮紅色은 動脈血液이요 暗赤色은 靜脈血液이요 黃色은 淋色液이요 決코 毒物은 아니다。

2、捻挫傷은 所謂 접찌른 것 或은 삔것 等을 云함이니 筋神經 血管等이 損傷되어 發赤腫脹한다。이때에 筋및 神經等은 極度로 緊張되어 身体動作이 不可能 하게

된다。治法은 捻挫部에 依하여 異하기 때문에 左에 例擧한다。

3、跗關節部에 捻挫되었을때는 內外前後의 區分은 있으나 大略下記의 穴을 利用한다。下三理 陽陵泉 陰陵泉 三陰交 懸鍾 附陽 太白 照海 申脉 太衝 陷谷 臨泣等에서 取捨撰擇하여 七八分 刺針하고 最强에 刺戟을 與한다。

4、蹈指之時는 下三里 條口 太衝 大白 等으로 七分 最强刺戟을 與한다。

5、膝關節之時는 下三里 陽陵泉 血海 梁丘等으로 七分 最强刺한다。

6、腕關節之時는 手三里 孔最 合谷 肩井 肩髎 等으로 七分 最强刺戟을 與한다。

7、拇指之時는 合谷 太淵 陽谿 手三里 曲池等으로 七分 最强刺戟을 與한다。

8、小指之時는 腕骨 小海 肩井 巨骨等으로 八分 最强의 刺戟을 與한다。

9、肘關節之時는 肩井 肩髎 肩髃 四瀆 臂臑 手三里等에 七分 最强刺戟을 與한다。

10、肩關節之時는 肩井 秉風 曲肩 肩貞 臂臑 曲池等에서는 七分 最强刺戟을 與한다。

11、頸部之時는 大椎 肩中兪 巨骨 天柱 風池 百會等에서 七分 最强刺戟을 與한다。

12、所患脇肋之時는 患部에 準하여 患側胸椎 橫突起間에 五分 直刺하고 其 肋骨末端部間陷中에 三分 强刺戟을 준다。

13、所患胸骨之時는 胸骨兩傍에서 肋骨末端部陷中에 三分 直刺하여 强刺戟을 與한다。

14、所患腰部之時는 三焦兪 腎兪 氣海兪 關元兪 等에서 八分 直刺强한 刺戟을 준다。

15、所患股關節之時는 大腸兪 小腸兪 膀胱兪에 直刺 八分하고 環跳 및 上環跳에 一寸五分直刺하고 內外膝眼에 一寸直刺하여 强刺戟을 與한다。

16、所患踵部之時 承山 附陽 公孫 太白申脉等에서 七分直刺하고 强刺戟을 준다。上述한 疾患에는 擧皆가 最强의 刺戟이 必要하다。鎭痛 鎭靜 鎭痙 및 消炎의 作用은 最强의 刺戟에서만이 來하기 때문이다。

面上紛刺 (여드름)

本症은 大略体質에 關係가 甚多하다。또 熱毒으로도 發生되는 者도 있다。西醫學에서 主로 体質關係로 보고 東醫學에서는 熱毒으로 보고있다。그러나 治法은 同一하다。

● 藥 物 療 法

(一) 加 味 消 風 散　　濟南遺方

荆芥 甘草 各一錢二分 沙蔘 白伏令 白干蚕 川芎 防風 藿香 蟬退 連交 白芷 片芩 黃連 桑白皮 梔子 貝母 各八分 陳皮 厚朴各五分 水煎服에 最妙하다。

● 鍼 灸 療 法

1、針治는 面上 卽 患部 및 頭部 等으로 强한 皮膚針을 施하면 輕者는 一週日 重者는 約 一個月以內에 完治可能하다。

面上기미

이 症은 婦人에게 好發하며 氣節에도 關係되며 姙娠에 蜜接한 關係가 되나 亦是 그런 体質者에 多發한다。

● 藥 物 療 法

(一) 去 黑 散　　金谷遺方

桃花 桑葉 覆盆子 石花 菰蔞仁 鹿角 等分爲末하여 一回에 二錢式 一日三回 服之하면 기미 여드름 等이 解消되며 同時에 顔面皮膚 및 顔色이 光澤하여 진다。

● 鍼 灸 療 法

1、針治는 上星斜刺一寸 間使 風池 中渚에 各七分 强刺戟을 與하고 頭部 面部에 强한 皮膚針을 慶汎하게 施하면 一個月 前後로 消散된다。

頭上落毛症

此症은 老人性으로 來하는 것을 除外하고 青年時代부터 甚한 落毛症으로 所謂 대머리가 되어 苦心하는 者를 말함이다。病的 或은 生理的으로 毛根이 虛弱하여서 毛髮을 營養치 못한대 基因되는 것이므로 青年時代에 適切한 施療를 得하면 完治또는 半治는 可能하다고 述者의 實驗에서 立徵한다。

● 藥 物 療 法

(一) 桑椹(實) 熟者陰乾二斤 丁香 赤何首烏各一斤 鴿(鳩)糞八兩 附子一兩 爲細末蜜丸梧子大하여 一回五十丸式 一日三回温酒에 空心服 한다。

(二) 上記藥을 服用과 同時에 生薑汁으로 一日一回以上 摩擦하고 또 生半夏汁으로 行하여도 亦良好하다。

頭髮早白症

此症은 老人性으로 早白者는 姑捨하고 二十代부터 白色으로 漸次 變하는 者를 말한다。 이것은 色素의 缺乏에 基因되는 것이다。

●藥物療法

(一) 生地黃酒 谷口遺方

生地黃 青胡肉各五斤을 乱擣釀酒하여 約 一個月 服之면 可驗된다。

(二) 五味子散 仝上

五味子五斤 槐實三斤 胡桃 青皮一斤 爲細末하여 一回一錢五分式 一日三回 清酒調服 한다。

癌腫

本症은 胃癌 肝癌 및 子宮癌 等으로 區分하나 그 治法은 同一하며 惡性筋腫도 亦然하다。

●藥物療法

玄胡索 蒲黃各一兩五錢 乳香 沒藥 血竭 穿山甲(尾甲)炒 寒水石各一兩 蝸牛乾炒 班猫去頭足翅炒各五錢 爲細末하여 蜜丸 녹두大하고 一回에 五丸式 温水에 一日二回服하면 有効하다。

肥滿症

本症은 先天的 또는 後天的으로 分하며 異常 生理的으로 우리人間의 必要以上의 肥大함을 稱한다。 그症은 身體壓重하고 呼吸이 困難하여 모든動作이 緩慢하고 特히 處女 時代에는 體形의 美化를 損傷시킨다。

●藥物療法

(一) 加味二陳湯 柳谷遺方

蒼朮五錢 半夏三錢 橘皮 赤伏令 商陸 白芥子各一錢 水煎服에 大効가 有하다

(二) 蒼朮散 仝上

蒼朮 薏苡仁各四兩 天花粉 葶藶子各一兩 爲細末하여 一回一錢五分式 一日三回 空心服하면 不過一個月內에 見効한다。

溺死者및縊死者救急法

溺死者 또는 絞死者는 死後的二時間이 經過되면 자못無望하다고 본다。그럼으로 可及的이면 速히 救急法을 行하면 大槪蘇生된다。이를 人工呼吸法이라 云한다。

救 急 法

(一) 溺死者일時는 于先患者의 胃部에 充滿된 水分을 吐出시키기爲하여 左記順序로 行함

1、術者는 自己의 右側膝部를 直立시키고

2、患者의 腹部中央 即臍部를 術者의 直立시킨 膝上에 踞置하고

3、術者는 右手로患者의 臂部를 左手로 患者의 頸部를 輕하게 壓下시키고 患者의 身体를 多少動搖시키면 飮下하였던 水分이 多量으로 吐出한다。

4、다음에는 患者의 身体를 平地에다 仰天安臥시키고 肛門을 線球等으로 挿閉하고 空氣의 出入을 防止시킨다。

5、그다음에 術者는 左右手로 兩季肋部即十一。十九肋骨末端部에 輕하게 季肋部를잡고 壓力을 加하고 副術者로 하여금患者의 頭上部에서 患者의兩手를 持擧케함。

6、다음에는 呼吸하는 時間의 間隔으로 副術者가 잡은 患者의 兩手와 術者가 兩脇下에 付着된手로 兩者同一하게 擧上하고 다음瞬間에는 原狀으로 患者의 兩手와 脇部도 下來시킨다。이動作은 患者呼吸을 通할때까지 行함을 原則으로한다。

理論은 心臟과 肺의活動을 繼續시킴으로써 心臟의活動과呼吸作用이 復活되는것이다。그러므로 그行術方法은 人間의呼吸하는 時間程度의 間隔을 參酌하여 行함을 原則으로 한다。

(二) 縊死者일時엔 頸部에 按摩를 行하며 人工呼吸法을 上記한바와 如히 行한다。

●藥 物 療 法

(一) 溺死者 縊死者를 莫論하고 人工呼吸法을 行함과 同時는 半夏末를 鼻中에 吹入시키는것이 恢復이 容易하다 또呼吸이 通하기 始作하면 下記에 藥水를 徐徐히 服用시키면 即時 蘇生된다。

(二) 加 味 回 生 散　　金 谷 遺 方

藿香 橘皮各五錢 鹿茸三錢 黃芪二錢 人蔘 甘草各一錢

武火로水煎하여 徐徐服之한다。

其他雜病

●**毒　感**

加味杏蘇湯　　仁川　朴秉根 先生

香薷 白扁豆各三錢 檳榔二錢半 香附子 藿香 蒼朮 厚朴 滑石 石膏各二錢 大卜皮 燈心 白芷 蔓荊子 蘇葉各一錢半 川芎 細辛各七分。

●**瘧　疾**

半貝丸　　서울　申信求 先生

半夏 貝母各等分 爲末糊丸梧子大。

○瘧疾發作 一時間前에 四—五分重 服用하고 生姜汁半匙를 吏用한다。

●**頭 汗 症**

柴胡桂枝乾姜湯　　서울　金昌俊 先生

柴胡三錢 桂枝 天花粉 黃芩 牡蠣粉各一錢半 乾姜 甘草各一錢。

●**犯 房 傷 寒**

加味雙和湯　　서울　愼喜範 先生

白芍藥二錢半 山茱萸二錢 熟地黃 黃芪 當歸 川芎 五味子 麥門冬 補骨脂各一錢 桂皮 甘草各七分半 干三 召二。

柴竹根 地楡各一兩 羌活 獨活 柴胡 前胡 桔梗 枳殼 人蔘 赤伏苓 川芎 甘草各一錢 薄荷五分。

○狂犬의 神效方으로서 三貼—五貼에 完治。 牛馬가 狂犬에 咬傷한 時는 十倍로하여 三貼에 完治。

○紫竹根은 山野에 自生하는 小竹임。

●**活 精 丸**

熟地黃 當歸 巴戟 兎系子各二錢 人蔘 白朮 白伏苓 肉桂 枸杞子 山茱萸 山藥 芡仁各一錢 附子五分。

爲末 蜜丸梧子大 每三〇~五〇丸。

●**腎 虛 症**　　서울　朱冕祐 先生

〔主治〕 男女老少 下焦腎虛冷症 遺尿 戚尿 晝夜不絕者는 腎氣 不足也니 心臟虛하여 夢中頻尿한 것도 治함。

加味補腎湯

熟地黃 破故紙各三錢 家菲子 枸杞子 山茱萸山藥各二錢 白伏苓 益智仁 烏藥 黃芪 白朮 桑螵蛸 龍骨覆盆子 甘草各一錢。

其他

四象醫學의 理論과 實際

大韓四象醫學會長 洪 淳 用

一、緖 論

지금으로부터 七十三年前(1961)에 東武 李濟馬가 東醫壽世保元을 著述함으로 四象醫學이 世上에 나오게 되었고 四象이란 말은 本來 易理에서 나온 假說이나 여기서는 後漢時代의 仲景 傷漢論을 結付하여 새로운 病理思想을 樹立한 것이 四象醫學인 것이다。

東洋哲學에서는 太極原理에서 陰陽 四象 八卦로 瀉繹變化하였으며 이의 卜術的 原理는 八卦物象에 依한 陰陽變化의 尺度를 乾 坤 坎 離 震 艮 巽 兌로 中心을 하고 있다。 그래서 三十六卦 六十四卦의 重卦로 發展하는 것이다。 그러나 四象醫學說에는 八卦 또는 六十四卦에 對한 言及은 한마디도 없고 단지 太極 陰陽 四象에 局限되어 있을 뿐이다。 다시 말해서 太極 陰陽의 變化로 四象일 다름이며 그러나 物質的 存在를 意味한 것이 아니요 存在의 表象으로서 四象일 따름이다。

四象이란 語彙는 易理에서 빌려온 것은 事實이나 東武 四象槪念은 四元構造의 象徵的 符號에 지나지 않으며 哲學에 局限되지 않고 科學 또는 醫學으로 發展할 수 있는 素地의 可能性을 內包하고 있다。

2、 性理思想으로 본 四象醫學

四象醫學의 原理라 할까、根本思想은 性命論에서 부터 시작하여 四端論 擴充論 臟腑論 醫源論으로 瀉繹하였다。 總體的意味를 말한다면 宇宙와 自然、自然과 人間關係、또는 人間의 內面性과 外面性을 道化論的 次元에서 說明하고 있다。

自然의 法理로서 地方 人倫 世會 天時의 天機的 四象을 具象化 하였고 人間의 外面性에는 居處 黨與 交通 事務로서 天機와 綱目 關係를 形成하고 있다。 그래서 耳目口鼻는 觀於天、肺脾肝腎은 立人 頷臆臍腹은 行其知 頭肩腰臀은 行其行이라 하여 天 人 性 命의 原理를 具象化한 것이 四象醫學의 本質이 되었다。 그래서 天機와 人事、性과 命 知와 行、好善과 惡惡、哀怒와 喜樂、溫熱과 寒凉、淸氣와 탁재 등으로 象徵的 對待關係를 이루고 있는 것이다。 그러나 이 모두가 太極之心에 總和되고 또 다시 陰陽으로 分化하여 極을 이

룬 것이 四象인 것이다。

3、臨床的 價値로 본 四象醫學

醫學이라 함은 한마디로 疾病을 治療하는 學問이라 하겠다。오늘날 東西醫學이 생각하는 角度가 다를지라도 疾病을 治療하는 目的에는 다를바 없으며 마찬가지로 漢醫學의 流派가 鼎立해 있어도 價値性의 優劣을 論하기는 어렵고 다만 自體가 保有하고 있는 特徵的인 것만을 높이 評價해야 할 것이다。

이런 뜻에서 비록 四象醫學이 歷史가 日淺하고 기틀이 잡히지 않았다。해도 우리 祖上이 이룩한 主體醫學임은 勿論의요 體質固定論이라는 劃期的 醫學이라 아니할 수 없다。

東醫壽世保元에 「人禀臟理에 有四不同하니 肺大而肝小者를 名曰太陽人이요 脾大而腎小者를 名曰 少陽이오 腎大而肝小者를 名曰 少陰人이요 肝大而肺小者를 名曰 大陰人이라 하고 太少陰陽之 臟局長短은 陰陽之變化也라 天禀之已定은 固無可論이라고 確固한 信念을 말함으로 體質不可變의 眞理를 發見한 것이다。그러므로 사람은 어느 하나의 體質을 禀受하였으며 環境이나 地理的 條件에서 決코 變하지 않고 各自 體質의 特異性이 있으며 東武는 이를 臟腑의 大小機能으로 말하였다。

只今까지 傳해온 醫學潮流를 보면、仲景傷寒論은 陰陽二元論에서 出發하여 三陽三陰의 病症을 論하였고 다음 後世醫學들은 五行思想에 立脚하여 臟腑의 生克關係로 生理를 說明하였다。이에 反하여 四象醫學은 四象이란 觀念으로 體質에 따른 臟腑虛實이 固定됨을 말한 것이다。그러므로 얼른 생각하면 陰陽이 곧 四象이요 五行이 곧 陰陽이라는 辯證法的、說明을 할 수 있지만 毫釐之差라가 千里之差라는 큰 差異點이 있는 것이다。

사람의 體質이 四象觀念에 依해서 이루어졌고 心理 生理 藥理까지 旣存 醫學說에 挑戰하였지만 아직까지는 基礎的 段階에 머물러 있을 뿐이고 急進的 發展을 보지 못하고 있음은 體質鑑別에 客觀性이 없기 때문이다。

4、四象治療에 診察方法

四象治療에는 반드시 다음과 같은 方法論이 先行돼야 하는데 첫째 體質을 鑑別하는 것을 先行條件으로 하고 있다。體質을 鑑別하는 根本原理는 臟腑의 大小

虛實에 있지만 이를 識別하기란 그리 쉽지 않으므로 東武 自身도 「人物形容을 仔細商量하여 再三推理하고 如有迷惑이면 參互病症하여 明見無疑 然後에 可以用藥이요 最不可輕忽而 1貼藥이라도 誤投하면 1貼藥이 必殺人」이라 하였다。 이와 같이 體質을 아는 것을 어려운 問題點으로 表明하였다。

近來에 와서 血液型과 結符하여 辯別하고자 하고 또 試藥으로 尺度法等 多角的으로 模索하고 있으나 確實한 客觀性을 發見할 수 없고 다만 經驗과 直觀에 依해서 綜合的 判別을 할 수 밖에 없다。 그러나 確實히 말할 수 있음은 人間의 體質이 넷으로 分類되어 있다는 事實만은 否定할 수 없다。

둘째로 病證에 對한 鑑別인데 體質分類가 從來의 醫學槪念과 마찬가지로 寒熱 虛實을 識別하게 되는데 여기서 證이라 함은 體質에 따라 달라지는 것이다。 가령 太陰人의 경우라면 肝因性病症과 肺因性病症으로 區分하여 전자를 東武는 肝受熱裏熱病이라 하였고 後者를 胃腔受寒表寒病이라 하였다。 마찬가지로 다른 體質에도 表裡寒熱症으로 臟腑關係에 依한 病理를 說明하였다。 이는 從來의 證의 槪念과 相異한 點이며 때로는 病症에 依해서 體質을 鑑別할 수도 있다。

셋째로 藥物選擇이 必然的으로 나오게 되는데 이는 일찌기 東武公이 體質에 따른 藥物과 處方組織이 決定되었기 때문이다。 그러므로 體質治療의 目標는 生理病理的 不均衡을 바로 잡는데 있으므로 現症의 變化에 있어서도 傷寒方과 달라 處方構成이 基本的으로 달라지지는 않는다。

넷째로 體質에 따른 飮食物의 適應이다。 飮食은 약에 못지 않게 治病에 重要함으로 徹底한 指導가 必要하다。 따라서 各自 體質에 따른 精神的 問題도 絶對考慮하지 않으면 안되어 이런 모든 事項을 有機總和하여 治療에 臨하게 되는 것이다。

5、 體質鑑別

(1) 太陽人

太陽人의 體質은 肺가 크고 肝이 작기 때문에 上體가 實하고 허리 部分이 弱하다。 목덜미가 굵고 머리가 크며 얼굴이 둥글고 眼光이 빛난다。 腰脊이 弱하기 때문에 오래 앉아 있는 것을 忍耐하지 못한다。 性格은 남과 잘 소통하며 果斷性이 있고 또 進取性이 强하다

反面에 計劃性이 적고 대담하지 못하지만 英雄心과 自尊心이 强한 편이다。 普通 머리가 明析하며 뛰어난

創意力을 가지고 있다。 四象人中에 수효가 가장 적다

(2) 少陽人

脾가 크고 腎이 작기 때문에 胸廓이 發達되고 腰以下관골 部가 弱하다。 몸은대개 肥厚하지 않고 上實下虛하여 걸음거리가 빠르다。言聲이 明朗하고 理論的이 못되며 무척 輕率하게 보이고 무슨일에나 시작이 빠른 대신 마무리를 잘 못한다。

恒常 外部일에 분주하여 內部를 論理하지 못하며 남을 爲하여 희생적 奉仕를 잘 한다。 판단력은 빠르나 計劃性이 적다。 少陽人은 熱性體質이기 때문에 성분이 熱한 飮食이나 刺戟性이 強한 것은 좋아하지 않을 뿐더러 먹어서 害가 된다。

(3) 太陰人

肝大肺小함으로 허리가 發達되었어도 上體가 虛弱하다。大陸性體質이 많아 線이 굵은 편이라 骨格이 굵고 살이 肥厚하며 땀구멍이 성글어서 普通때에도 땀을 잘 흘린다。 上體보다 下體가 實하기 때문에 걸음거리가 느리고 安全性있게 걷는다。 남보기에 驕慢하게 보이고 陰凶한 생각을 갖는다。 무슨 일에나 시작이 뜨지만 끈질긴 持久力이 있기 때문에 大成하는 例가 많다。

(4) 少陰人

中焦가 가장 弱하며 四象人中에는 가장 消化器病을 많이 이르킨다。 또한 性格이 매우 緻密하고 內性的이어서 神經性 疾患도 많이 招來하게 된다。특히 少陰人은 寒冷한 것을 吸收하기 쉬운 素因이 있으므로 이로 인해서 많은 病을 불러온다。 皮膚筋肉이 細密하여 땀이 많지 않음이 特徵이다。 만일 發汗 또는 代謝作用過해도 病的狀態임을 알 수 있다。

매우 社交的이여서 他人에게 좋은 印象을 줄때도 많지만 個人主義 利己主義가 強하여 곧잘 남을 利用하거나 智能的인 害를 끼치는 경우도 많다。利害打算을 爲하여 變節도 하고 手段과 方法을 가리지 않는다。

6、傷寒病理의 批判

醫學의 目的이 病을 治療하는 것이라면 그 理論과 方法에 依해서 治療確率이 나타나야 한다。 그러면 四象治療의 實際는 어떠한가 壽世保元 病因論에 보면 各體質마다 두개의 病證으로 分類되어 있다。 가령 少陰人의 경우면 腎受熱表熱病論과 脾受寒裡寒病論으로 大別하여 一切의 病을 묶어서 處理하였다。 이는 腎大脾小라는 虛實에서 案出된 理論이다。

여기서 傷寒論에 나타난 六經病證을 四象醫學的 見

地에서 檢討해 보기로 한다。傷寒이라 하면 寒氣에 傷했다는 뜻이며 寒氣가 外部로부터 侵入하여 病을 이르킨 것으로 難經에는 中風 傷寒 濕溫 熱病등이 傷寒에서 온다 하였고 內徑에는 겨울에 寒氣를 받은 즉 봄에 溫病이 發하기 쉽고 夏至以前에 發함을 溫病이라 하지만 夏至以後에 發함을 暴病이라 하였다。外感이란 都是 四時不正氣에서 오느니 만치 正氣가 自表入裡한다는 것이다。그래서 邪氣가 侵入하는 經路를 經絡이라 하며 經絡 症狀에 依해서 處方이 固定되어 있다。

經絡에는 三陽 三陰으로 大別하며 이에 따른 表裡 寒熱 虛實로 判別하고 汗吐下 和溫의 治法이 나온다. 以上 傷寒治療의 大綱이라 하였으니 三陽 三陰經病을 體質的으로 分類하면 太陰病 少陰病 加陰病은 少陰人의 病症이요 太陽病 陽明病症은 太陰人 少陰人에게 있는 病症임을 알 수 있다。

그러나 四象醫學的 見地에서 體質이 確然하다면 굳이 六經病論을 말하지 않더라도 體質的인 特有의 病症을 把握할 수 있으므로 이에 準하여 빠른 治療를 期할 수 있다。

가령 太陽經病에 있어서 傷寒論에 보면 脈이 浮하고 緩하면 傷風으로 보았고 脈이 浮하고 緊하면 傷寒이라 하여 治療에도 傷風에는 麻黃湯 傷寒에는 桂枝湯으로 分類되어 있으나 본래 太陽病에 太陰人은 頭痛 身痛 惡寒 發熱이 있고 脈이 浮緊하며 少陰人은 같은 症勢에 脈이 浮緩함이 原則이므로 별로 脈狀을 따지지 않더라도 太陰人 外感病에는 麻黃發表湯을 쓰고 少陰人 外感에는 天枝湯을 쓰는 것을 原則으로 하였기 때문에 까다로운 脈狀을 參酌하지 않아도 된다。그 理由가 무엇이냐 하는 病理的 糾明이 있어야 할 것이다。같은 太陽症이라 해도 太陰人은 胃脘受寒에서 온 것이고 少陰人은 腎受熱에서 왔기 때문이니 本來 少陰人은 脾虛하여 寒邪가 脾臟陽氣를 圍하야 腎臟陽氣가 不能上昇하므로 腎熱이 縮膀胱하여 惡寒 發熱 頭痛 身痛 같은 症候가 發하며 여기서 惡寒은 正邪相爭함에서 오고 發熱은 腎陽之氣가 不能上昇하므로 오는 것이다。

太陰人은 上焦에 外邪를 받은 즉 肺에 鬱邪가 되어 榮血이 不和해지고 기표옹폐하므로 오는 것이 惡寒 發熱 頭痛 身痛 骨節痛 腰痛등이 심하고 그러므로 반드시 發汗을 시켜야 하므로 麻黃湯을 써야만 한다。

비록 外感病만 아니라 內傷에도 마찬가지 理論이 成立되며 四象人의 病理는 症證이 비슷하드라도 전혀 原因이 다른 것은 藥物治療에서 確實하게 證明될수 있다

7、結 論

四象醫學이란 本來 天賦的인 體質을 바탕으로 하여 治病하는 方法論을 提示한 것이니 이는 臟腑虛實이 生來的으로 固定되어 있고 이에 따라 喜怒哀樂이 偏重作用함에 健康도 疾病도 左右된다고 하였다。 그래서 東武는 내가 醫學經驗이 있는지 數千年 후에 가서 옛사람들이 傳해온 醫書를 通하여 偶然히 四象人의 臟腑性理를 發見하였다。 그러므로 從來의 醫學과 같지 않으니 그 벼을 찾은 然後에 枝葉을 取할 것이요 太少陰陽의 臟腑가 長短點이 있음은 陰陽의 變化로 定해진 天禀이니 만치 굳이 再論할 餘地가 없다」고 하여 明確히 四象醫學의 本質을 說破하였다。

그러므로 굳건한 基礎를 닦은 터전위에 새로운 醫學을 樹立하는 길만이 우리들의 使命이라 하겠으며 四象醫學이야 말로 從來의 어떠한 潮流의 醫學에 못지 않게 훌륭한 것임을 自負한다。 더우기 四象醫學은 우리의 主體性을 十分 發揮할 수 있는 韓國的임을 誇示하게 되며 나아가서는 醫學뿐 아니라 人類學 心理學의 領域에 까지 널리 普及될 原理라 하겠다。

法醫學概論

趙達濟

一、立法司法行政 法律上의 諸問題되는 醫學的事項을 研究考察하여 問題解決의 도움이 되는 學問이다。

對 象 1、生體檢查
2、死體檢查
3、物體檢查
4、現場檢查

二、檢 查

1、生體檢查
個人識別
創傷(部位 形狀 程度 豫後 兇器 判定)
性別 年齡 强姦 임신 隨胎 精神狀態 親子鑑別 詐病

2、死體檢查
檢屍(表皮觀察)病死 皮染病死 與否檢查
行政解剖 自然死 變死의 區別
司法解剖 犯罪行爲와 死因과의 因果 關係를 究明한다。

3、現場檢查：犯罪의 性質動機方法犯人의 種類 및 手法 現場周圍狀況(兇器有無 血痕 足蹟犯蹟有無) 搜查에 必要한 事項을 檢查한다。

4、搜查에 必要한 事項
損傷死 挫傷 挫創 裂創 切創 刺創 割創
도끼 작위 創底에 骨折이 생김

5、刺創：尖部가 銳利한 것 短刀 송곳 도라이바 等 刺入時形成

三、窒息死

肺에서、生理的瓦斯交換障害로서 이루어지는 死(죽음)이다。

內因性 및 外因性인 要素가 있다。

外因性要素 頭部壓迫 絞扼으로 因한 窒息

증 상

1、呼吸困難期：CO 缺乏 및 代謝產物蓄積으로 나타남

2、경연기：O_2 缺乏과 CO_2 蓄積으로 呼吸中樞刺克 및 痲비로 경연이 온다。

3、無呼吸期：呼吸微弱하고 意識喪失하여 糞尿실

근이 이러남

4、終末期：깊은 呼吸氣 運動間隔을 두고 數回返復한 呼吸停止됨

四、屍體所見

1、顔面에 Cyanose 및 彰大(縊死 일시 蒼白할 때가 많다)

2、眼瞼：眼瞼結膜의 溢血點

3、大小便：精液 노출

4、血液의 暗赤色의 流動性、

5、內臟의 鬱血

6、胸膜下 心外膜 胸腺皮膜下의 溢血點

窒息 絞死 縊死 扼死

가、縊死：頸部의 壓迫을 自身의 體重을 利用하여 이루어지는 상태에서 나타난다。

索條 索溝 索痕

自殺이 많다。

나、絞死：頸部를 索條(끈)로 絞壓하여 이루어진다。

外力에 依하여 이루워 진다。他殺이 많다。

① 索條의 種類에따라 表皮의 所見에 差가 많다

② 索溝가 頸部를 水平으로 一周한다。

③ 結節의 位置(生前에 不具者인지 여부)

④ 結節에서 兩端의 길이가 對等한지 여부

⑤ 索條와 狹雜物과의 關係

⑥ 抵抗痕의 有無

다、扼死：頸部壓迫으로 氣管에 空氣不通으로 因하여 窒息한다。

大部分他殺이다。

扼痕의 有無 外表에 手指壓迫痕 左右對稱的表皮剝奪瓜痕狀大小 各種의 皮下出血을 볼 수 있다。

라、溺死：氣道內에 空氣外 다른 液體가 들어가 窒息死亡한다。

1기、氣溫이 낮아 水中에서 皮膚 자극으로 呼吸한다。

2기、肺에 들어가는 것을 防止하기 爲하여 呼吸을 하지 않는다。30秒~1分間

3기、炭酸瓦斯蓄積으로 呼吸을 다시한다。

4기、경년期 1分~1分30秒 强한 呼氣시 泡沫이 나온다。

5기、無呼吸期

6기、終末呼吸

肺 및 各內臟實質臟器에서 Plankton이 檢出된다。

死體檢案

1、目 的

① 死

② 死亡時間의 推定

③ 死亡種類의 區別

自然死 變死 自殺 他殺

④ 損傷・有無

2、檢屍때 一般的인 留意事項

1、檢屍日時 場所의 記名

2、寫眞 撮影

3、現場保存時 關係證據物

4、身元不明時 死體의 個人識別의 資料

5、死後經過時間

6、損傷의 正確한 記載

7、頸部損傷의 細密한 觀察

8、中毒死의 경우 死斑 및 注射痕의 有無

9、强姦事件 膣內容物 陰毛採取

10、溺死 胸膣內의 液體檢査

筆者：現國立科學搜査研究所法醫科係長

漢方本草(生藥)의 製劑에 關하여

임덕성漢醫院 任 德 盛

漢方醫學의 發展을 크게 期待하려면 診斷과 投藥 即 藥物의 開發이 있어야 한다고 본다。

그 理由는 藥物의 開發없이 醫藥의 發展을 바란다는 것은 語不成說이라 하겠는데 藥의 科學的 糾明이나 製劑의 方法이 科學化할수록 漢醫學에 관한 認識도가 더 깊어질수가 있다。

今般 城東區漢醫師會에서는 分會의 會員들이 使用하고 있는 秘方이나 妙方、或은 奇方을 相互 使用하여 患者의 疾病을 治療하고 더 나아가서는 漢方醫學의 優越性과 科學性을 立論하리라고 믿는 바이다。

特히 本人은 漢醫學에 關한 문제에 있어서 病은 고치되 그 方法이나 施術方法이 非科學的이요 迷信的이라고 不信하는 계층이 있다고 느껴온 바이다。

이러한 인식과 학문에 양식이 부족한 국민대중을 이해시키고 治療醫學으로 긍지와 실력을 갖고 대결하려면 藥物을 개발 연구하여야 한다고 생각하는 바이다。

지금 우리가 아무리 수천년간 臨床에서 疾病 退治를 하여 왔으나 엄밀하게 반성해보면 統計資料가 빈약하고 藥物의 製劑方法도 舊態依然하다。

或者는 여기에 神秘性과 漢醫學의 骨髓이며 眞髓가 있다고 하겠으나 나의 持論은 變化와 변천을 거듭하는 現代社會에 있어서 適應하고 거기에 알맞는 科學的 方法이 必要하다고 느끼는 바이다。

그래서 나는 漢方生藥의 製劑를 좀더 科學化하자고 主張하는 바인데 그方法은 藥物의 綜合된 成分이나 未知의 含有된 成分을 기계에 의하여 적당한 時間 溫度等에 依하여 逐出한 藥液을 特殊시설로 분말을 만든다。즉 에키스를 첨가물 없이 순수 약초의 성분을 湯煎方式에 준하여 끓이는 것을 기계로 만들고 그만든 약초의 에키스분말을 환자에 첩약대신 지어주면 복용하기가 간편하고 약효도 더 기대하거나 더 많은 효과를 얻을 수가 있을 것이다。

예를 든다면 補血・造血에 四物湯을 첩약으로 주지 않고 EX. P (에키스 분말)로 만든 四物湯으로 하면

1~2g에 해당한다。 약은 적지만 이가루를 컵에 넣고 뜨거운 물을 넣으면 저절로 용해되여 끓여 놓은 漢藥과 똑같이 되는 方法이 있다。

藥效에 의문점이 있거나 含量이 不足하거나 한데 겹려는 없다。

方法은 科學的으로 上記한 바와 같이 溫度와 時間이 약의 추출에 최대의 方法을 쓰기 때문이다。

또한 우리가 꼭 첩약만을 쓰는 것 보다 간편하고 효력도 빨리 나타나게 할 수가 있는데 환자가 갖고간 약이 제시간에 알맞고 충분한 추출이나 끓여서 복용되었다고 보장하겠는가?

그리고 藥을 湯煎·粉末·丸劑 等으로 만드는데 있어서도 에키스분말은 여러면에서 경제적이라 할 수가 있고 藥物의 品質面에서도 신뢰도가 높을 수 있다고 생각이 든다。

漢方에서는 生藥이나 動物、鑛物等의 藥物을 配合調劑함에 좀더 現代科學的으로 연구 개발할 필요성이 절실히 요구되고 있는 실정이다。

漢方 食品이 등장하고 나아가서는 漢方藥草 料理가 食餌療法等에서 科學的으로 입증되어가고 있읍니다。

特히 各者의 臨床經驗에서 느낀 貴重한 處方을 編輯하여 城東區漢醫師會 會員間에 도움이 될것을 크게 민는 바인데 이러한 일이 계속해 있기를 바란다。

변천하는 時代에 적응키 위하여는 本草와 藥物을 좀더 연구 분석 검토하고 현재 充分치 못한 것은 栽培에 依하여 補充해야 할 것이다。

代用品이나 가짜로 둔갑하는 方法이 漢方 藥草나 生藥에서는 없어져야 한다고 나는 보는 바이다。

自然産의 藥草에만 依存할 것이 아니라 새로운 藥草 즉 약효가 많고、수확이 많고、재배하기 쉽도록 藥用植物에 있어서도 育種이 必要하므로 이러한 것은 漢醫師들이 臨床을 하면서 연구하기란 힘이 드는 것이기 때문에 母校인 慶熙醫大 漢醫學科에서 一般 혹은 일선에서 활약하는 한의사에게 새로운 新藥을 개발하여 좀더 科學的이고 効果있는 약물을 調劑 配合하여 使用할 수가 있도록 해야 하리라고 생각하는 바이다。

그리고 診斷方法에 있어서도 漢醫學的인 것 만을 주장할 것이 아니라 現代醫學의 方法도 이용해야 한다고 생각하는데 그 이유는 본인이 再生不良性貧血을 治療하면서 느낀 것은 血液檢查를 無視하고 脈診에 의해서만 재생불능 혹은 不良의 貧血이요 白血病이요 하는 것은 삼가야 하겠으며 치료전에 종합병원의 혈액검사

자료를 놓고 투약이나 치료를 하고 계속하여 검사해 보면 치료의 과정이 科學的으로 나타나게된다。

臨床的으로 나타나는 結果를 科學的인 方法으로 설명하면서 學術的인 交流를 充分히 할 수가 있다고 보겠다。 그러므로 漢醫學的인 方法이 優秀한 方法도 있으나 여기에 과학적이고 이해할 수 있는 方向으로 대중이나 학자에게 주지시켜야 할 의무가 한의학도인 우리들의 共同의 課題라고 느낀다。

漢方의 本草中에 生藥만이라도 製劑를 科學化할 必要性이 있다고 느끼는 所感을 외람스럽게 發表하면서 今番 城東區漢醫師會의 臨床處方集을 發刊함에 人事로 대신 하며 아울러 尹四源會長의 努力에 감사를 드리고、全國 會員여러분께서도 協助와 指導 있기를 敬望하면서 끝을 맺습니다。

太極鍼法의 利用方法

火曜漢醫學研究會

金 己 培

1、太極鍼法의 定設

本太極鍼은 李炳幸先生著 鍼道源流重磨에 定設이 詳細 記錄되어 있으므로 本人은 活用法을 論하는 바이다。

2、活用法

鍼灸治療中 灸療는 患者 自身이 忌避함으로서 크게 發展을 이룩치 못함과 아울러 灸療 亦是 鍼治療의 理論에 同行하는 故로 現今 鍼治療法이 더욱 脚光을 받고 있는 중 特히 小數의 經穴로서 많은 効果를 보는 治療法을 서로가 講究하던 차에 本太極鍼法은 四象醫學에 正進하는 醫者로서는 斷然코 그 優秀함과 特効를 認定하고도 남음이 있으니 活用을 바라는 바이다。

太極鍼法圖表 (⊕→補 ⊖→瀉)

四象別	體質鑑別判斷	體質別治療穴	症候別治療例 耳病	眼病	腰痛	骨痛	四臟의 比較	四臟經絡原穴	四臟所屬系(兼與)
太陽人	少府⊕	太淵⊖ 太衝⊕	太淵⊖	太白⊖	太衝⊕	太谿⊕	肺 脾 腎 肝	太淵	肺 胃脘·頭腦·皮毛·舌·耳
太陰人	靈道⊕	太衝⊖ 太淵⊕	太淵⊕	太白⊕	太衝⊖	合谷⊖	肝 腎 脾 肺	太衝	肝 小腸·腰脊·臍·鼻·肉
少陽人	少海⊕	太白⊖ 太谿⊕	太淵⊖	太白⊖	太衝⊕	太谿⊕	脾 肺 肝 腎	太白	脾 背膂·胃·乳·目·筋
少陰人	神門⊕	合谷⊖ 太白⊕	太淵⊕	太白⊕	太衝⊖	合谷⊖	腎 肝 肺 脾	太谿(合谷)	腎 大腸·前陰·膀胱·口·骨

例(1)： 太陰人의 頭痛 治療方法

太陰人의 靈道穴을 補하여 2~3分의 反應으로 頭痛의 效果는 50%의 治療를 알 수 있으며 다음으로 太衝穴、瀉、太淵穴、補함으로 또한 더욱 效果가 있으며 아울러 頭腦는 肺黨에 屬하고 있으므로 肺原穴인 太淵을 太陰人의 四臟比較에 肺小이므로 太淵을 補하되 體質別 治療穴의 太淵穴、補와 兼하였으므로 太淵穴、補를 爲主로 治療하면 完全히 頭痛이 消失된다。

例(2)： 少陽人의 頭痛 治療方法

少陽人의 少海穴을 補하고 太白穴瀉 太谿穴補한 後 다시 頭腦는 例1에서와 같이 少陽人의 肺가 四臟中大에 屬하므로 太淵穴瀉함으로 頭痛이 完治된다。

3、合谷穴의 應用時

腎의 原穴 太谿穴을 瀉할 때에는 腎無瀉이므로 **腎黨**에 **屬한** 大腸經의 原穴인 合谷穴을 瀉함으로 太谿의 瀉法을 擇하게 된 것이다。

4、治療 效果의 有無

四象醫學의 難題는 自他가 體質鑑別의 어려운 點을 호소하는 바와 같이 各體質을 올바로 判斷 治療하면 神秘로울 만큼 效果는 勿論 完治의 快樂을 맛 볼 수 있다。

本 太極鍼法 開發로 因하여 四象鑑別에 多大한 貢獻이 이룩되었음을 진실로 찬양하는 바이다。

即 體質鑑別判斷穴 少府、靈道、少海、神門、穴을 제일 먼저 施鍼에 全혀 別無效果時에는 다시 他穴 即 다른 體質穴을 施針하여 정확한 四象 體質을 구별 할 수가 있다。

但 誤治하였을 時는 반듯이 少衝穴과 太衝穴을 瀉(出血 2~3滴)한 뒤 他穴를 施針함을 原則으로 하면 절대로 四象體質鑑別에 誤認이 없음을 記하니 더욱 利用하여 보시기를 바랍니다。

精蜜鑑定法

鹽化바류ー무 若干(少量)을 精蜜에 섞어 넣고 熱을 加하여 白色이면 眞品이고 白濁色이면 假品으로 鑑定한다。

註

鹽化바류ー무는 藥局에서 쉽게 求할 수 있다。

豊山漢醫院 任 佐 彬

四象鑑別法

韓國四象體質硏究院長 韓 熙 錫

四象을 鑑別하는데는 한가지만을 보아서는 判定이 困難하다。그리하여 어떤이는 四象醫學이 骨相學이 아닌가 또는 心理學上에서 나온 어떤 哲學에 一部分이 아닌가 하고 疑問하는 사람도 있으나 絶對的으로 그렇지 않다。또 東洋의 在來에 있어 내려오는 陰陽學說도 아니다。다만 四象醫學은 獨特한 學說이다。이것을 判定하는데는 여러 가지로 綜合하여 보지 아니하면 不可能하다。그러나 順序있게 考察하면 容易한 것이라고 생각한다。

① 身體의 構造 及 形容을 觀察한다。

② 性品은 喜怒哀樂의 어느 것에 置重 하는가?

③ 心理學上에 있어서 不安定、懼法、焦燥하는 情態는 如何한가?

④ 社會生活에 있어서 黨與 事務 居處 交友等을 보아서

⑤ 其特質을 보아서 慾雌 慾雄 外勝 內守等을 보아서

⑥ 그의 病症을 鑑別診察하고 그의 特徵의 如何를 보아서

⑦ 臟腑의 大小를 鑑別하여서 腎大 脾小 脾大 腎小 肝大 肺小 肺大 肝小의 如何를 보아서 判定한다。

鑑 別 法

① 顔貌形

◉少陰人……顔面이 둥글다 或馬狀도 있다 美麗하고 外貌에도 柔順하게 보이며 白色에다 明朗하다 女子라면 皮膚가 柔軟鮮美하게 보이며 白色이므로 美人이 많다。

◉太陰人……顔面이 잠간 흐른것 같고 肥厚하며 頭部는 體格에 比하여 조금 작은 편이다。顔面은 多少 暗黑色을 띄고 肥厚하게 보이면서 眼光은 明朗치 않고 침침한 빛이난다 顔形은 順한 빛이 돌며 으젓하여 보인다。女子라면 皮膚가 肥厚하고 暗黑色이므로 不鮮明하여 美人이 적다。

◉少陽人……口唇이 얇게 보이고 下顎이 빠르다 或 둥글고 적은 者도 있다。頭部는 體格에 比하여 특히 크며 목이 패고 머리통이 앞뒤로 나왔다。眼光이 있고

顏色은 白色이다。 붉은 빛이 있는 편이며 黃色을 混合한者도 있으면서 뻣뻣(剛直)한 感이 있고 溫順한 容貌가 보이지 않는다。

◉太陽人……顏面은 圓形이고 뚜렷하며 普通에 지나는 優勢를 가지고 있다。

② 皮膚

◉少陰人……柔順하게 보인다。 白色이다。 皮膚가 柔軟하므로 嚴冬에도 잘트이지 않는다。

◉太陰人……두껍고 堅實하여 보인다。

◉少陽人……뻣뻣(剛直)한 感이 있는 것이 特徵이고 白色에다 붉은 빛이 있는 편이요 또 黃色을 混合한 者도 있다。

◉太陽人……白色이고 肌肉은 瘦瘠하다。

③ 體格

◉少陰人……內部狀態는 腎大 脾小이므로 가슴이 좁고 腰部가 둥글고 궁둥이가 넓으면서 步行時 앞으로 수그린다。 身長은 大概矮短하나 或長大한 者도 있다。 腎臟의 所屬 部位가 充實하고 腰部가 圓實하므로 腰痛이 別로 없다。 手足은 冷하다。 女子라면 分娩時에 腰痛이 없고 下腹痛이 있으면서 比較的 苦痛이 적다。 多產한다。

◉太陰人……內部狀態는 肝大 肺小하므로 肺所屬部位가 弱해보이고 腹部位가 堅實하고 크다。 骨格은 堅實하고 身長은 健壯長大하나 或矮短한 者도 있다。 목덜미가 가늘고 허리는 굵고 꼿꼿하다。 大概는 肥胖하고 堅實하다。 手足은 더운 편이다。 女子라면 分娩時에 특히 腰痛이 甚하고 少陰人 다음으로 多產한다。

◉少陽人……內部狀態는 脾大 腎小하므로 脾에 所屬部位가 壯大 即가슴이 넓다。 腎에 所屬部位가 弱小 궁둥이가 좁다。 또 어깨는 平平하고 步行時에 흔들기를 잘한다。 手足은 熱하며 음성은 가늘어도 明朗하다。 女子라면 分娩時에 腰部와 下腹部의 疼痛이 더 甚한 中 腹部가 더 아프다고 하는게 特徵이다。 生產은 하여도 多產하는 女子가 極少數이며 早速히 斷產 或은 子宮不全으로 生產하지 못하는 女子도 많다。

◉太陽人……內部狀態는 肺大 肝小하므로 腦와 肺部位가 强大하고 목덜미가 굵으며 腰部位勢가 弘少하다 健康體이다。

※ 太陽人은 특히 稀少하다 有名한 사람이 아니면 도리혀 白痴가 된다。

酸棗仁湯의 不眠症治療効果

임덕성漢醫院 任德盛

잠을 팝니다. 또는 잠오는 풀·씨앗이 있다고 하면 잠못이루고 꼬박 뜬눈으로 밤을 혼자 보내는 사람에게는 즐거운 소식일 것이다.

심야의 음악방송을 듣거나 신문이나 잡지등을 뒤적이다 잠을 청하는 분, 술이나, 기타의 방법을 연구하면서 잠이 들기를 바라는 사람이 있는가 하면 무슨 소리만 나도 깨어나고 잠자리만 이상해도 잠이 오지않아서 고통을 겪는 사람들이 많다.

이 세상에서 가장 고통스러운 것이 무엇이냐하면 조금도 주저하지 않고 불면증이라고 대답하리라. 이들에게는 옛부터 酸棗仁湯이 特効라고 전해진다.

原因이 있는 울화나 근심이 있는 사람이 있는가하면 원인이 없이도 울화(無根之火)가 생기고 신경질이 있으면서 健忘症과 불면과 빈혈이 있는 사람에게 신경정신의 滋養强壯劑이며 안정제로서의 補藥인 酸棗仁湯을 권하고 싶다.

一般人이 사용하는 방법으로는 산조인을 「프라이·팬」에 놓고 노랗게 볶는다. 산조인을 불에 노랗게 볶은 것은 수면제의 작용을 하면서 신경·정신의 영양제가 된다. 그러나 생것은 반대로 覺醒劑가 된다.

수면제로 이용하려면 산조인3에 甘草 1 10의 비율로 혼합해서 분말로 만든다. 분말로 만든 산조인과 감초의 가루를 하루에 두번씩 복용하면 심장이 쇠약한데도 효과가 있다. 1회 복용량은 3*g*.

한편 볶은 산조인은 수면제 효능을 발휘할 뿐만 아니라 오랫동안 복용하면 精力도 증강되는 것으로 전해진다.

草決明을 볶아서 달여가지고 찻물처럼 복용해도 역시 산조인과 같은 효과가 나타난다. 초결명은 소화제도 되면서 수면제도 되는 씨앗이다.

☆ 編輯者註—本稿는 大韓漢醫協弘報委員인 任德盛 院長이 中央日報 「健康三百六十五日」 칼럼으로 揭載하였던 記事로서 재래식 漢文투의 記事方法을 脫皮하는데 좋은 「모델」이 될것을 감안하여 轉載收錄한 것임을 밝힌다.

如神炷에 對한 小方

有信漢醫院 金 己 培

本處方은 四象處方中 太陰人의 風齒、虫齒、偏頭痛及 項痛等證의 治療方中 其一이다。

上記 症狀을 보아 熱性으로써 知覺神經의 興奮狀態로 痛症을 隨伴하는 所謂 炎症性 疾患이다。

本處方으로 上記症狀의 太陰人아닌 다른 四象人의 患者에게 試用하여 보니 大端한 効果를 보았기에 深深히 硏究하여 利用하든 中 亦是 頭部 疾患에 蓄膿症 中耳炎等에 特히 眞太陰人熱多者인 患者에 매우 良好한 効果를 거두었기에 今般 機會에 一次 試驗해 보시기바라면서 本如神炷의 處方內容을 記하면서 特히 慢性 蓄膿症이나 中耳炎에 麝香 0·375g 葛根 3·75g을 加味 한 即더욱 尤好하다。

◉如神炷(硏末紙炷七條捲作薰鼻)

大黃(酒蒸) 眞古本、升麻、皂角刺、麻黃 各 3·75g

參考事項

1、心臟

心臟은 主火요 臟은 藏이니 心臟神이라 하였나니 心이란 一身의 君이요 天의 太陽과 同一하게 明照役然이요 身의 寶鏡然이니 內臟의 病邪도 探照하며 臟內에 有病과 外身에 有病이면 神色이 不好며 凡他事物도 不利不好면 神色이 不好요 一身萬事가 通和한즉 華色이 滿面하며 氣活하니 모두가 心神의 所致니라。

心臟病의 熱毒으로 面腫 舌瘡 舌裂 舌針이 發生하는데 여기에는 다음과 같은 것이 좋다。

黃連解毒湯：黃連 甘草 竹茹 熟地黃 各一錢半、白芍藥 牧丹皮 各八分、薑五片、棗三個、生地黃 七分 加入用三貼。

怔忡엔 四物安神湯：當歸 川芎 白芍藥 熟地黃 白茯苓 蓮肉 各一錢、牧丹皮 半夏 香附子 各八分、靈砂 또는 朱砂 二分 和服薑汁三匙和服 三四貼用。擧皆가 心弱氣短이니 紅靈砂 七錢 粉末과 人蔘 二兩 粉末을 和合하여 복용하면 最效益氣强心劑。

2、精

精者는 氣之資니 得天氣之多者 精旺이요 得地氣之豊者 多血이다。憂傷思慮한즉 傷神하고 神傷한즉 恐懼流淫而不止이다。腎은 主蟄土臟 之本이요 精六庫也니라(藏志與精)。

五臟은 主藏者也니 傷하면 기능을 잃는다。이를테면 一藏之庫眞而 그 精을 얻지 못한즉 一藏之病이 生症이니 厥氣客 於陰則 夢接內邪요 厥陰이 主筋故로 諸筋이 統係於肝也요 腎爲陰主藏精之任守요 肝爲陽主疎泄故로 腎之陰이 虛則 精不藏하고 肝之陽이 强則氣不固니 若遇陰邪가 客於其竅하여 與所强之陽으로 相感則 精脫而 成夢泄矣니라。所謂 陽者는 乃肝臟寄在之相火가 强也故로 治而腎肝爲主이나 亦不在於腎肝이요 而在心肺脾胃之不足者나 然이나 必得於腎肝而後에 精方走也니라(肝藏魂)。

肝本藏精液之司니 與腎으로 連托相近稱子母之名 水生木之義也라。

精者暖也니 暖有火氣니 火發則 木燒故로 防備發火制熱하여 膽囊이 附在肝葉矣요 膽汁寒

液은 水也니 水剋火故로 備帶膽囊矣요 魂慧는 神本이니 養本而送心하니 最神經性의 府며 精의 庫이다。

정은 양정이니 음액에 힘입어 활용되며 음액은 체질의 소출이니 양정에 赴應되어 成體에 爲質이요 양은 음이 아니면 광명치 못한다。

음은 양이 아니면 동작치 못하나니 음양이 상응 중에서 養藏되는 것을 양정음액이라 하고 合稱하여 정액홀몬이라 한다。

기르고 동하고도 쓰지 않게 함이 仙術이요 長壽不老의 묘법이다。

백음(白淫)은 정액(精液)이 공연히 유출(流出)되는 것으로 체질 허약한 것이 과하여이니 보원고본고환(補源固本膏丸)을 服用한다。 淫羊藿 二片、 黃芪 熟地黃 兎絲 家韭子 陽氣石과 毛磁石은(醋淩 五次) 龜板 山茱萸 山藥 覆盆子 杜仲 破古紙 肉蓯蓉 白朮 半斤 또는 一斤 仙茅 白茯苓 各五兩 또는 半斤 當歸 白芍藥 川芎 芡仁 各三兩。 以上精材를 精末 薏苡仁 粉糊로 作丸 梧子大 日三次 冷水로 呑丸衣는 雲母粉。 效能은 壯陽補陰固精 大補元氣 延年益壽 男女間最上無等丸

夢淫症은 元陽이 不實한 중 胃脾亦虛弱으로 挾食困寢하면 脾腎이 不和하고 邪夢이 肝에서 幻成되어 兎色과 交淫으로 遺精된다。

加味歸脾湯 : 黃芪 白朮 熟地黃 龍眼肉 酸棗仁 各一錢半、 遠志 白茯苓 各一錢、 當歸 川

芎 白芍藥 砂仁 各八分、升麻 半夏、各五分。精은 血에서 出하며 神은 精에서 出하나니 生命은 勿論이고 精에서 所産된 血에 善惡과 醜淸이 有한 故로 血統이 遺傳되는 바라겠다。善淸한 血統에서 탄생한 精神人은 大智榮達이요 醜惡한 血統에서 난 이는 賤惡하다。따라서 交遊나 婚事間에 반드시 擇해야 함은 孝子門에서 忠臣이 난다 하는 史로서 血精의 係統이 分明하다。

3、氣

氣者는 得字하고 血者는 得地니 氣則 無形無見이요 血則 有質有現이나 氣非血則 難氣요 血非氣則 無動하니 양자가 不可缺하나이다。

諸痛이 皆因於氣요 百病이 源於氣이다。

天地之氣가 常則安이요 變則動하니 사람은 并天地之氣하여 五運이 佚侵於外하고 七情이 交戰於中하여 爲發症之祟하느니라。

人之體中肌肉이 豊盛하면 乃血之榮旺이니 雖爲美事나 然이나 易致氣衰니 血纔形身이 足矣요 不如氣旺强壯矣니라。

瘦者는 陰虛니 四六湯에 加味人蔘이요 肥者는 陽虛니 八味湯에 加入人蔘用한다。氣는 양이요 力은 음이니 기는 천양수품(天陽受品)이요、力은 地陰質에서 득함이니라。

가령 인생의 力士란 母의 陰體가 온실한 데서 탄생함이 좋으며 용사(勇士)란 父의 양정(陽精)이 충강(充強)을 품수(禀受)하는 것이니 부모불실(父母不實)이면 자녀역연(子女亦然)이니라(氣病)。

潤順藥으로 사용하나니 四物六味에 黃芪 五加皮 人蔘 등속을 가입하여 쓰고 力痛은 下部니 沙蔘 蘇葉 檳榔 小茴香 丁香 厚朴 陳皮 澤瀉 桂皮 附子 吳茱萸 등재를 服用함。補氣는 人蔘 黃芪 鹿茸 鹿角等 入用。

4、神

神者는 心之養慧藏靈이나 元得於 天賦明氣之稱矣니 威之素요 英之前也니 其在病에 有餘則笑不休요 精氣가 并於心則喜요 血并於上하고 氣并於下하고 心煩寃이면 善怒요 精氣가 并於肺則 悲요 火熱이 爍同其心하여 心動而心亂則 驚이요 思慮怵惕而神亂則 恐이요 上氣가

不足하고 下氣가 有餘하며 腸胃實而 心肺虛則 營衛가 留下하여 久之不以時上故로 善忘이요 陰火가 附於陽則狂이요 陽火가 附於陰則 癲이니라。

心臟神은 全身을 지배하는 역할을 하는데 심장은 거울(鏡)과 같은 靈臺이다。 거울에 먼지나 잡물이 덮인즉 흐려서 잘 비치지 못하는 것과 같이 심장이 精明한즉 상대방의 善惡도 비추어 알게 되며 자신의 禍福도 대개 짐작하는 예감도 있거니와 선심수도한즉 우주신명께서 그 성심을 통하여 광명으로 인도하시고 行惡作罪하는 자는 암흑으로 그 앞길을 주시나니 禍福이 모두 심리소관이다。

전신의 백병(百病)이 모두 신경소관이라겠지만 직계병(直係病)으로는 신경과민으로 이상발작성(異常發作性)과 또 신경과민으로 체력 허약성이나 정충(怔忡)이나 공포증 건망증 전광전간병(癲狂癲癎病) 등이 직계병이나 자발증도 있지만 대개가 선조의 죄과로 유전되는 병이다。

선조의 積惡도 관련되지만 부모의 불경죄라는 것이 있어 祝祭日에 無誠意하게 夫婦交合으로 잉태한 애와 雷聲壁歷시에 교합잉태와 祈禱寺刹에서의 교합잉태로 양육된 자녀이니 이것이 전통을 이은 발병이라겠다。 이상의 병이 모두 난치병이나 성심을 다해서 天地神明佛前께 빌며 다음 약으로 치료해 볼 것이다。

安神丸 白何首烏 生乾地黃 白豆蔻 各四兩、白芍藥 甘草 天麻 牛膽 南星 白干蠶 各二兩、鏡

面 全蝎 七錢、熊膽 七分、山兎肝 三具、半夏 干製 五錢、當歸 五錢 上記 藥을 精細末하여 兎肝에 넣어서 이겨 환약을 만드는데 반죽이 안되면 鷄膽를 넣어서 환약을 만든다。그래도 반죽이 질어 잘 안되거든 小麥粉를 더 넣어서 綠豆만하게 환약을 만들어 홍영사분(紅靈砂粉)으로 위의(爲衣)하여 환자의 연령대로 하루 三차례씩 복용케 하고 환자가 기쇠(氣衰)되었거든 男子는 六味地黃湯에 먹이고 여자는 四物湯 달인 물에 복용하기를 일주일간 하라。

癲狂癲癎이거든 守魂丸을 위 약에 安息香 八錢、熊膽 七分、茱砂 二錢、靈砂 二錢、白干蠶 七十條、藿香葉 五錢、前方藥과 合丸一次 八個씩 日 三次用。三十人用分

5、血

血者는 喜温而畏寒하므로 寒則泣而不能流하고 温則消而去之이다。

夫血之於氣에 異名而同類니 營衛者는 精氣也요 血者는 神氣也라。故로 奪血者는 無汗이니라。

血之在身에 有陰有陽하니 陽者는 順氣而行하여 循流脈中에 調和五臟하고 酒陳六腑하니

如是를 謂之營血也요 陰者는 居於絡脈하여 專守臟腑하여 滋養神智하고 濡潤筋骨이다。

피는 음식물에서 생하니 혈은 생명이라고 천주께서 말씀 하시었나니 인체 전신이 혈(血)로 구성되어서 입(口)에서는 침(口液) 눈에서는 눈물(涕淚) 피부(皮膚)에서는 땀(汗)이 되고 胃脾에서는 음식물에서 근원이 생겨 폐로 통하고 폐에서 하신(下腎=콩팥)으로 통하고 하신에서 간(肝)으로 통하고 간에서 심장(心臟)으로、심장에서는 다시 전신혈맥으로 순환운반되는데 혈의 반분(半分)은 右腎命門으로 독맥(督脈)을 통하여 백혈구(白血球)라 하는 정수(精髓)로 근골을 성장케 하며 혈의 또 반분은 左腎陰原에 임맥(任脈)을 통하여 오장(五臟)과 피부(皮膚)를 조장(助長)케 하나니 심군(心君)의 命統이다。脾胃 왕성으로 식물의 造血過剩은 독맥명문의 열도로 煉血煉精이 불능되어서 線外血이 과다케 되면 물론 그 中氣가 훼손된다。虛는 공허처엔 바람이 따라 들어 狂風으로 돌변되면 바다에는 파도가 일고 육지에는 沙塵이 모여 쌓이듯 바람이 선외혈과 담연(痰延)을 몰아치게 되는바 이것이 中風이다。중풍에 몰아치는 혈이 腦溢血이 되고 근자의 소위 高血壓이 되며 몸의 한편에 몰아치면 半身不隨요 담연을 全身四支에 불어넣으면 각 관절을 막아서 전신불수、言語蹇索 등이 일어나 생명을 삽시간에 잃는 가장 위험한 혈병이다。

심장은 이미 약화되어서 선외혈의 지배력이 없게 된 기소혈다외(氣小血多外) 외실내허(外實內虛)겸 상실하허(上實下虛)란 양기정력(陽氣精力)이 극도로 쇠퇴한 것이니 이 증세 에

방에는 강심연혈(强心煉血)될 약재를 써야 한다。 강심연혈하는 약은 中風科에 또 千古秘方秘苑更少丸이 最效며 또 上記 精科에 補源固本丸이 最效이니 製用커나 買服하라。 血遜症을 血不足症이라 하는데 이 증세는 간경(肝經)에 화성(火盛)이니 화에는 혈액이 건조(乾燥)된다。

근자에 소위 신경성이라고 말하는 것이니 혈액이 간 열도의 건조로 심장혈액 수분부족으로 심장이 전신혈관에 배송(配送)이 빈약한 고로 신경성 빈혈증을 일으키나니 오행이치(五行理致)로 목극토(木剋土)가 되어 식욕도 나지 않고 소화도 불량이며 수혈식물(需血食物)의 혈의자원이 부족함으로 신경성 빈혈증이 생기는 것이며 눈의 시력과 귀의 총명도 겨우 유지되며 사지관절이 산통(酸痛)、두통(頭痛)、치통(齒痛)、경련증(痙攣症)이 생기는 것이다。

먼저 간화(肝火)를 제지(制止)하는 요소는 수생목(水生木)이니 신장수액(腎臟水液) 음액을 補해야 하며 오행상생이치(五行相生理致)로 복약치료 하는 방문은 남녀간에 四六湯에 白豆蔻 陳皮 白朮 各一錢五分 가입하여 쓰는 것이 최효(最効)이다。 人蔘 一錢 加入 尤效。 鼻血 上下血症은 婦人、小兒科에도 記載된 바 있지만 前記 血症이 모두 氣質虛弱 소치니 蜜芪湯 即 黃芪 五錢 以上 濃煎 冷服하면 즉각 완치의 효험을 봄。

6、夢寐

夢寐者는 陽盛陰虛 則 晝夜不眠이요 陰盛陽虛 則 嗜臥不欲起니라。

衛氣者는 晝則行陽하고 夜則行陰이니 行陽則寤하고 行陰則寐하나니 蓋陽虛陰盛則 目瞑多眠이니라。 夢寐不寧이 皆因乎神疲血勞요 夢安甘眠이 心平氣順이니 世事를 附笑하면 그 마음이 自泰요 人慾에 급급하면 自取苦悶하고 陰陽이 并盛者는 適寐適起하나니 腹抱大而 聲音津液 不搖는 小事者也요 眠寐接目不久者는 身意具輕者也니라。

脾胃留食이면 夜夢이 雜邪요 兼有夢精이니 神魂이 暫離 身躬飛外면 諸夢入幻이라 혹 驗判吉凶之事하며 혹 豫報 未來事요 寐不成夢이면 如趣其夕이요 虛夢無度면 多是神疲氣勞니 단 補氣調血하면 邪夢遠飛니라。

꿈이란 허환(虛幻)도 실험도 유하나니 허환의 반대는 실감이라。 꿈에 죽어 보이는 사람은 오히려 장수하고 병자가 새옷 입고 백색(白色)으로 출행하는 현몽은 거개(擧皆) 사망하나니 허실의 반대이며 용(龍)꿈은 귀자(貴子)를 얻을 길몽이며 대사(大蛇) 대몽은 득재할 꿈이고 금의(錦衣)의 꿈은 득재하거나 관직이 등귀(騰貴)할 길몽이다。

요사몽(妖邪夢)은 간허(肝虛)이고 심장(心臟)에 담사(痰邪)가 첨부되어서니 四物安神湯에 天麻 半夏 各八分 加味服用함。

四物安神湯은 다음과 같이 用하라。

熟地黃 三錢、白芍藥 當歸 各一錢半、生地黃 川芎 竹茹 半夏 牧丹皮 甘草 各一錢、柴胡 升麻 各四分、氣弱血虛면 人蔘 二錢 加人 服用。

7、聲 音

聲音者는 五臟이 皆有聲則 宮(土) 商(金) 角(木) 徵(火) 羽(水)의 五行五音이니 五行中에 金管(肺葉)이 最有金聲이라。故로 腎肝心土 四聲이 合音於 肺而發聲者也니 失音者는 肺葉에 痰絪故로 如金器塗糊之格也라。語而聲音이 瘖屯不揚也니 雖有寒熱之殊나 皆屬於 司音肺經證이요 赤因肺氣受傷者나 以肺腎水로 爲子母니 子傷則 母氣不寧故로 雖主於肺而 實不外乎腎也니라。至於失語則 神識이 昏憒니 또 當之於心이요 赤有因邪鬱而 妨陽明者라。經絡이

不得流通하여 火熱이 燻灼心肺면 所以神昏이니 即中風 神昏 語瘖 舌縮이 不外乎此也니라。

오장(五臟)이 전부 음성이 나게 되나니 신장은 수성(腎臟水聲)、간장은 목성(肝臟木聲)、심장은 화성(心臟火聲)、비장은 토성(脾臟土聲)、폐장은 금성(肺臟金聲)이니 오합(五合)하여 성음을 내게 되나 오장 중 폐금의 소리가 가장 청아(淸雅)한데 폐엽의 열로 쇠그릇에 풀칠(塗糊)을 해서 두드리면 탁(濁)한 소리가 나오며 폐엽에 열이 없고 담인(痰絪)이 아니라면 빈 그릇을 울리는 것처럼 청아(淸雅)하게 소리를 낼 수 있다。

신、간、심、비의 각성이 폐금을 거처 인후공(咽喉孔)으로 발음이 되나니 소위 기관지도 폐에 직통인 고로 담애(痰碍)면 역시 실음이다。음성으로 귀천도 아나니 음성이 청아한 즉 오장이 청명한 것이고 그 성음에 따라 그 위인(爲人)도 청아하니 귀격음성(貴格音聲)이요 그 음성이 둔탁한즉 그 사람의 오장도 불청한 것이니 그 성음 따라 그 위인도 불달이니라。연하나 군자의 성음은 우둔 또한 수요(壽夭)도 가판(可判)이니 복중단전하(腹中丹田下)에 신수성(腎水聲)이 가장 크고 길게 울려 폐성과 합성하여 발음이 동좌(發音動座)이면 그런 사람은 부귀장수(富貴長壽)하느니라。

오장에서 울리는 성음의 풍한 담열 실음에 치료는 폐의 열과 담을 제거하는 것이니 열을 식힌다고 한냉약으로만 다스려서도 안되고 폐는 화열(火熱)을 忌하는 고로 또한 한랭(寒冷)도 忌하므로 비한비열약(非寒非熱藥) 六味地黃湯에 荊芥 三錢、地骨皮 二錢、桔梗 一錢

半、生地黃 七分、麻黃 一分、薑 五片、大棗 三個入 煎服 四五貼。

8、津 液

津液者는 血之變也니 血在口에 爲口涎이오 在眼에 爲淚오 在皮外爲汗이니 陽氣가 有餘면 身熱無汗이오 陰氣가 有餘면 身寒多汗이니라。

汗由血液이니 本乎陰也라。汗之源이 不一이니 有因於衛氣虛者 有因乎營氣熱者 有因乎營衛不和者니 蓋風邪가 干衛則 腠理踈하고 營氣가 表虛而外泄則 有汗이니라。

진액은 음식소화물에서 생기게 되는 혈분의 원소이다。

또한 근자의 소위 호르몬이니 중요한 기계부속에 피마자유나 모빌유를 주유(注油)해 주는 것이나 같은 이치(理致)의 인간주유재(人間注油材)인 것이다。

신체곤절에 진액이 고갈(枯乏)되면 관절통 신경통이니 하여 굴곡(屈曲)이 원활치 못하며 신경통이 발작 수척 불매증도 발생하나니 이런증세에 신경통약이나 수면제를 사용한즉 더욱 증세가 악화되니 식품치료로 생계란(生鷄卵) 二개에 참기름(眞油)과 간장 두 방울(二滴)을 혼합하여 하루 一차씩 먹고 한약으로는 四六湯에 黑荏子 一匙、牛房根 二錢、椿葉 一錢半 男女并用함。長魚宜食 地伏鼠(두더지) 煎飮亦効。陰蛇도 無妨、人蔘加入도 亦効。

9、痰 涎

痰之源이 皆因虛損而生者니 人體 無痰涎乎리요마는 强元者는 腹中이 溫和하여 痰涎이 不聚而自大便潤出하고 下原不實者는 無引下之力하여 痰隨虛火而上하여 纒干胃肺하며 涎入後頂하며 透膜肩臂之痛하나니 其治宜補强元陽이요 또 在小兒하여 因驚熱而 浮付喉孔者 因外感而 咳喘者 肺熱而 沸塞咽喉者니 多是不順氣血이요 虛弱元氣者의 所患이니 補瀉散消로 兼而治療를 當時可醫니라。老人과 小兒도 喉鼻에 濁痰에는 元氣를 補함이 最效니 黃芪一煎湯에 蜂蜜 一鍾子。和服의 最效는 氣虛痰咸이란 妙方이니라。痰의 原因은 體內의 溶液 即 食物의 化血된 豬汁이니 體質이 强熱의 不足에서 集約되는 無實의 浮雲然한 不必要的 障碍痰으로 虛熱虛火에 浮上되나니 下腎精力 補完爲主로 元點을 充實케 하는 療法第一治療의 秘決임을 잊지 말지니라。대개 精力은 人生의 生命이요 陽氣의 根源이 되나니 다시 말하면 即

陽氣精力이 감쇠(感衰)된 노인에게 담이 많은 것은 허열(虛熱) 따라 상기에 담성(痰盛)하는 것이고 허열상충(上沖)에서 한풍과 상박하여 담이 승해서 오히려 구비간(口鼻間)에 다담(多痰)이니 全部氣虛所致니라。

담연(痰涎)의 치료는 보기보허(補氣補虛)가 양방(良方)이니 주색침상(酒色侵傷)이면 허해허천(虛咳虛喘)이니 속칭 골기침에 누담이 많은데 十全大補湯에 人蔘과 黃芪를 倍로 넣어서 服用함。十全大補湯∴老人이나 小兒 七八才에 黃芪 三錢、人蔘 熱地黃 各二錢、白朮 白芍藥 白茯苓 當歸 川芎 山藥 山茱萸 各 一錢、半夏 甘草 各五分、薑 七片、大棗 三個 以上 太甚滿喉救急에 橘杏湯∴橘皮 銀杏 各三錢 蘇子 半夏 各一錢、生薑汁 五匙 一二次 服用。薑茶에 乾柿도 寢時服用。氣虛盛痰이니 下元을 補하는 것이 第一良方이니라(累試實效)。

10、虫

治虫之藥은 必用夏月이니 龍蛇起陸之時에 服之則方易奏效요 若在萬類蟄藏之時則 雖用合劑나 不能取功也니 是故로 上半月엔 虫頭가 向上之時에 先以甘物로 引起然後에 可用殺伐之

劑나 此則小兒治虫之法而 其在大人則 以温平和煖下之藥으로 安之하고 祛痰之方으로 散之요 不可猛功衝擊이니 煖下焦則 此如人之座席之温安이요 下元이 衰寒則 如人之座地濕冷이니 男은 補下元하고 女는 温子宮則 永安不動하나니 何有硬梃之痛乎아 知宜此法矣니라。

회충의 발증이 하복상흉(下服上胸)을 위시하여 요통 두통 이질증 등 여러 가지 작통(作痛)이 많으나 불환금정기탕(不換金正氣湯) 一二첩으로 정돈되나니 그러나 이것은 임시지통(臨時止痛)에 불과하며 원법은 온중 보중 보원이요 殺伐하는 재료는 절대 무효니라。

소아시에 객회(客蛔)는 사군자육(使君子肉) 炊服과 산토닌으로 一二三次 복용으로 즉효며 촌백충(寸白虫) 요충(蟯虫)엔 반드시 구충제를 사용해야 하나니 비자(榧子)는 구방(舊方)이나 현대 신약으로 치료가 잘 되니 생략(省略)한다。

회충에 대하여 하복이 냉한즉 발작이 심하니 하복냉증(下腹冷症)에 온평탕(温平湯) 人蔘 山茱萸 陳皮 各二錢、白朮 厚朴 良干 丁香 各一錢、小茴香 破古紙 半夏 桂心 吳茱萸 各七分 以上을 調劑하여 空心服하되 五六貼限이니라。

小兒는 不換金正氣散에 山査肉 三錢을 加入調劑하여 服用시키면 大人도 亦用하느니라。

小兒條虫(실벌레)이 大便에 싸여 홍문(紅門)으로 나오는데는 오래된 枇子(작년것)를 까서 석류황가루(石硫黃粉)와 陳久榧子末 꿀(蜂密)이나 엿에 赤豆大로 作丸하여 홍문에 一二三次 넣으면 즉효。大人 寸白虫에도 천초가루를 섞어서 홍문에 三四次 넣으면 완치된다。

11、小 便

三焦者는 決瀆之官이니 水道出焉이요 膀胱者는 州都之官이니 津液이 藏焉이라。氣和則能出이요 至陰이 虛則 天氣가 絕하고 至陽이 盛則 通氣가 不足하나니 夫腎肝 在下하니 이는 地道也요、心肺가 在上하니 이는 天道也요、脾胃가 居中하니 이는 氣交之分也故로 天地陽絕而 不安於地者는 即 白露가 不下니 在上之陽이 不交於陰則 在下之陰이 無以爲化니 水道가 焉能出乎 此上焦之氣化不順也니라。

소변은 수곡식사(水穀食事)의 자윤(滋潤) 후에 소화된 수분이니 비장에서 대소장으로 分流케 되어 방광에 주입(膀胱注入) 정합(停合)되었다가 도수에 찬즉 방출(放出)케 된다。간 신장에 열이 생기어서 소화기 비위에 장애(障碍)를 주면 불순이 시발과 동시(不順始發同時)에 신장에서 노염(怒炎)으로 불순불통 치삭(澁數)에서 부증된 것이 腎臟炎이다。

치료하는 妙法은 먼저 소화기의 機能調和에서 運通케 함이 양법이니 이런 불순 불통은 즉 關格의 일종으로 혈액과 기맥만 잘 유통되면 患症이 발생치 않는다。

불조(不調)케 된 기관은 차치하고 利水道하는 약만 쓰는 것은 용속한 療法이다。

水腫浮症에 동일한 논법은 前述한 바이므로 여기에는 이관통격(利關通格)을 위주로 한 처방과 小便無度 頻數에 관한 치료 약을 들면 이관통격탕(利關通格湯): 山査肉 蘇葉 各二錢、傍根 陳皮 靑皮 白茯苓 澤瀉 各一錢半、厚朴 人蔘 柴胡 各五分、車前子 二錢 加人用。

婦人이 膀胱濕熱로 小便時 澁痛、頻數에는 龍膽瀉濕湯: 草龍膽 澤瀉 甘草 白芍藥 柴胡 草決明 各一錢五分、牧丹皮 山梔子 車前子 各八分。六貼用。

男子 澁數症엔 潤腸湯: 熟地黃 車前子 澤瀉 山藥 各二錢、山茱萸 鹿角 各一錢五分、白茯苓 滑石 各一錢、柴胡 甘草 各五分 十貼用。

老人數便症은 下原陽衰라 固原湯: 黃芪 三錢、人蔘 山茱萸 山藥 各二錢、補骨脂 杜仲 肉蓯蓉 各一錢、官桂 升麻 各五分 小兒가 小便分量赤小澁數은 肝熱과 膀胱熱의 所致라 淸肝瀉熱湯: 草龍膽 甘草 各一錢半、澤瀉 白芍藥 白何首烏 牧丹皮 山梔子 木通 各八分、五貼用。干三片、棗二枚、大人男女의 淋疾藥은 別記淋病科를 參照。

慢性外腎皮內에 菌巢의 結核이 附痛患은 石硫黃細粉七錢씩 末泔을 湯沸後冷 硫黃粉 呑下四五次면 菌核이 完消。또 苦木實 五十個 以上 米泔湯水로 日 三四次 一週日間 呑下 亦效。

小兒 一五、六세까지 夜寢流尿症 鷄腸二具(燒存性) 黃泥에 裹泥도 同細硏爲末 益智仁烏藥遠志 山茱萸 白茯苓 薏苡仁 各三兩씩 細末入煉蜜和丸 菉豆大 七七數 一日三次。

男女間、虛冷小便無度 早漏症 遺尿 固原丸 前方 小兒用材에 黃芪 五兩、人蔘末 三兩、山藥末 薏苡仁 五兩으로 煎糊作丸 菉豆大 日三次 空腹에 呑下。齡數대로 呑下。糖尿症은 富有層 中年男女에 美酒好肉 滿服醉飽後 夫婦交房으로 酒肉의 毒과 房熱이 上冲胸胃失飮食節役所致니 復原丸·淫羊藿 五斤、濃煎水 三斗에 生鹿角 三斤、또는 五斤 내지 十斤 入煎成膏에 兎絲末半斤、人蔘 黃芪末 白茯苓末 五兩、和丸梧子大 日三次 自齡數대로 呑下。大龜板三個味加入尤效。

12、大 便

春傷於風則 夏必飱泄 邪氣가 連留乎腸則 乃爲洞泄이요 淸寒의 氣가 在下則 亦飱泄云이나 諸症泄瀉 및 赤白血痢 등의 擧皆가 飮食物에 菌이 侵入함에서라고 確言한다。故로 先用殺菌淸腸藥即效를 累驗 또한 大小腸이 皆系乎胃脾하니 虛冷則必泄이라 하였으나 亦胃가 寒弱으로 侵菌을 剋制치 못하여 先必用殺菌劑後 温補胃腸이며 또한 心者는 主血이요 肺者는 主氣也니 凝滯則 傷氣요 鬱熱則 傷血하나니 氣血이 旣病則 心肺가 亦病矣요 小腸者는 心之合也니

輪轉糟粕之官也而 胃又爲大小腸之總司니 肺移熱於大腸則 氣凝泄而成小痢요 心移病乎小腸則 血凝澁而成赤痢하고 大小腸이 具病則 赤白下痢요 胃土가 傳濕熱於 大小腸則 痢色이 兼黃이니라。以上諸痢症이 黃帝素問內經所出이나 莫非胃冷으로 侵菌을 剋制치 못한 便病이니 가령 赤白痢間 獨蔘湯이면 即效는 人蔘은 氣味가 强溫으로 胃土를 溫補하며 兼하여 瘡家聖藥云이다。瘡腫은 全部가 菌症으로 人蔘이 去惡生新이란 菌의 侵傷을 消菌生新케 함인 故로 赤白 및 役痢에 無不神效며 근래 所謂 虎熱刺(콜레라)、猛菌이 飮食物에 侵入된 魚肉 등의 음식을 服食하면 瞬間에 嘔吐泄瀉 米泔水然 白濃濁液을 吐瀉로 命在頃刻中에도 獨蔘湯이면 即效요 紅靈砂末調服 尤益神效。

또 赤白痢엔 苦木實 五十個 以上 入口 微溫 혹 冷水에 三四次 服用呑下 即效。石硫黃末 一匙씩 兼用尤好。新洋藥으로는 페니실린錠이나 마이시린錠 大人은 一次 二錠、小人은 一錠、小兒는 半錠씩 日 三次用。亦效果試。鵶片은 絕禁

13、癰　疽

癰疽者는 血脈衛氣가 周流不息하여 上應星宿하고 下依經絡하니 寒邪가 客於 經絡之中則

血泣 血泣則 血不通하니 不通則 衛氣가 歸寒하여 不能復返故로 癰疽가 發生하느니라。身有五邪之危하니 伏兎一也요 腓二也 腨也 背三也 五臟之兪四也요 項五也니 五部에 發疽時는 不能生이니라。

內外癌腫에 消生膏니 人蔘 三斤、蜈蚣 三百條、黃芪 防風 各二斤、穿山甲 滑石에 敷炒 乳香 沒藥 五加皮 各三兩、白茯苓 澤瀉 各三兩 以上 各材를 細粉한 것을 馬齒莧 十斤 煎膏로 和丸梧子 크기로 作丸하여 患者 年齡數대로 日 三次 服用하라。

옹저(癰疽)의 원인은 양기가 衰退하면 腐敗性이 있는데 肝臟火氣로 혈액에 독이 생기며 心臟이 그 악혈을 전신에 發注中 그 혈액이 順注되지 못하고 옹저가 되어 골절、관절에 자리잡은즉 유주하는 客痰、惡血이 침체되어 옹저가 되는 것이다。

이런 옹저의 증세도 氣血不全에서 生하니 종기는 몸의 정액인 백혈관이 쇠약무기하여 일종의 부패성으로 유발하는 것이다。몸의 정력 왕성으로 순회하는 기혈이 강속(强速)하면 악혈이 정체되거나 雜菌이 寄生할 수도 없나니 어떤 종기든지 치료하는데는 원기의 素陽度를 堅持케 하여야 속치된다는 것을 잊지 말 것이다。

五臟癰은 難治나 萬應膏면 擧皆 效니 田螺 百首 蜈粉 百條 穿山甲 五十斤、滑石粉 敷鐵炒 澤瀉 車前子 防風 黃芪 人蔘 瓦松 各一斤、乳香 燈心과 同研末 沒藥 白斂 白芨 牛傍子 各八兩 以上 藥을 極細粉主하여 馬齒莧 五斤 내지 七斤을 入 釜濃湯去渣溫飾後에 前記藥末과

綿實油一合을 和入文火로 濃煎半成膏를 日夜間 五次 一種子씩 連服則 見效며 破傷風이나 癌에도 應用。

各癌症別方 更生丸：互松 개와버섯 一斤半 青艾(먹는 쑥) 黃芪 防風 各一斤 人蔘 半片 田蛙 蜈蚣 去頭足 各百條 穿山甲 滑名末에 合炒黃 乳香 燈心과 同研 白茯苓 海螵蛸 各三兩 以上末을 薏苡仁 一斤米糊末로 作丸 菉豆大로 日三次 朝午夕食後나 食遠服 薏苡仁 煎水로 呑下 尤效 病院夢渾手術보다 完治 대개 癌症이란 나무로 비교하면 죽은 나무에 버섯나는 격이니 부패성의 나무를 살게 하는 별방이다。

14、諸 瘡

瘡者는 虫菌之腫이나 結核腫中 連珠瘡은 肝熱火熾로 結塊時에 淸消則 消塊나 發瘡之境則 惡菌이 成瘡이니 內外并治則 効요 痔瘡과 楊梅瘡等이 도시 虫之致라。故로 殺菌消毒之治醫者自量이니라。

人生의 죄악의 보(報)로 자신보다도 후손에 미치는 惡腫으로 대풍 癩病 무명악창(無名惡

瘡) 전시 폐균 복막고창 등이 있다고 하겠다。

腹膜瘡은 即 卑腹虫盜瘡이니 腹膜皮下에 毒菌의 盛炎이다。 馬莧消毒湯 馬齒莧 三錢、萹蓄瞿麥 各二錢、五加皮 茯苓皮 檳榔 各一錢半、生薑皮 川椒 人蔘 黃芪 各一錢、赤小豆 二匙、右米泔水湯에 日三次(복막염)。

大風瘡(나병) 馬齒莧 三兩 濃煎湯에 米泔水로 苦木實 百個씩과 硫黃 一匙씩 含口。前記 煎湯에 呑下。日四次 小取汗後 硫黃 石灰粉等滲散甚效。 年久楊梅淋瘡에도 前方 三日間用 完差。

鵝掌風瘡 即 手足掌이 紅爛細裂에도 前方 二三日이면 完效。 用時 好燒酒 一盞씩 和服尤效。

皮膚疥瘡엔 硫黃粉 白石灰粉等 酒精 알콜로 輕塗後에 前末滲散 着內衣 및 足襪掌甲 一日間 經過 即效 마이신、페니실린 연고를 바른 후에 전기 약을 붙이면 尤效。

髮際腦後瘡엔 艾灸如燒七次 即效。 膁瘡亦然이니라。

蛇頭瘡、蜈蚣末로 一晝夜間 裹宿即效니라。不聽時에 蛇頭에 白靈砂末滲之。

踝腫瘡엔 桃仁五錢末付之後에 艾火로 甚灸。 桃仁末敷上腫處 即 即效

聯珠나력엔 田螺 百首 細末糊丸 梧子大 日三次 式服用。 湯藥으로는 夏枯煎이니 夏枯草 五錢、白芍藥 甘草 草決明 車前子 各一錢半、川芎 柴胡 當歸 牧丹皮 白何首烏 白茯苓 各八分。

또한 陰蛇 即 구렁이나 殺母蛇 濃湯服用이나 灸腹도 亦效。 또 大蟾을 泥土로 厚裹하여 禾糠裡에 넣은 후에 불붙여 하루밤 후에 꺼내 燒存性된 두꺼비를 作末糊丸 服二三首면 完效。

15、積 聚

積聚者는 空稱之名이요 其實症則 硬延之病也니라。

如手足痲痺之痛이니 痰滯食滯는 血塊痰積은 無根之名也니라。昔者劣醫가 用破積消痕之材 三稜 蓬朮 等材나 難收其効는 勿論 尤致敗胃破氣하니 其識未深 其究未明이라。혹 有虫攻血聚之症이나 調和氣血하고 温補下元則 不用。三稜 蓬朮 海粉 大戟之猛藥이라도 定頓되나 保身差効之材는 豈非許多乎 臍部에 有大動血肉之源하니 男子는 下元이 不實하고 女子는 子宮이 冷虛하면 五臟六腑의 機能이 自然衰退와 兼하여 肝火가 獨盛으로 近者 所謂 積塊動搖라 稱하는 것이니 이 症人은 臍部內腹에서 中臟原動脈이 盛躍으로 積聚躍然이나 此를 劣醫가 積聚로 誤診하고 破積消痕之材로 猛治타가 終不收効하나니 이 症엔 補元温宮이라야 元氣回復兼 腹中安頓이니 男子는 加味八味湯으로 八味에 人蔘三錢、加入用이요、瘦弱하면 六味에 四物과 人蔘一二錢 入用하고 女子는 八珍湯으로 熟地黃三錢 黃芪二錢 當歸 川芎 白芍藥 白茯苓 人蔘 白朮 山藥 山茱萸 各一錢半、桂皮八分씩 入用。多用益好。益母二三錢

加入 尤效

16、水 腫

水腫은 邪氣가 內逆則 氣關閉塞而不行하고 不行則 水停而脹이니 三陰結而 成水腫하나니 此是湊理塞이라。 水火不濟之致요 此則多因於 氣鬱肝硬則 無理利水가 焉有効乎아。 先平肝木하여 使助心火니 心君이 泰然百體從令으로 順理自差니 水腫之症이 尤切平肝助心材也니라。

부종에 음식치료도 좋으니 미감수로 팥죽、 길경이국(車前葉)、 길경이 뿌리로 茶를 달여먹는 것이 유익하며 너무 짠 것을 금한다。 이 증세는 첫째 脾胃가 순조치 못한 데서 小腸이 熱燥하여 소변이 불순된다。 따라서 腎臟에 염증(炎症)이 생긴다。

수척한 남녀의 초기증세에 六味地黃湯에 山査 蘇葉 各二錢、 車前子 白何首烏 各一錢半、 厚朴八分 습열이 있는 몸이 疲勞無氣일 때 正元湯、 茯苓皮 沙蔘 地骨皮 陳皮 白朮 各二錢、 生薑皮 靑皮 甘草 蘇葉 防己 各一錢 白何首烏 二錢 加入用。 또 단복고창(腹膜炎) 배의 밑으로 죽 염증의 균이 생긴 증세니 난치다。

馬齒莧五斤、五加皮二斤、陳皮 黃芪 白何首烏 各半斤씩을 나누어 二十貼。赤小豆 一鍾子씩 米泔水에 煎用。小時取得 完效。前諸科에 用藥 記載。

右單腹虫盜瘡은 皮下에 菌이 作用症故로 殺菌劑로서 馬齒莧이 가장 毒하고도 順하므로 爲君이며 五加皮는 皮膚通衛에 適當하고 元氣에도 有益無害하므로 入藥用。

또 男婦間原因不知의 水腫은 擧皆 虛症이며 또 產後도 亦虛症이니 芪鯉湯：黃芪三兩、尺鯉一首、水五碗煎至二碗 濃煎、三次 分用 腎臟炎에 特效藥。

地骨皮 桑白皮 陳皮 茯苓皮 蒼朮 各二錢、生薑皮 甘草 各一錢 一二十貼服用。百無一失의 特效藥임。赤小豆七匙入 泔水에 煎用。赤小豆 一匙入、米泔水에 煎用。

17、脹 滿

脹滿은 胃氣가 虛弱으로 不能運化精微하여 致水穀이 停而不散으로 乃成此病이라。飮食不節로 淸氣가 不散하고 濁氣가 塡滿으로 胸腹에 濕熱이 相蒸이면 遂成此病이라고 하나 發病之源은 在下하니 卽命門之火가 微耿하고 腎臟之液이 衰殘하여 下元에 攝取之力의 僅少와

彈引之勢無能所致니 責在 精力이라。補陰强陽이 其治之本也니라。

脹滿은 脾胃之氣가 허약하여 위 속에 들어온 식물(食物)을 精微하게 運化하지 못하여 即致水穀聚而不散으로 마침내 이 症勢가 생기게 된다。

음식물치료가 더욱 좋은데 赤豆粥에 白豆蔻末 二三錢씩 和服과 검은 깨죽(黑荏子粥)이 可効니라。들깨죽도 亦好。원인은 남자는 하초부실(下焦不實)이고 여자는 자궁이 냉허(子宮冷虛)해서이니 남자는 六味地黃湯에 黃芪 山査肉 三錢、人蔘 厚朴 各一錢半入 煎之服用함。

여자는 四物湯에 益母草三錢、人蔘 厚朴 各一錢半入用 消戟之材는 戒用하라。山査 二錢入用

18、消 渴

消渴之病이 常始於微而成於著하고 始於胃而極於肺腎이니 始如以水沃焦에 水火가 何能消之리요 以水投石에 水去而石自若이라。舌上이 赤裂하고 大渴引飮이 謂上消요 善食而瘦者汗하고 大便硬而 小便頻數를 謂之中消요 煩燥引飮하고 耳輪焦乾이 謂之下消니라。

水火가 得其平氣하고 血得其養이면 何消之有耶 膽汁不能潤肝木하고 肝木이 不能養心火니 肝燥心煩으로 飮水不休之症은 胃土가 水敗로 不能補肺金이면 肺金이 不能生腎水하느니라。

治渴之要는 先扶胃氣니 胃旺則 順理得差니라。

甚渴之症이 久續이면 近者 世俗語로 糖尿病이라 稱하나니 此症의 原因은 男女間의 酒肉熱과 濁食物이 滿胃中에 交合行房으로 胃熱과 腎熱이 合勢過熱하여 胃中篩役이 失守되어 分淸이 不能으로 其因이니 糖質食物은 禁食하고 莫非毁損之致라。故로 補胃治原이 要方이다。

生鹿角三斤、人蔘 淫羊藿 黃精 黃芪 陳皮 白何首烏 山藥 白茯苓 山茱萸 法製 硫黃末 白豆蔻 一斤半씩 合粉末 牛乳糊丸 梧子大 日三次 空腹中 患者年齡數대로 服用하면 完効。上記丸을 滑石粉으로 爲衣하라。

男女老少間에 胃나 腹에 菌으로 大吐나 大瀉로 大渴煩熱하여 危急에는 獨蔘湯이니 人蔘 一二兩을 煎用하면 特効니라。體內水分을 瀉出하니 링겔注射도 亦効니라。形便上 人蔘이나 링겔 주사가 곤난할 시는 〈伏龍干水〉 나무를 넣어 불때는 火口 솥 밑의 탄 흙을 파서 약보에 싸서 끓는 물에 넣어 우러난 그 흙물에 생강을 五片 구워 넣어 달인 물을 조금씩 입을 축여가며 계속 먹이면 亦効니라。

19、黃 疸

黃疸은 黃色病으로 諸病 黃色은 단 當利其小便이니 渴者難治요 不渴者는 易治니라。 夏月에 天氣之熱이 與地氣之濕으로 交蒸하여 人受其氣에 內結不散故로 發罹此症이요 肝有鬱悶하여 不和成硬이면 胃無尅制하여 放其運消故로 胃內에 食宿痰凝으로 胃亦硬化하여 諸關이 不利요 膽汁의 失道로 不能制肝鬱하며 黃色이 自胃通身하나니 淸肝和胃가 其治之要素兼利小便이면 未久見效니라。 黃疸에 白茅根 한줌씩 二三次 服用則 最効秘方。

황달에는 食物로 호박씨기름과 또한 낙지국이 좋으며 色疸엔 四六湯이요 酒滯疸은 良干五苓散 茵陳 各三錢、猪苓 白茯苓 澤瀉 山査肉 各二錢、白何首烏 人蔘 一錢半、半夏 甘草 各八分、薑五片、大棗二個入 五六貼服用함。 草烏末半分加入用尤効。 白茅根으로 茶와 같이 飮即効。 過勞疸엔 男子는 암탉、女子는 수탉으로 二三首食用即効。 大蒜三통씩 入用尤効。

適方으로는 雙和湯이 있다。

熟地黃 白芍藥 當歸 川芎 黃芪 白何首烏 澤瀉 厚朴 滑石 各一錢半、桂皮 甘草 各七分、牧

丹皮五分 十貼用。草烏二分 加入用。

食用반찬으로 조개젓이 좋으며 鷄卵一個에 眞油一滴 간장 一滴以上을 혼합하여 朝夕으로 服用하면 結胃에 尤好하고 肝과 胃가 相硬이니 潤肝和胃가 第一療法이요 四物湯에 山査 三錢、白芍藥二錢、甘草二錢入。四五貼用。

20、瘧 疾

瘧疾者는 有常期之病也니 其因은 元氣의 衰弱으로 肝脾經에 勞熱痰液이 沸湊之致니 挾勞熱痰涎이 生於脾而 流注諸臟 및 六腑中隨血到肝則 肝木이 當熱痰하면 木如焚故로 肝火와 相合時에 發熱이 極甚하여 熱極生寒故로 寒慄이 極이나 若半時刻 戰退痰熱이 即移脾臟時에 寒慄而只煩 熱極甚故로 發頭痛之症이니 其痰涎之熱이 二晝夜 四十八時間을 周注至肝하면 又作寒慄後 復移脾臟則 亦單熱로 發頭疼하나니 其原은 氣弱이요 其因은 痰涎이니 消痰補氣가 其治之本也라。

小兒一日瘧이나 此症은 與大人으로 判異하니 肝有宿疾하여 午後發熱이니 肝大痰熱이 如

入寒水中하여 相冲熱極生寒之致라。 日久則 移熱痰於脾臟하나니 移熱於脾則 午前發症이니 亦氣弱、痰涎之致라。 消脾臟痰涎이면 即効니라。

六氣之邪(風寒暑濕霧露) 天氣地理血脈運行이 小天地를 具備로 生成된 人身이다。 然故로 地球輪轉昇降에서 晝夜二十四時間으로 一年三百六十五晝夜 二十四節候로 依彷하여 血液이 流注되는 故로 血脈血行을 따라 痛熱을 發作하는 病이 이 瘧疾이다。

痰은 空中에서 雲霧와 一般으로 몸에서 蒸發되어 各機關에 流注타가 옹부(擁附)하는데서 病은 發作케 되나니 一種의 障碍厄이다。 더우기 肝臟에 滯注되면 肝熱의 發作으로 肝은 五行의 木이니 熱은 火이다。 火가 木에 付케 되면 極熱이 生하여 이 熱은 熱極生寒이다。 寒慄이 即極이니 그 熱痰이 退去時에 酷熱로 頭痛이 곧 熱痛인 것이다。 其痰이 血液을 따라 全身을 一周하여 또 復肝木에 오는 期間이 二十四時 一周晝夜이며 患者의 氣血瘦弱으로는 三十六時間도 되는 것이 瘧疾이다。

누구를 막론하고 無痰者는 없으나 氣血淸强으로 肝葉에 痰이 犯接치 않는 한 瘧疾不成으로 罹病치 않는다。 原因이 氣弱이니 何人飮을 服用하라。

白何首烏 人蔘 生地黄 各三錢、 生薑七片、 大棗 五個入 煎之服用。 薑汁二三匙를 넣어 쓰면 尤效。 半夏七分도 加入用。

紫胡四物湯。

柴胡 白芍藥 當歸 川芎 生地黃 山査肉 各一錢半、牧丹皮 草果 半夏七分、生薑五片、大棗三個入煎用。

小兒腹瘧에 淸肝飮

鱉甲一錢半、柴胡 生地黃 山査肉 白何首烏 各九分、甘草 草果 各八分、半夏干 牧丹皮 靑皮 各五分、生薑五片、大棗二個入 常山三分入用。

키니네가 있기 前에 長瘧으로 三日瘧 二日瘧이 許多하였으나 近來에는 瘧疾患者가 極少해진 것은 新醫學과 藥品의 發展成果이나 漢藥도 以上藥方이면 無不見効며 一日瘧은 半夏小粒을 患者齡數대로 薑汁二三匙로 呑飮한즉 即効니 結局 瘧은 痰이요 氣弱인 것이다。

또한 小兒腹瘧에 消瘧飮 鱉甲 靑皮 各一錢 山査肉一錢 人蔘 草果 甘草 各八分 常山 半夏 柴胡 生地黃 各五分 二三貼用。干汁一匙和服。

21、邪 祟

邪祟은 두 가지로 하나는 身體가 外感六淫(風寒暑濕雨露)하고 內債七情(喜怒哀樂憂驚恐)

하여 痰涎風火에 邪湊而發이요 또 하나는 鬼祟이니 鬼祟者는 人有至怨至恨이 身沒而不散하
고 魁作痛魂하여 付鐵石而作啾하며 依木土而聲하며 借巫口而訴之事 往往有之요 비단 人死
冤魂이요 猫蛇之冤魄도 報讐作弊가 자고로 傳有니 最作冤也니라。

自笑自悲하며 或寒 或熱 忌人 譫語 妄怒가 그것의 表症이니라。

사숭증을 미신적말로 귀책이라고 하나니 귀신의 작희 같은 증세이다。

심장의 열담이 외감을 끼면 譫語 즉 헛소리와 번열 욕설 등과 앉았다 누웠다 좌불안석이
요、간장열이 외한을 끼면 한열이 무상이요 또 怒鬱 不平이요 腎臟熱이 외한을 끼면 두통
복통증과 소변급치오한이요 肺臟熱이 외한을 끼면 천축기침 외풍(畏風) 癮疹이요 비장열이
외한을 끼면 嘔咳 尋水 不思食 身體重困症이니 일종의 상한증이다。

귀책이란 증세에는 六十甲子 日辰과 發病時 시간을 맞추어 쓰는 약방문을 별책에 기록하
니 참작하여 쓴즉 유효하다。 혹은 몸에 사가 나타나고 몸이 무거우며 수족이 아픈 것도 같
고 또 아프지 않은 것도 같은 증상이 소위 귀책이니 藿香正氣散이나 不換金正氣散에 鏡面朱
砂이나 紅靈砂 二分重씩만 조복한즉 효과를 보며 二三次에 止用해야 한다。 薇何湯：白薇
白何首烏 各二錢、人蔘 生地黃 柴胡 白茯苓 各一錢、半夏 蘇葉 當歸 藿香 各八分、黃連 桂
心 各五分、牧丹皮 四分、竹茹三分 薑七片、大棗三個入 三貼用之。

22、身　形

身形이 完具나 無神則 賤愚요 혹은 未備不具라도 有神則 貴矣니 得形有神者는 貴品也요 缺體無神者는 先世罪罰이니라。

開通已靈하고 撫養眞元이면 益壽延年의 自得仙術이요 變形幻態도 此中可期니라。美表壯形을 一得失修하면 自致夭折하나니 宜可思愼이요 不可忘損이니 身形을 일컬어 家屋 즉、魂魄의 집이라 하니 人居家屋을 不修放置면 自多破損되니 그 家屋이 何能久之리요。人之身形도 一般也라。魂魄之舍를 頻顧修繕하여 長使保完이면 是爲長壽保命矣요 君舍頹破損이면 魂何居依乎아。守眞志高하고 不失眞元이 保身益壽니 何求名術이며 存神自若이면 換骨脫態니 仙人이 非他니라。有形無神이면 是謂俗客이요 有態無惡이면 品至上人이니라。外善內惡이 謂之最惡이요 外惡內善이 可謂眞仙이니 內惡은 現乎眼이요 內善은 表於面이니 欲藏難得이니라。

신형은 가장 중요한 귀천의 형태이다。

混濁醜重은 양정부족이니 人蔘 補骨脂 仙茅 白茯苓 白何首烏 附子炮 沙蔘 등을 복용하고 경망으로 인내성의 부족을 나타내는 데는 熟地黃 龜板 黃精 黃芪 山藥 山茱萸 人蔘으로 强心保元하라。 대개 신형은 神彩를 많이 얻은 자 偉人이요、 鬼態로 된 자는 無價値나 인생의 尊卑 貴賤 威嚴과 賤醜며 壽夭를 신형으로 판별케 되느니라。

23、身形古方

一、火動 黃連清心飮 中六十 清心蓮子飮 中六四 古庵心腎丸 上三六。
二、濕痰 加味二陳湯 下五三。
三、濕熱 四苓散下十 大小分清飮 下八十。
四、先天不足 八味元 上四十。
五、固精 秘元煎 上六三 古歸飮 上四六。
六、每觸遺精 歸脾湯 上六六。
七、脊熱夢 清心元 中七。
八、白淫 清心蓮子飮 中六四。

24、中風

中風이란 最急最症으로서 高血壓等 即空谷生風格이다。中氣陽氣가 虛乏인바 强陽補中이 예방의 秘法이니 中風이 온다는 예증이라면 男左女右로 手次指가 痲木不仁 뻣뻣하며 아프다는 예고로서 三個年內에 中風症이 發生하니 酒肉의 禁食과 일단 發生時는 急速히 星香正氣散牛黃清心丸 等으로 于先 服用救急後 特效强陽 秘苑更少丸 方文은 在下服用尋用 口顔喎斜時에는 先針 百會穴 三刺로、右便이면 左針 頰車요 左便이면 右便을 針刺三章을 艾灸後 亦用 前記秘苑更小丸 又中風半身不遂全身不遂症에 靈砂 一斤、陳皮 半斤、白附子 白豆蔻 各五兩 牛膽 南星 唐木香 各三兩、紅靈砂 二兩、半夏干製一兩、全蝎 七錢 以上 藥材를 精製 菉豆大 日三次 患者의 年齡數대로 薑茶에 呑下。以上 藥材에 人蔘 五兩、附子 五錢 加入作丸用이면 尤效 言語蹇短口鼻痰涎不止에도 亦用。元氣精力 不足은 上記 秘苑更小丸、同用尤效。

前記中風患者는 勿論이며 兼하여 他症患者와도 酸鼻間에 痰沸聲의 不止者는 命이 已盡이니 針藥間에 無效이니 莫用이니라。

秘元更丹 新名 秘苑更小丸

陽起石醋煅 五次 三斤、毛磁石 二斤、醋煅 五次、煅紅限礫碎爲末 石硫黃 肉蓯蓉 山茱萸 地芋 巴戟 人蔘 覆盆子 杜冲 雲母粉 各一斤半、蛇床子 白茯苓 仙芽 鹿脛骨 山鳩 十首、메추리알 三十 加入 以上 藥材法製作丸菉豆大用 自齡數呑下 不老長壽補精力最高의 補藥。家韭子 伏盆子 兎絲子 各二斤 式加入尤效。

25、寒 科

寒이란 風의 所產으로 熱과 相拍相冲에서 病魔를 治起케 되나니 原料가 바로 風인 故로 利用도 謀避도 善能하여야 養生上 要因이니라。例를 들자면、

一、温室에서 流汗하다가 外出하여 風과 相衝한즉 感氣요、一種 外感傷寒이니 咳嗽流涕惡寒症이다。

二、勞力過多 身熱과 風寒이 相衝曰 몸살、勞熱感氣니 肢節 頭痛惡寒이니라。

三、行房後房熱과 外風의 相衝曰犯房傷寒이나 惡寒、頭痛、或咳嗽流涕等이니 以上 三因의 通治는 **雙鮮飮** 熟地黃 三錢、荊芥 蘇葉 各二錢、白芍藥 川芎 當歸 柴胡 前胡 羌活 獨活 桔

梗 枳殼 甘草 各一錢、干三 召 二三貼用。

四、宿食兼房熱과 風寒과 相衝曰 內傷外感엔 雙金湯 白芍藥 二錢、熟地黃 一錢半、當歸 川芎 黃芪 各一錢、蒼朮 二錢、藿香 厚朴 陳皮 半夏 干製 甘草 各二錢八分、干三、召二、二三貼用。

五、體質虛弱者 秋末冬初霜朝出行中 寒氣가 足陽明經으로 入腹肝熱과 感衝되거나 취침中에 足寒이 陽明經으로 亦入腹肝熱과 相衝된즉 惡寒發熱頭痛口渴이니 口渴症이란 肝熱이 아니면 尋水치 아니함이니 肝은 木故로 木은 水를 즐기는 子가 母를 思함과 一般이다。雙歸湯本方에 生地黃 一錢、痲黃 桂枝 各八分 加入用 二三貼取汗。

六、前條의 傷寒熱을 即解치 못하면 肝이 熱을 심장에 移한 則 譫語와 重態兼 長感이니 熱極耳聾까지도 된다。倍雙和湯에 香附子 麥門冬 竹茹 各一錢 加入用。熱潤和 干五 召二、五六貼用。

七、冬節或 雪上霧를 呼吸한즉 有甚한 霧毒이 翌年春解上時寒毒과 兼한 瘟疫傷寒이나 傳染流行症보다도 腸胃가 濁弱한 體質의 症에게는 毒菌이 潛在하여 發症이니 不換金正氣散 蒼朮 二錢、藿香 陳皮 厚朴 半夏 干製 甘草 各一錢、本方에 知母 黃栢 各七分 加入 干三 棗二、二三貼用 後엔 雙金湯 二三 或은 四五貼用。忌肉食宜麥飯 風寒暑濕等 相感에서 傳染細菌이 發生하는 毒菌이 呼吸 又는 飮食物의 侵入으로 傳染瘟役이 流行毒엔 忍冬一握

秋麥一合 生栗一勺 蘇葉 三錢、葱白 五本 煎湯을 連服 一二次 取汗最效

26、暑症

暑症은 三庚伏中에 있음은 勿論이지만 春秋冬節에도 伏中暑毒이 隱伏하였다가 發生될 뿐 아니라 體質의 虛弱과 血液이 強淸치 못한즉 春秋 冬節에도 發生되나 春秋冬節患者에게 暑症診斷은 名醫거니와 判診하는 醫에게 狂診이라고 嘲笑할 것인고로 前記六甲五爻卦로 發病한 日辰과 服藥하는 時까지 定書한 方文에서 藥을 擇用하라。明記하는바 別記六甲日方을 尋者。

一、普通暑症은 飮食不進中 虛飽만 身困이니 淸暑健中湯 藿香 三錢、草果 白豆 白何首烏 各八分 砂仁 甘草 各五分、干三 召 二、一二三貼用

二、暑症은 夏季秋初가 最危險한 季節에 各種微生傳染性의 細菌의 번성기로 氣弱한 體質人等은 暑中에 流汗으로 元氣가 益虛中 暑滯는 고사하고 불결한 飮食物에 病菌이 侵入된 食事에 嘔吐症이 發作된즉 元氣의 脫盡과 胃痙攣과 四肢 痲痺症이 오면 人蔘 三~五錢間에 湯이나 末에 紅靈砂粉 二三錢 和用。

三、前記人蔘과 紅靈砂를 求用치 못하거든 山査 三錢、蒼朮 益母草 各二錢、藿香 良干 或

乾薑 各一錢半、川椒 草豆蔻 各一錢、桂皮 蓽撥 半夏 蘇葉 各五分、入煎 二三貼用。

四、男女老少間에 流汗過多 或은 吐瀉로 津液이 脫盡된즉 煩渴尋水無度엔 獨蔘湯 人蔘一兩 濃煎服 第一効力 萬若 人蔘이 無커든 伏龍土水 即食昇下火口中 火焦된 土를 파서 細布하여 白水湯에 넣었다가 그 물에 생강 二、三개 同湯한 溫水 一碗을 徐徐히 服飮即效 又同湯에 益母草 五錢 加入 煎服尤效。

五、瘟症이면 不換金 正氣散이니 蒼朮 二錢、藿香 陳皮 厚朴 半夏 各一錢、蘇葉 知母 黃
分、干 五片 棗二 二三貼用

六、無效時면 消毒解熱湯 馬齒莧 三錢、葛根 二錢、陳皮 蒼朮 各一錢、香附子 生地黃 川芎 各七分、柴胡 麻黃 桂皮 各五分、二三貼用 取汗。

27、濕症

濕症의 種類는 下部에 發生하는 病의 거개가 濕症으로 即 陽氣不實의 所致를 比較하자면 地上에다 藁席等을 덮어 放置한즉 自然濕地에 虫類가 感生 或은 聚集도 하는 것과 一般이며 敷覆한 即藁席을 移置한즉 太陽의 乾晒로 濕했던 其地面이 乾燥와 同時 虫類가 消散되

는 格이다。 人身下部의 濕症은 體陽의 强度가 미약、不及케 되면 病菌이 發生 或聚集으로 發病되나니 强陽溫血人에는 濕症이 無發이니라。

一、痔漏痔엔 馬齒莧 三斤、秦艽 蒼朮 各一斤半、榧子 石硫黃 蛇床子 檳榔 槐花 黃芪 防風 各半斤、白茯苓 防己 各三兩、乳香燈心海螵蛸와 別途硏末入、以上藥을 細末梧子大로 作丸必히 紅靈砂粉으로 爲衣 一日 三四次 空腹呑下。痔疾을 爲始로 脚痔脚節尻脂間水虫 關節炎 下半身에 菌腫 淋梅毒瘡等에도 使用(三十人以上分用)。

二、坐臥濕地면 必히 困怠한 身重이 生하며 又意慾이 樂치도 못한다。推新湯 蒼朮 二錢、蘇葉 陳皮 藿香 厚朴 白茯苓 薏苡仁 香附子 桂枝 各一錢、升麻 甘草 各五分、干三 召二。

三、濕席에 誤宿이면 困怠에서 濕瘟症이 發하나니 加味正氣散、蒼朮 二錢、藿香 蘇葉 陳皮 厚朴 知母 黃栢 鹽水炒 各一錢、半夏 柴胡 香附子 各七分、桂枝 甘草 各五分、干三 白葱 二本。

28、內傷症

內傷症이란 五臟六腑가 刺戟을 받아 損傷이 된다는 內傷이니 例라면 食慾의 過多로 過食過飽와 失時晩時久飢肘腸과 飮酒過度用色過度 勤勞過度 等이 內傷이니라。

一、食事過度 胃脾受傷困勞症이、調胃健脾湯 山查 二錢、白朮 陳皮 黃芪 白茯苓 人蔘 當歸 厚朴 草豆蔻 各一錢、木香 白芍藥 桂皮 甘草 川芎 各五分、干三 召二。

二、毒酒過飮胃臟의 損傷에 獨蔘湯이나 芪朮健胃湯、黃芪 三錢、白朮 山查 陳皮 草豆蔻 各一錢半、良薑 桂皮 白茯苓 陳皮 白何首烏 各一錢、半夏 甘草 各五分、干三 召二。

三、色慾滿取腎氣受傷 自困四肢의 無力에 雙補湯、熟地黃 四錢、黃芪 三錢、當歸 白芍藥 川芎 山藥 山茱萸 各一錢半、杜冲 補骨脂 各一錢、干三 召二 男女同用。

四、勤勞過力行步等 太甚에 倍雙和湯이나 前方雙補湯製用。

五、喜怒哀樂憂驚恐 七情過度傷心 和肝補心湯、熟地黃 三錢、白芍藥 黃芪 白何首烏 枸杞子 當歸 川芎 山茱萸 各一錢半、遠志 蓮肉 草決明 甘草 半夏 各七分。

六、普通平用雙金湯 白芍藥 二錢、當歸 川芎 熟地黃 黃芪 各一錢半 桂皮 甘草 各五分 蒼朮 二錢、厚朴 陳皮 藿香 半夏 甘草 各一錢、干五 召三 取汗。

29、虛勞

虛勞란 元氣虛弱한 人으로서 無理過度한 勞力使行니 人行房不作業活動不精神思慮等이니 以上 諸般勞力에는 平常服用 氣血陰陽雙和補元葯이랃 補原湯、黃精、熟地黃 三錢、山藥 山

茱萸 黃芪 白芍藥 各二錢、當歸 川芎 人蔘 白朮 各一錢半、杜冲 補骨脂 巴戟 各一錢、升麻 三分、多用益好

一、其以上 補藥이라면 丹中 上記된 秘苑更少丸 多小間分用、普通으로는 雙和雙金湯 臨時服用。

二、加味大補湯 黃精 五錢、熟地黃 三錢、黃芪 山茱萸 山藥 各二錢、白朮 當歸 川芎 白芍藥 白茯苓 甘草 各一錢半、干三 召二。

三、黃精膏 黃精 十斤、生地黃 三斤、取汁에 黃精을 浸出九次蒸曝後에 蜂蜜 三斤 入和作丸 呑 三四次。

30、婦 人

婦人의 原理는 人生은 即 小宇宙요 亦小 天地的 理形이다。

婦人은 下宙의 理ㅡ體下地의 役으로 產育의 體具인 慈母의 姿質로서 健康維支上 雜症治療가 多端이니 成長後 天癸에 至情時부터 產育役에 奉仕中 婦人은 經血(月經)이 重要한 產原(產兒要因)이므로 너무 많이 흘러나온다든지 異常이 있으면 氣虛、崩漏崩壞症이면 蔘芪

湯을 服用하는 것이 第一 效果。

一、蔘芪湯 黃芪 三錢、人蔘 白何首烏 白芍藥 熟地黃 各二錢、乾薑炮 白茯苓 白朮 肉蓯蓉 各一錢半 以上 處方藥을 五六貼限 服用。

二、天禀血源不足으로 經血이 不順하거나 不足하여 腹痛 腰痛 또는 手足冷症이 發生하면 加味四物湯을 服用함。

熟地黃 白芍藥 山芎 益母草 當歸 蔓蔘 丹蔘 牧丹皮 人蔘 官桂 七分。

三、不姙症 (左記藥材添加服用)

山藥 山茱萸 蛇床子炒 各一錢加入。

四、萬若 女兒만 分娩하고 男子를 出生치 못하면 夫婦同寢交合時에 陰精을 先瀉케 하는 方式을 利用해야 하며 陰精이 男子보다 뒤에 感出되면 반드시 女兒만 出生케 되나니 이런 方法은 自重하여 쓰고 或 그래도 女兒가 出産되거든 임신된 지 三個月內에 雄鷄에 黃芪 二兩씩 넣어서 三首를 먹던가 漢藥으로는 加味八珍湯을 服用함。

人蔘 黃芪 白朮 白芍藥 熟地黃 當歸 川芎 白茯苓 陳皮 各一錢三分、山藥 山茱萸 加入 上記藥을 임신 三個月內 十貼 또는 二十貼을 服用하면 轉女爲男되는 것을 여러 번 시험해서 經驗을 얻은 秘方임。

五、産後의 腹痛은 汚冷血이 腹中에 남아 있어서 發作되는 症勢니 아래 藥을 달여 服用하

여야 함。 黃梅木 山査肉 當歸 川芎 各三錢。

六、產母가 氣實한데 젖이 나오지 않으면 간장에 熱이 많은 然由이니 下記藥을 服用해야 함。 淸肝通乳湯 王不留行 白何首烏 木通 熟地黃 各二錢、當歸 川芎 山梔子 滑石 萵苣子 各一錢半 白茯苓 牧丹皮 穿山甲 各八分(上記調製 二、三貼 服用)

七、氣血不足元氣虛乏되어 乳不出이거든 加味大補湯을 服用함。 熟地黃 黃芪 人蔘 當歸 川芎 白茯苓 甘草 白何首烏 白朮 五加皮 各一錢半(上記藥十餘貼服用함)。

八、產後에 氣脈을 잃고 手足에 경련이 나는 것은 氣脫이니 補虛湯을 十貼限 服用함。 黃芪 人蔘 各三錢 五加皮 當歸 川芎 白茯苓 各一錢半 煎用 白何首烏 熟地黃 加入。

九、男子와 교방時에 陰精에 血과 混合되어 流出되는 것은 胃가 훼손된 것이니 黃芪三兩을 煎水 人蔘 一兩半 濃湯後 蜂蜜 二三匙 和服 二三次。 子宮癌에 先前症도 有한 故로 注意。

十、男性과 交房後 肛戶가 收縮이 아니되는 것은 子宮이 無力한 所致니 補宮湯 黃芪 三錢、人蔘 山茱萸 山藥 各二錢、當歸 川芎 白芍藥 白朮 白茯苓 蛇床子 各一錢半、升麻 五分。

十一、多產婦가 壯年强男夫에게 無理受房無度면 胃脾의 弱化로 氣脫과 勞弱症이 된즉 壽命의 影向이니 前方을 製用하며 謹身하라。

十二、婦人胃癌은 대개 性交所致니 黃芪 三斤、人蔘 二斤、田螺 百首 蜈蚣 百條 灸黃 蚓糞

一斤 穿山甲 滑石 敷鐵炊 五十鱗 白朮 海艾葉 白豆蔻 乳香登心의 研末 各五兩、乾馬齒莧

二斤 以上 各材를 製粉作丸梧子大 紅靈砂粉爲衣日 三四次 患者年歟대로 米泔湯에 呑用。

子宮 乳癌에도 亦用

十三、孕婦當朔臨産難産엔 別方佛千散이나 芎歸湯 當歸 川芎 各三錢、本方에 車前子 滑石 各一錢、一日 三四貼 氣虛難産에 人蔘 二錢 加入用胞衣不下에도 亦同用。

十四、産前後 血崩 胎漏半産에 黃芪 五錢 或一兩、濃湯 和蜜服即效。

十五、經血이 體質보다 過多한 女子는 氣虛니 加味八珍湯 黃芪 三錢、人蔘 白朮 各二錢、山茱萸 白茯苓 各一錢半、當歸 川芎 白芍藥 熟地黃 各一錢、附子 桂皮 升麻各五分、蛇床子 二錢 加入用。

十六、不姙과 不感症 體具는 完備나 受感치 못함은 痼癖症이니 玉泉穴에 一週日 一次씩 施針後에 溫灸六次數 七回後 通竅交感湯 白芍藥 二錢、熟地黃 白何首烏 枸杞子 山茱萸 山藥 當歸 川芎 各一錢半 蛇床子 牧丹皮 半夏 干製 各一錢、石菖蒲 桂皮 人蔘 川椒 甘草 各五分 干三 召二 日 二貼。再湯日 三回 六十貼 服用中에 以男手로 乳峯을 捫摩하여 情感을 覺케 하라。

十七、妊娠을 하여도 女子만 孕胎하고 男子를 産育치 못하는 婦人은 相對方 男子의 陽氣가 不足한 所致니 卽 夫妻가 交房時에 精液이 女子보다 迅速함이니 男子의 力을 補強하여

早漏症을 防止케 하는 別紙에 記載 秘苑更少丸을 服用하며 女子의 陰精을 覺吐케 한다。

十八、婦人이 男子만 產育하여 女子를 孕胎코저 하는 時는 房法을 利用하여 男性의 精液을 先瀉케 한즉 妊娠期라면 所願하는 女子를 產育할 수가 있나니 即 直言하자면 夫妻交房時에 男性의 陽精이 女性의 陰液보다 速瀉된즉 여아를 잉태케 되나니 禀生을 論하자면 男은 陰中陽이요 陽中에 陰이다。

十九、赤白帶下症은 原因이 虛冷所致니 益氣溫宮湯 黃芪 三錢、大薊 蛇床子 白朮 陳皮 各二錢、益母草 九節草 陳皮 人蔘 各一錢半、干三召二日二貼。再湯日 三回 六十貼服用中에 以男手로 乳峯을 捫摩하여 情感을 覺케 하라。

二十、崩漏下血大虛所致니 益氣健中湯 黃芪 五錢、人蔘 三錢、白朮 白茯苓 白何首烏 當歸 白芍藥炒 各一錢、升麻 五分、百草霜末一錢 和服益效。前症은 子宮癌의 初 中期로 病院手術이니 前記方藥으로 速治 病院手術後도 前藥安心用。

二十一、肝乳癌에는 青蛙 去瓜 百首 蜈蚣ㅣ去頭 足炙 黃百條 穿山甲 五十片을 炒時 鐵板에 滑石을 펴고 炒黃 澤瀉 白茯苓 白何首烏 防風 人蔘 各三兩 黃芪 馬齒莧 各二斤 加入 又瓦松 一斤 當歸 白芷(乳香燈心과 合研爲末) 各材粉末을 混合하여 梧子大로 作丸해서 每日 三四次씩 患者의 年齡數대로 服用함。

31、小兒

小兒가 胎生되기 以前을 생각해 보면 실로 遠邈하고 幽莫한 無極狀態로 比由할 수 있다。無極이 太極으로 太極이 宇宙에 造化를 이룩하니 宇宙內에 生藏하는 地球星의 萬物中에서 靈長의 人間이 점지되는 過程은 父氣母血를 빌어 탄생되기 以前 母腹中에서 十朔을 寄胎中人體만을 完備하였다고 即時腹外世上에 産出치 못하며 오직 三神이란 阿彌陀佛 觀世音菩薩 大勢至菩薩님의 緣路家門에 引導가있어야 誕生케 되는 即時로 또다시 가는 길이 百年을 걷게 되는 過程에 風寒暑濕과 喜悲哀樂 憂驚恐等으로 自然發病을 治療하여 健康으로 去路를 平坦長久히 過送케 하는 것이 即醫藥이나 來往過程中 好事積德한 人生은 다시 또 積德한 富貴門中에 緣路로 引導하시며 來往途中에 行惡作罪한 人生은 또 다시·貧賤한 家門이나 심지어 畜生胎獸나 地獄苦로 句發하는 因果應報란 森嚴한 症法이다。然이나 佛法은 慈悲가 原則으로 來往하는 衆生들의 罪犯을 그 誠意에 따라 다시 濟渡하여 주시기 爲하여 病苦는 醫藥을 아시는 靈醫에게도 患者의 緣路를 주신다。

一、小兒의 百病靈藥의 方文別記。

卽萬靈丸은 在腹中胎兒가 胎母의 不注意로 胎兒를 驚動케 하든가 夫妻가 雷聲雨中交合이나 祖上忌故夜 又는 寺刹齊式院等地에서 入胎된 病이 肝疾이니 至誠祝佛中에 萬靈丸用。

二、癲狂엔 兎肝丸 兎肝 一二具 牛膽 南星 紅靈砂 各七錢、白干蠶 四錢、鏡面 三錢 天麻 甘草 各五錢、硏末作丸 菉豆大 患兒年齡數 日三次用。

三、디프테리아에 熊膽 眞效。冷水나 蜜柑汁 七分和服卽效。急作肺炎에도 二、三分用卽效。

四、紅疫에도 熊膽第一이나 求用치 못하면 發班이 未出或 入皮엔 葛根三錢、當歸 川芎 各七分入用 二三貼。

五、小兒의 驚症은 晝夜啼哭을 不止함은 腹痛故니 鏡面이나 靈砂 一二分用 甘草湯에 用卽效。

六、小兒痘瘡엔 三豆湯 菉豆 黑豆 赤小豆 金銀花 各三錢、二三貼用。又方에 紫草 三錢、金銀花 蟬退 甘草 各一錢半、地骨皮 升麻 七分。

七、小兒가 肝熱이면 小便이 澁數이니 草龍膽 甘草 各一錢三分 車前子 白芍藥 澤瀉 各一錢 赤茯苓 柴胡 各五分 二三貼用。

八、虛弱數便이나 夜寢遺尿症엔 固原丸 黃芪 人蔘 山藥 山茱萸 芡仁 蓮子 遠志 益智仁 覆盆子 各三兩、白茯苓 人蔘 各二兩 以上 細末을 薏苡仁 末糊로 作丸用 日三次、十五個式用。

九、小兒가 二、三歲 八、九歲에 至토록 濁痰이 鼻孔에 塞在하며 或鼻涕을 多流하는 症은 氣質이 弱한 所致니 黃芪 三錢 或 五錢、人蔘 二錢 或 三錢을 環煎湯에 蜂蜜 一、二匙을 和服 鼻血鼻痰症에 即效。累次用益好 累試果驗

十、小兒痲痺症은 小兒殘弱한 體質로 挾食 或驚症으로 體熱이 極甚中에 動風의 所致니 稟氣가 充實한 小兒에게 痲痺症은 發作치 않느니 虛弱한 小兒가 發症時는 先針 百會後用。丸使用。黃芪 三錢 全蝎 人蔘 白何首烏 當歸 川芎 牛膝 白茯苓 各一錢 環煎用 五六貼 則氣延完效。

十一、小兒腦膜炎이란 元氣가 不實 小兒가 三伏中苦炎暑毒의 極甚한 熱이 腦에 上衝되어 炎症이니 別紙萬靈丸으로 救急한 後에 壯元湯 黃芪 三錢、白何首烏 二錢、人蔘 熟地黃 各一錢、白朮 白茯苓 甘草 各七分、干三片 召二用 六貼。小兒急時와 大人亦 救急用 經實驗

方 萬靈丸 山査肉 唐木香 白豆蔻 各三兩、牛膽 南星 天麻 紫草 各二兩、地骨皮 桔梗 藿香葉 粉葛根 甘草 各一兩、白茯苓 白何首烏 蘇葉 青皮 蟬退 各八錢、安息香 天竺黃 各五錢、全蝎 乳香 燈心 研入 石雄黃 甘草에 研入 鏡面 各四錢、射香 三分 以上 精末을 煉蜜에 和丸梧子 大大人 卒倒 小兒腦炎特效

32、咳嗽

咳嗽者는 熱極傷肺之致니 熱甚剋肺로 肺氣가 衰弱中 寒冷之氣가 呼吸을 通하여 口鼻로 毛孔으로 肺葉에 寒入則發咳致嗽하나니 誰何門에 暑熱流汗中 寒風冷霧를 呼吸한즉 發咳되나니 此는 肺熱의 拍寒之致라。 非寒非熱이 肺葉藥宣이니라。

肺者는 在五行의 金이요、在臭의 腥이요 在穀의 牟요 在聲의 弓이요 在人身의 皮요 在臟의 肺니 其生은 水요 其治는 溫이요 其補는 人蔘이니 蔘은 養胃라 土生金之理니라。

一、해소는 대개가 손상을 회복치 못한 데서 고질이 되는 증세라 하겠다。 原因은 肺가 熱의 손상을 받은 데다가 外部로부터 風寒의 촉감을 당한즉 咳喘이 始作되나니 가령 홍역 중 심한 熱로 肺가 弱化된 끝에 바람을 쐬면 어느 유아라도 咳喘나는 것은 事實이다。

二、天禀體質이 健全한 小兒는 別途로 하고 體質이 不足하고 熱이 甚한 小兒는 곧 해소가 되어 老來晩年까지도 고질을 免키 難이요、괴로움을 當하는 것을 홍역해소로서 난치라고 하나니 각별히 치료하는 男女不問하고 補肺하는 藥으로 肺의 熱損을 補充하는 것이 效果이

다。

三、補肺漢藥方文 熟地黃 四錢、沙蔘 三錢、山茱萸 白茯苓 人蔘 鹿茸 白豆蔻 黃芪 白朮 白芍藥 當歸 麥門冬 各一錢。많이 쓰면 좋으나 十貼 內外에도 始初에는 完效요 오래 된 사람은 二三十貼限 服用하면 完治된다。飮食補로는 中羊을 糞毛는 빼고 뼈까지 濃湯하여 묵 같은 고를 二、三首 하여 먹으면 홍역 해소 백일해로 된 해소증세라도 完治되나니 이 치료법은 熱과 寒風에 觸傷되어 損傷의 肺를 補完하여 完治하는 要素이다。羊男雌女雄。

四、백일해라는 것은 天行咳嗽 亦是 天禀不實에서니 치료의 妙方은 胃를 도와 飮食을 잘 먹게 하는 것이 累試累驗이다。健胃補肺湯 熟地黃 三錢、陳皮 白豆蔻 白朮 人蔘 一錢半、甘草 白芍藥 半夏 薑製 地骨皮 蘇葉 白茯苓 山査肉 各一錢、十貼 服用 薑汁二匙 和用。코나 입으로 피가 나올 때 白芍藥 牧丹皮 熟地黃 陳皮 荒蔚子 山査 白朮 白豆蔻 蘇葉 各五分 或 麻黃根 三分 二三貼限 服用。或 黃芩 杏仁 各五分 麻黃 三分 咳嗽 기침은 成年前에 치료해야 하나니 補藥은 熟地黃 人蔘 鹿茸 黃芪 等材가 爲主요 폐결핵 肺病에는 肺病菌을 없애야 하는데 胃가 問題이니 新藥 파스 等을 쓰는 것보다 漢藥材의 鴉膽子로 끊임없이 連服하면 健胃겸 殺菌도 되나니 亦是 위장 먼저 健實하면 各種 肺病의 完治도 可能한 것이다。

五、結核 폐병의 專用殺菌方文

人蔘은 많을수록 좋다。

鴉膽子는 소태실 石硫黃 陳皮 各三斤、海螵蛸 防風 人蔘 各四兩、別途 石雄黃 甘草와 同硏入 紅靈砂 七錢、以上 細末糊丸 菉豆大作丸 靈砂는 細粉爲衣하여 患者年齡數대로 日四次 冷米飮에 呑下 乳香 五錢을 燈心 同硏해 加入하면 尤效 傳戶虫 勞瘵라는 菌의 所致로 기침하여 기맥을 잃는 中에도 上記 약에다 石雄黃 五錢 白茯苓 四兩을 加入하여 錠이나 丸을 지어 服用하라。

石雄黃은 毒故로 甘草와 同入硏細。

附方 以上諸件咳嗽等症에 實驗實效藥으로서는 男女老小間에 秘苑更少丸과 中羊膏가 第一이라고 力說한다。

經驗方

序論

옛말에 讀醫書 3年에 治療하지 못할 病이 없으나、臨床 3年에 한개 病도 治癒하지 못하였다는 名言이 있드시 明確한 治療方法은 執方待病에 있지 아니한 것은 두말할 나위도 없다。 그러나 數億萬사람에게 經驗한 名處方은 그 特異한 治癒의 効果를 나타내고 있는 것도 또한 속일 수 없는 事實이기도 하다。 臨床에 對한 生命은 證과 脈을 看別하여 處方을 選用하는데 있다。 여기에 한가지더 添附할 것은 體質의 陰陽的鑑別도 重要하게 登場하고 있는 바이다。 말하기는 쉽지만 證에 있어도 似是而非가 있고 脈에도 微妙難見이 있으며 體質에 있어서는 더욱이 별안간에 鑑別못할 者가 많으니 꼭알고 꼭마추기란 果然 難之難事라 아니할 수 없다。 때문에 中國의 古代에 許胤宗이란 名醫는 90平生의 臨床家로서 醫書를 著하지 아니하였다。 그 말에 依하면 醫란 意다 意思가 定하여야 妙理를 얻을 수 있는 것이니 헛되게 方論만을 編著하면 무엇이 사람에게 도움이 되겠는가고 했다。 요사이 風潮와는 좋은 對照的이긴 하지만 自己의 定見이 없이 四五百年前의 古書를 抄錄하여 自己의 見解로 假裝해서 出版記念이란 허장성세를 하고 있는 偉大한분에게 比하면 許氏는 너무도 옹졸하고 못난사람이 될지도 모르겠다。 이러한 時點에 處해 있는 우리들은 옳바른 良心과 良識의 터전위에 참된삶을 찾어야 될줄로 믿는 바이다。 黃金이 아무리좋지만 自己의 良心과 바꿀 수 없는 것이 人間의 生命이 아니겠는가? 꾸준한 附託을 저바리기 어려워 自己 나름대로 經驗한 處方몇개를 悚懼스럽게 生覺하면서 紹介하는 바이다。

噫氣不除(트림을 자꾸만 하는症)

註

臨床活用에 있어서는 食道狹窄證 食道疼痛證 食道癌 初期症 幽門狹窄症 또는 原因不明의 嘔吐證에 本人은 使用하여 有効하였음。

處 方

旋覆花代赭石湯：旋覆花 11·25g、半夏 人蔘 代赭石 甘草各 7·5g、生干 7片 大棗(去核) 4枚(傷寒論의 處方)。

拘攣疼痛症

蔡 仁 植

註

脚脛의 拘攣症 또는 腓腸筋痙攣症 跟疼痛症 胃痙攣症 腸疝의 疼痛 拘攣症 膽石症의 拘攣疼痛이 甚할 때는 猪苓湯과 合方해서 쓴다。

處 方

白芍藥 甘草各 11·25g。

加減法

모든 拘攣疼痛症에 寒冷感이 特甚하면 附子를 加用하고 熱感과 實症일 境遇는 大黃을 加用。

蔡 仁 植

慢性關節炎 特히 畸型性關節炎症

處 方

桂枝芍藥知母湯：桂枝 知母各 15g、白朮 生干各 18·25g、防風 甘草 麻黃各 7·5g、白芍 11·25g、附子 7g。

註

關節이 疼痛하면 浮腫이 있고 또는 頭眩 短氣하며 때로 매식 매식하여 吐하려하기도 하는 症에 有効하다。이것은 本人의 常用處方이다。루마치스關節炎症에 靈仙除痛飮과 疏風活血湯等을 使用하여 좋은 効果를 나타내기는 하나 本處方이더 有効함으로 愛用한바 있다。

泄 瀉(無腹痛泄瀉 又는 飮酒後 泄瀉者)

蔡 仁 植

處 方

白朮37·5g、車前子18·75g(方意、除濕과 利水道)。

用　法
1日3回、水煎服　　　　蔡　仁　植

泄瀉虛冷者

處　方
播葱散加吳茱萸 車前子 大卜皮各 3.75g。

用　法
1日3回 水煎服。　　　　蔡　仁　植

努責(後重)

處　方
一笑散：白芍藥 木香 兵郎 藿香 蒼朮 大黃各 7.5g
小白皮蜜灸 18.75g、但 小白皮蜜灸를 하지 않을 時는
雪糖一匕。

用　法
1日3回 水煎服。　　　　蔡　仁　植

大便下血久者

處　方
黃土湯：黃土代赤石脂 18.75g、甘草 膠珠 生苄 白朮
乾干炒黑(或附子用) 黃芩各 5.625g。

用　法
1日3回 水煎服。　　　　蔡　仁　植

婦人子宮出血

處　方
平胃散加地楡炒 18.75g 荊芥炒黑 乾干炒黑 膠珠各
7.5g、塊花 3.75g。

用　法
1日3回、水煎服。　　　　蔡　仁　植

小兒夜尿症

處　方

① 荷葉 75g、甘草 7·5g。水煎分服。
② 大甘草煎湯에 破古紙炒爲末 3·75g式 調服。
③ 雄鷄肝2個 肉桂 150g 爲丸服用。
④ 人蔘 白朮 山藥 益智仁 山茱萸 當歸 白芍 黃芪 山棗仁炒各 3·75g、連子肉 3g、甘草炙 1·875g、水煎分服。

蔡仁植

糖尿病

處方

白茯 卜分子 黃連 天花粉 萆薢(代土伏苓) 人蔘 熟苄 玄蔘各 37·5g、石斛 蛇床子各18·75g 鷄肶胵30具(代豚脾) 渴者 犀角 3·75g 梧子大 30丸 毛磁石湯下。

處方2

六味、又는 八味에 加犀角 37·5g、水煎服。

蔡仁植

神經性胃腸病(因七情六鬱)

處方

丹蔘 37·3g、紫丹香 貢砂仁各 3·75g。

用法

1日3回 水煎服。

蔡仁植

胃炎及 潰瘍 十二指腸潰瘍

處方

半夏 白茯苓 陳皮各 9·375g、蒼朮 7·5g、梔子 11·25g、痛甚 乾干末 1·875g。

用法

1日3回、水煎服。

蔡仁植

胃痛

處方

① 百合 37·5g、烏藥 7·5g。
② 玄胡索 川楝子末各等分 飮酒者酒下 7·5g式 或 溫水下 又는 鹽湯下

蔡仁植

乳汁不下(乳腺不通)

處方

① 通草 11·25g、厚朴 7·5g、蒼朮3·75g、甘草 1·875g。

② 勇泉湯에 加黃芪 18·75g。

蔡 仁 植

류마치스關節炎

處方

疎風活血湯에 加木通 75g。

用法

1日3回、水煎服。

蔡 仁 植

腎結石症

處方

① 猪苓 11·25g、滑石 澤舍 赤茯苓 膠珠 木通各 7·5g、痛甚엔加白芍藥 甘草各 7·5g。

② 嘔吐者에 旋卜花 11·25g、代赭石 半夏 人蔘 甘草各 7·5g、干3 棗2。

③ 魚腦骨炒研 37·5g、滑石 75g 冷水로 3·75g 式 調下

蔡 仁 植

關節炎(手足膝)下肢冷無力症

處方

木果 11·25g、牛膝 7·5g、塾芐 白芍 當歸 川芎各 5·625g 威靈仙 桂枝 烏藥 赤茯 陳皮 人蔘 蒼朮 厚朴各 3·75、薏苡仁 7·5g、防風 羌活 香付子 白芥子各 3·75g、甘草 1·875g、干三 葱二

註

坐骨神經痛에 去桂枝 加附子 3·75g、血熱에 加龜板秦艽

晟濟漢醫院 舜 千 福

狐疝(小腹、陰囊으로 上下出沒하는 症)

處方

逐狐湯: 半夏 7·5g、陳皮 青皮 赤茯苓 烏藥 香附子 蒼朮各 3·75g 木香 兵郎 小茴香 蓬朮 縮砂 甘草炙各 2·625g 干3

用法

水煎하여 食前服한다。

聖濟院漢醫院 金 定 濟

浮腫諸症

處方

清腎健脾湯: 蒼朮 澤舍各 5·625g、猪苓 白朮 赤茯苓 桑白皮 茯苓皮 大卜皮 厚朴 陳皮 山査肉各 3·75g、香附子 萊卜子 車前子 神曲炒 麥芽炒 木香各 2·625g、甘草 1·875g、干3

用法

水煎空心服 泄瀉를 兼한 者는 縮沙 草果各 3g를、便秘에는 只角 兵郎各 3g를、口渴에는 葛根 3·75g를 加用한다。

聖濟院漢醫院 金 定 濟

脹滿症(元氣가 極虛하여 起床할 氣力도 없이 弱한 症에)

處方

補脾益氣湯: 人蔘 白朮 白茯苓 陳皮 木香 萊卜子 蘇莖各 3·75g、蒼朮 厚朴 當歸 麥門多去心 木通各 2·625g、只角 升麻 柴胡各 11·25g

用法

水煎하여 空心服한다。

聖濟院醫醫院 金 定 濟

膝關節류마치스

處方

加味大羌活湯 牛膝 7·5g、羌活升麻各 5·625g、木果 獨活各 3·75g、防己 威靈仙 當歸 赤茯苓 澤舍 甘草各 2·625g、蒼朮 白朮各 18·75g 干三

明山漢醫院 丁 奎 萬

感冒咳嗽(異常氣候로 感冒가 流行하여 咳嗽가 심한데에)

處　方

香蘇溫肺湯：香附子 蘇葉各 7·5g、蒼朮 5·625g 陳皮 葛根 半夏 赤茯苓 桑白皮 杏仁 貝母 五味子 各 3·75g、只角 桔梗 甘草各 2·625g、干3

用　法

水煎服

聖濟院漢醫院 金　定　濟

風痰症

處　方

導痰湯 半夏干製 7·5g、南星炮 橘紅 只角 赤茯苓 甘草各 3·75g、干3

用　法

水煎食遠服한다。

應　用

①風痰이 流注遍身疼痛或刺하면 羌活獨活 白朮을 加用한다。(祛風導痰湯)

②風痰으로 半身疼痛 或痺或麻 或搐搦 潤動等症에 疎風湯 即羌活 防風 當歸 川芎 赤茯苓 陳皮 半夏 烏藥 白芷 香附子各 3g、桂枝 細辛 甘草各 1·875g 干3을 合方하여 쓴(疎風導痰湯)、但左半身症에 當歸를 加用하고 右半身症에는 黃芪 山藥 白朮을 加用한

③風痰症에 熱을 兼하여 口舌乾燥하면 黃芩 黃連을 加用한다。(清熱導痰湯)、惡寒이 있으면 柴胡 防風을 加用한다。

④風痰症에 頭風眩甚 頭痒等을 兼發하면 消風散 即荊芥 甘草各 3·75g、人蔘 白茯苓 白干蠶 川芎 防風 藿香 蟬退 羌活各 1·875g、陳皮 厚朴各 1·125g、細茶1握을 合方하여 쓴다(消風導痰湯)

⑤風痰癱瘓에 痰涎壅盛하고 舌强語澁하며 甚則不語하는데에 山藥 蓮子肉 竹茹 石菖蒲各 3·75g、遠志去心製 2·25g를 加用한다(消心導痰湯)

聖濟院漢醫院 金　定　濟

風寒感冒症(或勞力過度 或勞心過多 或 飮食傷을 兼한데에)

處 方

香蘇正氣湯：香附子 蘇葉各 7·5g、蒼朮 5·625g、陳皮 羌活 川芎 烏藥 木果 葛根 萊卜子 山査肉各 3·75g、神曲炒 兵郞 只角 白茯神 甘草各 2·625g

用 法

水煎食後服한다。

聖濟院漢醫院 金 定 濟

胃脘痛 胸腹痞悶 噫氣 嘈雜等 諸症(食滯와 痰飮으로 起因된 것)

處 方

平陳健脾湯：山査肉 5·625g、香附子 半夏 陳皮 白茯苓各 3·75g、川芎 蒼朮 白朮 只實 藿香 蘿卜子各 3g、厚朴 縮砂 神曲炒 麥芽炒各 2·625g、木香 兵郞 炙甘草各 1·875g、干3 棗2

用 法

水煎食遠服한다。

聖濟院漢醫院 金 定 濟

腰痛症

原 因

擧重勞傷 挫閃 打撲 墮落傷等으로 因함。

處 方

清腰湯：大薊 7·5g、當歸 川芎 赤芍藥 生地黃各 5g、桃仁 蘇木 兵郞各 3·75g、紅花 玄胡索 桂心 杜冲炒各 2·625g

註

便秘가 있으면 大黃 3·75g를 加用함。

用 法

水煎食前服한다。

聖濟院漢醫院 金 定 濟

脇痛症

原因

食積과 痰飮으로 因한 것

處方

消食淸肝湯：山査肉 香附子各 5·625g、陳皮 川芎 半夏 赤茯苓各 3·75g、蒼朮 白朮 只角 神曲炒 麥芽炒 青皮各 2·625g、縮砂 木香 炙甘草各 1·875g、干3

用法

水煎食後服한다。

聖濟院漢醫院 金 定 濟

四肢麻木 全身痲痺

處方

正氣補元湯：黃芪 7·5g、山藥 白朮 人蔘 烏藥 香附子 甘草各 3·75g、半夏 陳皮 赤茯苓 羌活 防風 白芷各 3g、木香 桂枝 當歸 細辛各 1·875g、升麻 11·25g、干3 棗2

用法

水煎食遠服한다。

聖濟院漢醫院 金 定 濟

婦人經水過多症

原因

氣虛로 因함

處方

益氣調血湯：白朮 7·5g、各黃芪 5·625g、人蔘 白芍藥 香附子 阿膠珠 山査肉 神曲炒各 3·75g、陳皮 當歸身 川芎 甘草各 2·625g、升麻 柴胡各 1·125g、黃芩酒炒 0·75g、干3 棗2

用法

水煎食前服한다。

聖濟院漢醫院 金 定 濟

崩漏下血過多

原因

勞役 勞心 傷胃 諸症으로 元氣가 下陷되어 온다。

處　方

補氣益元湯：白朮 11·25g、黃芪蜜炙 7·5g、山藥 5·625g、側栢葉 五靈脂炒黑 山査肉 神曲炒各 3·75g、當歸身 陳皮 甘草各 2·625g、升麻 柴胡 並酒洗各 1·875g、黃芩酒炒 1·125g、干3 棗2

用　法

水煎空心服한다。

聖濟院漢醫院　金　定　濟

血崩諸症

原　因

思慮傷心으로 心包脈이 內崩하여 血漏 血崩이 된다

處　方

補血固本湯：當歸身 川芎 白芍 熟苄各 4·5g、香附子 黃芩 五靈脂炒黑 側栢葉 地楡炒黑各 3·75g、白茯神 古本 艾葉 縮砂 甘草各 2·062g

用　法

水煎食前服한다。

聖濟院漢醫院　金　定　濟

妊娠惡阻症

處　方

保生湯：白朮 香付子 烏藥 橘紅各 7·5g、人蔘 甘草各 3·75g、干3

註

嘔逆症이 甚하면 縮砂 白豆久 竹茹를 加用하면 尤好

用　法

水煎服한다。

聖濟院漢醫院　金　定　濟

妊娠中咳嗽로 胎不安症

處　方

紫苑湯：紫苑 天門多各 7·5g、吉更 5·625g、杏仁 桑白皮 甘草各 3·75g

用　法

竹茹鷄卵大投入煎湯去滓하고 蜜半匙를 投入再煎溫服한다。白朮 條芩을 加用하면 尤好

聖濟院漢醫院　金　定　濟

孕婦傷寒 (胎不安 若干의 腹痛症이 있을때 尤好)

處 方

安胎芎蘇湯 白朮 5·625g、條芩 當歸身 川芎 白芍 前胡 麥門多去心 陳皮各 3·75g、縮砂 蘇葉 葛根各 3g、甘草 1·875g、干3 葱2莖

用 法

水煎食遠服한다。

聖濟院漢醫院 金 定 濟

妊娠三·五·七個月中에 自然流產되는 症과 習慣性流產이 되는 症

原 因

氣血不足하고 胎元不固하여 온다。

處 方

大補固元湯：川芎 11·25g、當歸身 7·5g、白芍 熟芐 人蔘 白朮 白茯苓 黃芪 甘草各 3·75g、杜冲炒 續斷微炒 縮砂各 3g、干3 棗2

用 法

水煎食前服한다。

聖濟院漢醫院 金 定 濟

產後惡風惡寒肢節痛 攣急等症

原 因

產後血虛時에 傷風으로 因함。

處 方

祛風補血湯：當歸 川芎 白芍藥炒 熟芐 白朮 白茯苓 羌活 防風各 3·75g、秦艽 白芷 古本 甘草各 2·625g

用 法

水煎食遠服한다。

聖濟院漢醫院 金 定 濟

產後便秘

原 因

產後血虛로 因함。

處 方

補血潤腸湯：當歸 川芎 白芍藥 熟苄 麻子仁各 5・625g、蘇子 只角 兵郞 桃仁各 3・75g、紅花 1・125g

用 法

水煎空心服한다。

聖濟院漢醫院 金 定 濟

婦人虛勞症

症 狀

潮熱 盜汗 咳嗽 痰嗽 甚하면 唾血 咯血하며 日漸瘦弱하는 症、骨蒸病에도 쓴다。

處 方

補血斂母湯：當歸 川芎 白芍 熟苄各 5g、麥門冬 地骨皮 牧丹皮各 3・75g、知母 貝母各 2・625g、甘草 1・875g

用 法

水煎食遠服한다。

聖濟院漢醫院 金 定 濟

急驚風 및 驚悸症

處 方

鎭驚溫膽湯：香付子 7・5g、陳皮 3・75g、半夏 白茯苓 只實 竹茹 石菖蒲 白朮 山藥各 3g、山棗仁炒 當歸身 白芍藥 麥門冬 甘草各 2・625g、遠志 黃蓮 川芎 柴胡 吉更 牛膽南星 天麻 白干蠶 防風各 2・25g 干3 棗2

用 法

水煎하여 隨時로 適宜分服함。

聖濟院漢醫院 金 定 濟

小兒驚癎症

處 方

淸膽補心湯：香付子便炒 7・5g、橘紅 3・75g、半夏 白茯苓 只實 竹茹 石菖蒲 甘草各 3g、山棗仁炒 當歸身各 2・625g、黃連干炒 白芍藥 麥門冬 遠志 去心 川芎 人蔘 柴胡 吉梗各 2・25g、天麻 防風各 1・875g、干3 棗2

用　法
水煎服한다。

左脇下에 痞塊가 있는 瘧母症

聖濟院漢醫院　金　定　濟

處　方
柴陳淸肝湯：柴胡 當歸 川芎 白芍 別甲醋炒 山梔子 炒山藥 地骨皮 甘草各 2·625g、玄胡索 木香 兵郞 靑皮 砂仁各 1·875g

用　法
水煎食後服한다。

右脇下의 痞塊로 因한 瘧母症

聖濟院漢醫院　金　定　濟

處　方
柴胡 山査肉 別甲 半夏 陳皮 赤茯苓 白朮 甘草各 2·625g、何首烏 神曲 麥芽炒 玄胡索 木香 兵郞 靑皮各 1·875g

用　法
水煎하여 食後服한다。

小兒腹脹 泄瀉 嘔吐症

聖濟院漢醫院　金　定　濟

原　因
乳食消化不良으로 因함

處　方
溫脾湯：蒼朮 6g、陳皮 3·75g、厚朴 藿香 萊卜子 香付子 山査肉 貢砂仁 麥芽炒 甘草各 3g、草果 草豆久各 2·625g、木香 1·875g、干3 烏梅1個

用　法
水煎하여 隨時로 溫服한다。

小兒發熱咳嗽 痰盛喘息 胸脇痛

聖濟院漢醫院　金　定　濟

原　因
肺熱로 因함

處　方
淸胎飮：柴胡 6g、前胡 黃芩 果蔞仁 半夏 貝母 桑

白皮 杏仁 吉梗 只角 甘草各 3g、 青皮 麥門冬各
1·875g、 干3

用 法

水煎服한다。

聖濟院漢醫院 金 定 濟

小兒腹脹症

處 方

消脹飮：蘇梗 萊卜子 葛根 蒼朮各 3·75g、 厚朴 陳
皮 大卜皮各 2·625g、 只角 木香 兵郞 草豆久 甘
草各 1·875g

用 法

水煎食遠服한다。

註

泄瀉를 兼한데는 砂仁을 加用하고 腹痛이 甚하면 草
果를、 肝臟腫大한 데는 柴胡 青皮 別甲을、 虛弱한 데
는 人蔘을 加用한다。

聖濟院漢醫院 金 定 濟

痲疹咳嗽症

原 因

肺熱로 因함

處 方

葛根淸胎飮：葛根 7·5g、 升痲 白芍 蘇葉 陳皮 桑
白皮 杏仁 麥門多 地骨皮 黃芩各 3·75g、 吉梗 只角
甘草各 2·625g、 干3 葱白2莖

用 法

水煎服한다。

註

熱甚에 柴胡를、 痰盛喘息을 兼하면 貝母 果蔞仁을、
發疹이 收歛할 때는 五味子를 加用함

聖濟院漢醫院 金 定 濟

痲疹煩渴症

原 因

胃熱로 因함

處方

葛根淸胃湯：葛根 7·5g、麥門多去心 5·625g 天花粉 知母 石古 升麻 白芍 黃芩 竹葉各 3·75g、甘草 2·625g

註

痲疹의 收斂期에는 五味子를 加用

用法

水煎服한다。

聖濟院漢醫院 金 定 濟

痲疹에 或嘔吐 或泄瀉

處方

葛根平胃湯：葛根 蒼朮各 7·5g、厚朴 陳皮 白芍 山藥 白片豆 藿香 甘草各 3·75g、縮砂 2·625g 草豆久 肉豆久各 1·875g、干3 葱白2莖

用法

水煎服한다。

聖濟院漢醫院 金 定 濟

婦人病疾患

醫林社 社長 裵 元 植

① 搔爬手術後腰痛에 熟地黃(9蒸)、또는 龍眼肉 5·625g、當歸 枸杞子 桂皮各 5·625g、牛膝 7·5g、人蔘 5·625g、香付子、熟芐 砂仁 甘草各 3·75g、〈일사인보다 공사인이 좋아〉 6貼効驗

② 子宮發育不全
熟地黃(9蒸) 香付子 當歸 白芍藥 白茯苓 陳皮 玄胡索 牧丹皮 幹干 人蔘 熟芐 3·75g、吳茱萸 1·125g～1·875g、以上

③ 白帶下、黃帶下
草龍膽 5·625g、柴胡 澤瀉 木通 赤茯苓各 3·57g 乾地黃 當歸 山梔子 黃芩 甘草各 3g

④ 子宮出血
當歸 37·5g、白芍藥 18·75g、蒲黃 3·75g、黃金 白朮 柴胡各 3·75g、阿膠 6·25g、荆芥穗炒 3·57g

⑤ 產後呼氣
牛膝 37·5g、白芍藥 18·75g、川芎 7·5g、桂皮 11·25g、人蔘 7·5g

神經衰弱

處　方

養元湯、人蔘 枸杞子酒洗各 7·5g、蓮肉去心 鹿茸酒炙 當歸身 白茯神 香付子便炒 元橘皮 只實 遠志去心 菖蒲 龜板各 3·75g、辰砂 1·875g分 調服亦可

尹　吉　榮

不眠 及 心臟衰弱 怔冲

處　方

加味四物湯：當歸 熟苄 川芎 白芍 7·5g、竹茹 只實各 3·75g。

尹　ㅁ　榮

胃 潰 瘍

處　方

加味爪婁仁湯、薏苡仁 括婁仁各 11·25g、薤白 杏仁 厚朴 只實 半夏 白茯苓 或草龍胆 滑石 代赭石 甘草 梔子各 1·875g。

尹　吉　榮

急慢性盲腸炎

處　方

加味正理湯、蒼朮 5·625g、蘇葉 香付子 只實 乃卜子各 3·75g、陳皮 半夏 白茯 厚朴 藿香 甘草各 2·625g、大黃 3·75~7·5g、桃仁 3·75g~11·25g 牧丹皮 11·25g、干三。

註

① 化膿穿孔性 加薏苡仁 18·75g、敗醬 7·5 金銀花 26·25g。

② 化膿 加薏苡仁 11·25~18·75g、敗醬 7·5g。

用　法

隨症之緩急 定投藥之時間 或數或遲 或多量 或少量 然其症之通常時則投 日再貼再煎統合三回服之 若或腹膜炎 等之急症 宜數頻服之。

尹　吉　榮

赤·白痢 疫痢

處方

加味歸芍湯、白芍藥 當歸各 5·625g、白茯 澤舍 兵郞 木香各 2·625g、黃蓮 乾干炮各 3·75g、乃卜子 7·5g、只角 3·75g、葛根 7·5g、桂皮 麻黃各 3·75g、甘草 1·875g。

註

孕婦에 加白朮 5·625g、黃芩 3·75g、黃連半減。

尹 吉 榮

肺結核 最初期

處方

柴蘇湯、柴蘇葉 7·5g、柴胡 玄蔘各3·75g、天花粉 11·25g、貝母 橘皮各 5·625g、甘草 3·75g。

尹 吉 榮

甲狀腺腫大

處方

加味逍遙散、芍藥 當歸 白朮 茯苓 甘草 柴胡 熟芐 川芎各 7·5g、牧丹皮 梔子 龍骨 牡蠣各 3·57g、煨干三 薄荷少許 海帶一合。

註

長期服用

尹 吉 榮

眼疳(비타민不足)

處方

殺疳明目湯、白朮 5·625g、黃蓮 胡黃蓮 麥芽炒 山査肉 神曲各 3·75g、使君子油炒 靑皮 靑霜子 防風 荊芥各 3·75g、蘆薈 灰製各 1·875g、或加蕪荑製 1·875g。

尹 吉 榮

淋、梅毒性 關節炎 及虹彩炎

處方

加味甲己湯、白芍藥 11·25g、蒼朮 甘草 木果各 7·5g、黃栢 玄胡索 羌活 香付子 烏藥 蘇葉 乳香 沒藥 柴胡各 3·75g、細辛 五味子 吳茱萸 牛膝 檳榔各 1·

875g。干三 葱二。

尹 吉 榮

關節炎 及 因關節炎性虹彩炎

處 方

加味五痺湯、當歸 5·625g、川芎 白朮 白茯 陳皮 半夏 甘草 白芍各 3·75g、細辛 五味子各 1·875g、威靈仙 五加 皮各 3·75g、萎蕤 11·25g、木果 紅花 蘇木各 3·75g、牛膝 1·875g。

尹 吉 榮

癮 疹

處 方

加味升葛湯、葛根 7·5g、升麻 白芍 甘草各 3·75g、荊芥 防風 連交各3·75g、玄蔘 7·5g、牛旁子 11·25g 樺皮 2·625g(無樺皮 以代金銀花)。

尹 吉 榮

產後血虛流走

處 方

加味陽和湯、阿膠 25·11g、黃芪 甘草 白芥子各 7·5g、熟芐 37·5g、桔梗 麥門冬 蔓蔘 桃仁 干炭 肉桂各 3·75g、白芍 川芎各 7·5g、當歸 15g。

用 法

酒水各半煎服。

尹 吉 榮

女子 子宮虛冷

處 方

補命湯、熟芐 當歸 白芍藥 川芎 香付子 益母草 丹蔘 淫羊藿 續斷補骨脂 菟絲子 蛇床子 肉桂各 5·625g 小茴香 吳茱萸各 3g、紅花 炙甘草各 1·5g。

註

上藥味 作粒子大粗末酒洗(酒精尤妙) 乾燥後 分三等分 每用一分 入粗布 結封而湯沸 去布溫服。

尹 吉 榮

子宮虛弱冷症

處方

加味補益湯、黃芪 15g、人蔘 升麻 白茯苓 半夏各 3·75g、山藥 蓮子肉各 7·5g、白朮 3·75g、陳皮 當歸 柴胡 吳茱萸 小茴香 唐木香 貢砂仁 炙甘草各 1·875g。

尹 吉 榮

糖尿病肥大 小便濁 嗌乾口渴 大飮水

處方

加味四苓湯：白朮 7·5g、澤舍 猪苓 茯苓各 3·75g 天花粉 11·25g、或加枸杞子 葛根 11·25g。

尹 吉 榮

腎臟炎

處方

加味正理湯、蒼朮 5·625g、蘇葉 香付子 只實各 3·75g、厚朴 陳皮 半夏 茯苓各 2·625g、甘草 1·875g、萊服子 木香 2·625g、加澤舍 猪苓 倍茯苓 又加黑丑。

註

絕食禁鹽 先用五貼 後去黑丑服一週日而癒。

尹 吉 榮

婦人胸腹痛 便燥症

處方

白朮 白茯苓 柴胡 吉更 三稜 蓬朮 大卜皮 玄胡索 半夏 大黃 黃芩 毛黃連各 3·75g。

자혜漢醫院 金 東 漢

帶下不止症

處方

淫羊藿 75g、牧丹皮 薏苡仁 白茯苓各 9·375g、吉更 麥門冬 敗醬 丹蔘 白芍藥 石葦 生池黃 甘草 棉實子各 3·75g。

자혜漢醫院 金 東 漢

小兒吐瀉虛脫症

處方

玄之草 9·375g、人蔘 白朮 葛根 白茯苓各 7·5g、藿香 草果 唐木香 肉豆久 白豆久 山藥 半夏 青皮 訶子 甘草各 3·75g、白付子 1·875g。

자혜漢醫院 金 東 漢

小兒夜尿症

處方

人蔘 附子 厚朴 白茯苓 陳皮 半夏 葛根 龜板 砂仁 肉桂 乾干 益智仁 山藥 黃芪 吳茱萸 靈仲草 捍撥 升麻 元甘草各 3·75g。

用法

本方을 患者年令數로 春秋 4回使用할것。

자혜漢醫院 金 東 漢

有鉤、無鉤條虫(驅虫法)

處方

蒼朮 7·5g、半夏 赤茯苓厚朴 陳皮 5·625g、皮各 藿香 草果 人蔘各 3·75g、烏梅 2個。

用法

本方을 煎汁 兵郞末 7·5g을 調服、2貼이면 妙。

자혜漢醫院 金 東 漢

呃逆(딸꾹질)

處方

白芷 37·5g、元甘草 7·5g。

用法

本方煎汁하여 2貼이면 完快。

자혜漢醫院 金 東 漢

紫班病

處方

當歸身 白芍藥 生地黃 黃芪 龜板 荊芥穗炒黑 艾葉 旱蓮草根 阿膠珠 白芷 側栢葉 黃芩炒黑 元柴胡各 3·75g

用法

本方을 水煎하여 三七根末 1·875g、式調服。

자혜漢醫院 金 東 漢

鵞口瘡(口內炎)水癌瘡

處方

蒼朮 陳皮 厚朴 甘草 麥門冬 草果 金銀花 玄蔘 蓮交 天山甲 黃芩 大黃各 3·75g、石古炒 37·5g。

자혜漢醫院 金 東 漢

齒槽膿炎(風齒)

處方

日黃連 黃芩 大黃 知母鹽水炒 天山甲 甘草炙 3·75g、石古 20g、6貼妙。

자혜漢醫院 金 東 漢

漢冲散으로 疼痛症을 治療하는 方法

第23回 日本東洋醫學會 學術講演 演題

主 效

消炎 鎭痛 利尿 解毒 抗神經。

適應症

各種炎症 神經系疾患 特히 디스크 류마티스性 神經痛、同關 節炎 蓄膿症 子宮系疾患。

處 方

九煎白靈砂 18.75g、漢冲(一名紫金錠)1.875g、麝香 0.375g。

用 法

本方을 聚末하여 廣木3겹으로 주머니를 지어 藥을 넣어서 蓬合、600g 닭을 去內臟頭足毛하고 닭속에 藥주머니를 넣어 藥湯에 물 6合에 煎、1合半하여 1日3回 每半合式 服用함。藥1封으로 每日닭만 交換 10日間使用함。治療期間은 陳久性에는 二個月 亞急性에는 1個月 輕症에는 20日間이면 完快됨。本人은 此方으로 30餘年間 患者에 施藥하고 있으나 治癒率이 매우좋아 別로特記할만한 受難은 없었음。

자혜漢醫院 金 東 漢

胃潰瘍、急慢性胃炎、胃酸過多

註

症候에 따라 投藥하되 下記處方으로 適宜 併藥하면 妙함。

處 方

牡蠣粉 300g、鷄內金 600g、寶豆炒黑 37.5g、眞伏 龍肝 75g、薄荷腦少許。

用 法

本方을 細末하여 1日3回 1回 3.75g式 食後30分에 服用함。

자혜漢醫院 金 東 漢

胃無力、無酸症

處 方

枯白礬 300g、人蔘 黃芪 白何首烏 白朮 鷄內金 貢砂仁炒各 18·75g、白豆久 7·5g。

用 法

本方을 細末하여 鷄卵白子에 調合梧子大爲丸하여 1日3回 每回15丸式 食後即服함。

자혜漢醫院 金 東 漢

膽囊炎 膽石症

處 方

蒼朮 元甘草各 7·5g、三稜 蓬朮 白茯苓 青皮各 5·625g 貢砂仁 丁香 兵郎 玄胡索 桂皮 乾干 沙蔘各 3·75g、小茴香 37·5g、當歸 56·25g。

用 法

本方을 發病時6~12貼을 쓰고 再發時마다 數次 使用하면 完快됨。

자혜漢醫院 金 東 漢

疫痢 赤痢(아메바性、細菌性)

處 方

玄之草 75g 柴胡 前胡 羌活 獨活 桔梗 只殼 川芎 赤茯苓 甘草 蓮子肉 日黃蓮 詞子各 3·75g、輕症이면 4貼 이면可。

자혜漢醫院 金 東 漢

마라리아、再歸熱

處 方

人蔘 7·5g、柴胡 羌活 獨活 桔梗 只角 川芎 赤茯苓各 3·75g、草果 青皮 木常山 龜板各 7·5g、三稜 黃芩 蘇葉 甘草各 7·5g。

자혜漢醫院 金 東 漢

神經性月經不順

處 方

蒼朮 陳皮各 3·75g、厚朴 桔梗 只角 當歸 乾干炮 赤芍藥 白茯苓 玄胡索 牡丹皮各 3·75g、桃仁 紅花 蘇木各 5·625g、香附子 半夏 桂皮 川芎 甘草 澤蘭 山査肉各 3·75g

用 法

本方을 月經時마다 6貼、4~5個月間 쓸것。

자혜漢醫院 金 東 漢

便秘脈洪滑者

(腸中津液乾枯而發爲大便秘結)

處方

加減五仁湯(滋潤通便劑、燥腸潤和通便法) 杏仁 13·125g、桃仁微炙 松子仁 栢子仁 麻子仁炙 各 11·25g、陳皮木香 神曲各 3·75g、明礬(白礬) 元甘草各 1·875g。

用法

煎湯時 淸蜜一匙加入煎服 1日3回 食遠服。

註

輕者(4~5日不通者) 10貼而癒。
重者(8~9日不通者) 15貼而癒。
極重而便血者(10~15日不通者) 20貼而癒、診斷適中則其效如神矣。

注意

① 弱者不用、② 妊婦不用、③ 便通則服止 後調八物湯。

仁旺漢醫院 朴 海 福

寒熱往來 熱多寒少症 壯熱灼之 手足 心煩口渴引飮 汗多熱不退 舌苔紅白 脈數有力者

處方

加減柴胡白虎湯(和解淸降收汗法) 生仙人掌去刺皮 18·75g、柴胡 9·375g、知母 7·5g、石古 芒硝各 7·5g、黃芩 半夏各 5·625g、白朮 神曲 元甘草各 3·75g。

用法

煎湯時必加入粳米一匙煎服 輕者6貼 重者10貼 極重者15貼。

注意

老少弱者不用 妊婦不用 熱退則服止 後調 補中益氣湯

仁旺漢醫院 朴 海 福

月經不順而目昏 眩暈 飮食減少 腰痛腹痛時作時止 經少身瘦 舌白苔 脈遲者

處 方

生鹿角 當歸身 元杜冲灸 白芍藥灸各 11·25g、 烏藥 蘇梗各 7·5g、 吳茱萸 桂枝 巴戟灸 艾葉灸 神曲灸 鷄內金灸 白朮灸 紅花各 3·75g、 唐附子灸 元甘草各 1·875g。

用 法

煎湯時必加入大棗5個煎服 1日3回 再湯服用 每空心服 ① 經來不順者 2劑而癒 ② 月事燥枯者 4劑而癒 ③ 冷滯經閉者2個月而癒。

注 意

禁房事 禁餠 禁粉食 禁海産物。

仁旺漢醫院 朴 海 福

脾胃虛弱 消化不良 胸中虛痞 食後倒飽 便溏泄瀉 舌苔薄白 脈弱無力者

處 方

加減健脾丸 人蔘灸 白朮灸 鷄內金灸各 1·875g、 丹蔘酒浸乾灸 75g、 半夏 乾干 厚朴 白茯苓 神曲炒 山查 只實灸 元甘草灸各 37·5g。

製 丸 法

上方極細末 猪膽液爲丸梧子大每服 30～40丸 食遠服 1日3回 溫水服用。

猪膽液製造法

猪膽大者1個 黑豆·大一升合而煎湯、 煎湯水再煎如飴爲1斤半取液 爲丸也。

注 意

① 姙婦不可用、 ② 完治後도 繼續服用可、 ③ 禁忌冷物 牛乳 乾柿。

仁旺漢醫院 朴 海 福

產後迎風淚出

處 方

生和湯、當歸 15g、 川芎 5·625g、 桃仁 甘菊 霜桑葉各 3·75g、 干黑 甘草各 1·875g。

用 法

1日3回、水煎食後 1時間에 服用함。

乃仁堂漢醫院 許 仁 茂

幼兒急慢性肺炎

處 方

加味淸肺湯、 麥門冬 白茯苓各 18·75g、 黃芩 柴胡 五味子 甘草各 3·75g、 桔梗 7·5g。

用 法

1日1貼、 水煎適宜分服함。

乃仁堂漢醫院 許 仁 茂

胃 痙 攣

處 方

① 加味安胃湯(男子) 桂枝 乾干各5·625g、 人蔘 玄胡索 小茴香各 3·75g、 青皮 砂仁 神曲各 3g、 當歸 木香 檳榔 川芎各 2·625g、 白朮 蒼朮各 3g、 烏梅 2個 干3 棗2。 水煎服 1日2~3貼。

② 神朮散(女子) 白朮 白茯神 柴胡 桔梗 三稜 蓬朮 大卜皮各 3g、 玄胡索 大黃 半夏各 2·625g、 黃芩 日黃蓮各 2·25g 水煎 2時間 간격으로 服用。 3貼 再湯까지 服用하면 快癒。

乃仁堂漢醫院 許 仁 茂

胃潰瘍(十二指腸潰瘍)

處 方

・茯苓湯 : 白茯苓 白片豆各 7·5g、 當歸 山査 人蔘 陳皮 神曲 麥芽 玄胡索 小茴香 薄荷各 3·75g、 沒藥 甘草各 1·875g。

用 法

1日2貼、 食後2時間水煎服、 一進散 1·125g式

1日3回 食後 30分에 服用。20日服用則完治

註

一進散은 甘草末 37·5g와 寶豆末(法製) 15g를 混合한 것임。

乃仁堂漢醫院 許 仁 茂

濕性肋膜炎

處 方

金熟煎：金銀花 熟地黃各 37·5g、天門冬 黃芪 天花粉各 18·75g、當歸 川芎 白茯苓 人蔘各 11·25g、山藥 山茱萸 牡丹皮 澤舍 烏藥各 7·5g、荊芥 甘草灸各 3·75g。

用 法

1日2 1 1貼水煎2回分服 食後1時間에 服用함。

乃仁堂漢醫院 許 仁 茂

皮膚搔痒症

處 方

加味淸血湯、浮萍 11·25g、當歸 生地黃 川芎 白芍藥 苦蔘各 5·625g、蟬退 荊芥 防風 白芷各 3·75g、薄荷 甘草各 2·625g。

用 法

1日2貼 水煎食後2時間에 服用함 再湯不要 服要1週日分。

乃仁堂漢醫院 許 仁 茂

婦人左卵巢炎

處 方

熟芐 玄蔘各 11·25g、沙蔘 山茱萸 山藥 白片豆各 5·625g、白茯苓 牧丹皮 澤舍 桃仁各 3·75g、木綿子 玄胡索各 2·25g。

用 法

1日2貼、水煎食後3時間에 服用함。5日分要함。

乃仁堂漢醫院 許 仁 茂

陰痿不起

處 方

熟芐 37·5g、白朮 18·75g、山茱萸 15g、人蔘 枸杞子各 11·25g、白茯神 肉桂各 7·5g、巴戟 肉蓯蓉

遠志 杜沖各 3·75g。

用 法

1日2貼 1貼水煎2回分服 食後3時間에 服用함。

乃仁堂漢醫院 許 仁 茂

婦人胎動胎漏

處 方

加減地黃湯、熟苄 15g、山藥 山茱萸各 7·5g、白朮 條芩各 5·625g、當歸 川芎 白芍藥各 5·625g。

用 法

1日3回、空心服 要5日分。

乃仁堂漢醫院 許 仁 茂

腎虛耳鳴

處 方

杞菊地黃湯、熟苄 15g、山藥 山茱萸各 7·5g、牧丹皮 白茯苓 澤舍各 5·625g、 枸杞子 甘菊 荊芥 防風各 3·75g、蔓荊子 細辛 薄荷各 2·625g。

用 法

1日3回、水煎食後 1時間에服用함、要3劑。

乃仁堂漢醫院 許 仁 茂

腎石症

處 方

加味地黃湯、熟苄 15g、山藥 山茱萸各 7·5g、鹿角霜 牧丹皮 澤舍 白茯苓各 5·625g、巴戟 石斛 覆分子各 3·75g、木通 車前子各 2·625g、乾干 肉桂 附子各 1·875g

用 法

1日3回 水煎空心冷服 要5日分。

乃仁堂漢醫院 許 仁 茂

腎臟炎

處 方

加味實脾散：黃芪 7·5g、人蔘 厚朴 山藥·白朮各 5·625g 木果 草果 大黃 附子 白茯苓 澤舍各 3·75g、木香 乾干甘草各 1·875g 干3 棗2

用 法

1日3回、水煎空心冷服 要3劑。

乃仁堂漢醫院 許 仁 茂

盲腸炎

處方

加味煖肝煎：小茴香 11·25g、沙蔘 7·5g、藿香5·625g、白芷 大卜皮 白朮 厚朴 白茯苓 陳皮 半夏 吉更 木綿子 大黃 牧丹皮 玄胡索 木香 桃仁 甘草各 3·75g、干3棗2

用法

1日3回、水煎空心服、要5日分

乃仁堂漢醫院 許 仁 茂

婦人乳汁不足

處方

加味通乳湯、王不留行 18·75g、白何首烏 15g、山茱萸 11·25g、枸杞子 熟芐 白茯苓各 7·5g、

用法

1日3回、水煎食後 1時間에 服用함、要5日分。

乃仁堂漢醫院 許 仁 茂

婦人下血(特効方)

處方

加味升陽湯、地楡炒 18·75g、白朮 5·625g、黃芪 阿膠珠各 3·75g、人蔘 神曲各 3g、當歸 陳皮 甘草炙各 1·875g升麻 柴胡 1·125g、黃芩0·75g 香付子炒 荊芥炒 乾干炒各 3g。

用法

1日3回、水煎食後 3時間에 服用함、要1週日分。

乃仁堂漢醫院 許 仁 茂

婦人子宮筋腫

處方

補中益氣湯에 加三稜 蓬朮 木香 青皮 香付子 吉更 藿香 肉桂 益智仁各 3·75g。

用法

1日3回、水煎空心服 要10日分

乃仁堂漢醫院 許 仁 茂

膽石症(實症)

處方

大柴胡湯 柴胡 半夏各 11·25g、黃芩 白芍藥 只實

大棗各 5·625g、生干 7·5g、大黃 3·75g。

用 法

1日3回、水煎食後 1時間에 服用함、要3日分。

乃仁堂漢醫院 許 仁 茂

膽石症(虛症)

處 方

柴胡桂枝湯：柴胡 半夏各 7·5g、桂枝 黃芩 人蔘 白芍藥 大棗 生干各 3·75g、甘草 1·875g。

用 法

1日3回、水煎食後 1時間에 服用함、要10日分。

乃仁堂漢醫院 許 仁 茂

多發性關節炎

處 方

羌活湯：羌活 蒼朮 黃芩酒炒 當歸 白朮土炒 白茯苓 半夏干炒 香付子各 5·625g、木香 陳皮各 2·625g、甘草 1·875g、干3。

註

① 上肢痛甚者에 加白芷 威靈仙 1日3回、食後 1時間에 服用함。

② 下肢痛甚者에 加黃栢 牛膝 1日3回 食後3時間에 服用함。

③ 絶痛者에 加乳香。

乃仁堂漢醫院 許 仁 茂

脚氣(股關節炎)

處 方

蒼朮 7·5g、香付子 蘇葉 陳皮各 3·75g、木果 7·5g、兵郎 羌活各 3·75g、牛膝 7·5g、甘草 1·875g、威靈仙 3·75g、乳香 1·875g、熟苄 白芍 當歸 川芎各 5·625g

晟濟漢醫院 舜 千 福

鶴膝風

處 方

羌活 升麻各 7·5g 獨活 5·625g、蒼朮 防己 威靈仙 白朮 當歸 赤茯 澤舍 4·5g、甘草 狗脊 木別子各 3·75g

用 法

水煎服 1日 2~3回空心服可

豊山漢醫院 任 佐 彬

주옥의 경험방 집대성

질환별경험방실제와치료법

정가 24,000원

2014年 4月 10日 인쇄
2014年 4月 15日 발행

편 저 : 박 종 갑
발행인 : 김 현 호
발행처 : 법문 북스
공급처 : 법률미디어

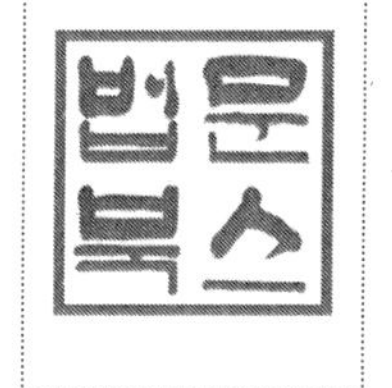

152-050
서울 구로구 경인로 54길 4
TEL : (대표) 2636-2911, FAX : 2636~3012
등록 : 1979년 8월 27일 제5-22호
Home : www.lawb.co.kr

▌ISBN 978-89-7535-281-2 93510
▌파본은 교환해 드립니다.